U0077305

戴國煇全集 

史學與台灣研究卷・四

◎台灣結與中國結

罣丸理論與自立・共生的構圖

目次

contents

台灣結與中國結
罣丸理論與自立・共生的構圖

【圖表目次】

台灣的歷史與現狀

1992年7月28日至8月23日，在國際上享有盛譽的旅日學者、台灣史專家、日本東京立教大學史學科教授戴國煇應中國社會科學院台灣研究所之邀，回國進行學術交流活動。在國內期間，除參加由全國台灣同胞聯誼會、台灣研究會、中國社會科學院台灣研究所共同舉辦的「第二屆海峽兩岸關係研討會」外，還先後向台灣研究所研究人員做了四次學術研究報告，並訪問了全國台灣同胞聯誼會、台灣民主自治同盟、南開大學台灣研究所、天津社會科學院台灣研究所等有關機構，參觀了歷史博物館、故宮博物院、北京工藝美術廠，群覽了長城、十三陵、頤和園、圓明園、曲阜孔廟、泰山等名勝古蹟。進行學術交流期間，戴教授根據自己的觀察、研究與思考，著重就當前台灣島內政治、兩岸關係、台灣歷史等問題提出了自己獨特的看法。現將其主要內容綜報如下：

對李登輝等國民黨高層人士及島內統獨之爭的看法

李登輝基本上是具有中華民族意識的。蔣經國死後，按「中華民國」憲法，該他當「總統」。除了「憲法」規定之外，依據當時的民意，既然「副總統」是李登輝，如果把他擺開的話，台灣很可能發生第二次「二二八」。當時還發生了國民黨主席要不要李登輝當的問題，因為他黨齡太嫩，1972年才入國民黨，這樣就發生了國民黨內部第一場權力之爭。李登輝要當黨主席，最得意的幫手是宋楚瑜。李登輝是農業經濟專家，他搞政治有一個思考，就是合理的經營。他看到民進黨起來後，一定會走向多黨政治，一定會出現競爭。因此一定要把國民黨過去的包袱甩掉，去掉「養老院」（老「中央民代」）。對於李登輝宋楚瑜來講，黨內如何整合是最重要的，統一可能是第二位或第三位的。為了國民黨求生存，李登輝要走他的改革路線。假如不先抓「總統公民直選」，這個題目就會被民進黨搶去。因為老百姓對「委任直選」反感，對「老賊」非常討厭。「總統公民直選」有一種參與感，老百姓當然很高興。在這種情況下，提出「公民直選」口號是形勢所迫。如再堅持「委任直選」，「公民直選」的口號被民進黨奪去的話，國民黨可能就會垮掉。不要認為主張「公民直選」就是要走「台獨」或「獨台」，是否可以用另外一個觀點來思考這個問題。

看國民黨的問題，不要只注重政治觀點，也要注重經濟觀點。國民黨當前不能分裂，不是因為意識形態，而是基於經濟資源太豐富，只要這個大餅在，人們就不可能離開，國民黨的黨庫跟「國庫」是一回事。選舉牽涉到台灣地方政治資源變成經濟資源。只要黨部提名差不多都能選上，因為台灣正在開發，開一條馬路，錢就會滾滾來。因此，控制黨就是控制黨的經濟資源。現在有人認為「非主流派」是搞統一，「主流派」是搞「獨台」，其實是在互搶大餅的控制權。現民進黨要求黨庫跟「國庫」分開，將來黨庫的一部分怎麼合理化經營，李登輝可能會很傷腦筋。「十四大」後李登輝、宋楚瑜會從基層開始把黨重新建立起來，以控制國民黨的政治資源。要把國民黨變成他們的黨，而不是受李煥、關中干擾的黨。

統獨之爭是國民黨內部權力鬥爭的一個牌子而已。國民黨一直走的是「獨台」，為什麼現在到了李登輝，大家就喊得那麼響。大陸喊還情有可原，國民黨內部也在喊，這是值得思考的一個問題。蔣介石、蔣經國一直搞「獨台」，但大家認為這個「獨台」將來有一天還會有統一的可能；李登輝是台籍，搞「獨台」會走向「台獨」。這是以省籍來區分。台籍人不一定會走向「台獨」，但是現在很多人借這個題目作文章。「台獨」的種子是國民黨種下的，它自己應負責任。

台灣內部現有兩種政治文化的因素。一種是傳統的國民黨的政治文化，是喊口號。過去的「國大代表」，蔣介石要送房子、送錢請他們出來投票，以保住蔣介石的位置，保住國民黨的「法統」。「國大代表」就利用這一點進行敲詐。到李登輝時，他拒絕招安這些人，他要搞現代化，沒有必要讓這些人敲詐。在這種情況下，政治文化被下一代接下來。現錢復、馬英九、關中、宋楚瑜這些人都是留美的，他們受美國民主的影響，都有一個討價還價的心態。我在台灣，大陸籍的馬英九對我評價越高，我就越要挨台籍人的罵，挨民進黨的罵，甚至我寫的《愛憎二二八》，很多過去認識的朋友都誤解了，以為我在幫國民黨講話。這表明老一輩台籍人受到國民黨「二二八」殘殺的白色恐怖的影響很深。這種情況怎麼扭轉，怎麼克服，看來問題很多。最麻煩的是把外省人等同於中共，這是多少年沒有克服的問題。這是台灣的政治文化，就是對外省人、國民黨的排斥，因為被壓，大家都想出頭天。

至於李登輝為什麼一直要堅持政治實體，站在李登輝的立場，在自己內部都沒法整合的時候，怎麼來搞統一。只能說服老百姓，將來和大陸統一有什麼好處，除此之外蔣經國也不可能搞統一。但是許多人認為蔣經國能，沒有這種事情，大家一定要釐清這個問題。他只能利用時間，慢慢地來說服民意，最重要的是大陸要搞上去，大陸有魅力，沒有人想要離開它。這一點是很重要的。黨內鬥爭中，李登輝想控制三個東西，一個是大陸政策，一個是「外交」，一個是「國防」。「國防」能否弄到手還不一定。李登輝基本上是有中華民族意識的。但如果「二二八」積累的省籍矛盾不解決，喊口號就能統一的話，那太簡單了。蔣經國發現不行，臨死前幾年還說「我也是台灣人」。蔣經國那樣掌握有非常大的權力的人都沒有辦法，臨死之前都要講這種話。可見國民黨40年統治所累積下來的省籍矛盾的影響。現在隨著台灣內部政治的變革，一些習慣了自己決定一切、但現已離開了權力體系的外省人，本身沒有釐清危機意識，卻到大陸去告李登輝搞「獨台」。對外省籍朋友的危機意識應該加以研究。現在的問題是，統獨爭議變成了台灣內部權力鬥爭的一個牌子，表面上很堂皇，但情況大陸朋友不很清楚。

對「台灣結」、「台灣意識」和「台獨」的看法

「中國」一詞從漢字的意義而言，早已赫然存在。但冷靜觀察，中國內部一直處於「渾沌狀態（chaos）」，而非近代國家意識上相當成熟的國家。因此，古往今來，中國政治家（統治階級）為保持自己的權力秩序，一貫的價值導向是以「大一統」為至上命題。中國的皇帝和自孫文以後的中國政治家，不論其黨派如何，對群眾的心理或具有地方屬性的大眾心理（草根性情結）均沒有給過精細的關懷。對於台灣來說：除了上述那種普遍性的傳統政治負面的影響之外，被「割讓」後的台灣同中國大陸完全脫離造成的特殊政治、經濟背景，逐漸形成了台灣的鮮明的地方屬性，而這種性格為多數台灣民眾有意識或無意識地支持。

1895年，隨著第一次中日戰爭的失敗，一紙《馬關條約》將以台灣、澎湖為中心的島嶼割讓給日本，成為日本的殖民地，即日本帝國主義的殖民統治把台灣住民和大陸人分割為兩地。從社會學的角度來說，這種割斷意味著台灣和大陸本來向近代國家掙扎的過程一起邁進的條件被割斷了。由於這種割斷，台灣住民不管在正負層面上，均不能同大陸人民在同一個共同基礎上經歷走向國家之路途。在同一路途上將發生的愛憎、幸福痛苦、喜悅悲哀的種種體驗都被割斷了。即台灣住民與大陸共享「共通」的基礎、經驗之正負面機會均被日帝剝奪。當台灣被割讓時，台灣中上層文人、知識分子和老百姓都感到悲哀和屈辱，覺得自己被當成養女送給萬惡的日本帝國主義，從而形成被割掉、丟棄、出賣的疏離心態。雖然台籍人士抗過日、流過血、拋過頭顱，但不曾

成功過。祖國又無力解救其水深火熱之困局，遂形成無奈、抱怨及自怨自憐之被迫害的「養女」屬性，或被丟棄者的情結。在這種情況下，日本帝國主義軟硬兼施地強制推行的殖民政策，使台灣民眾被分化，出現了錯綜複雜、多元的面貌。一部分人在「中國結」的主導下，回大陸投身辛亥革命、北伐戰爭、抗日戰爭。一部分人雖沒有直接投入大陸上的種種具體的鬥爭，但他們堅持認同中華民國、熱愛中國，堅持想以孫文的三民主義思想或憑藉溫和的「台灣議會設置運動」來解決被殖民之台灣的政治、經濟、文化的困境。但是更有一部分人在日本皇民化運動毒害下，喪失了自我身分認同（ego identity），然後逐漸接受了日帝殖民體系所強制塞給的價值體系，進一步肯定了它並走向了否定性的自我身分認同（negative identity）的行為，投入滿洲國、汪精衛之南京政府。許多青年被徵召入「皇軍」，成為日本侵略者的幫凶和砲灰。

1945年8月15日日本戰敗投降，台灣光復而重新歸屬中國。歷史終於給了這種否定性的自我身分認同可能轉變為肯定性的自我身分認同的絕好機會。日本帝國主義殖民體系加諸殖民地人民的壓抑分為外面（指制度、政策等可用肉眼看到的或易察覺的東西）和內面（指意識層次和精神境界）二種。隨著台灣的光復，外面的殖民地體系在形式上被摧毀。台灣人面臨著兩個部分的重建：即秩序的重建，這包含了從日式殖民地體制的秩序轉而重新建構自主的新秩序，即從戰亂破壞的混亂秩序中恢復和平常態的秩序。另一部分的重建是價值體系的重建。光復後站在自主的立場，我們不應該讓日本殖民統治時期的價值觀繼續存在，即對意識形態的東西必須對其加以批判，創造出屬於自己的，新的價值體系。在這種情況下，中央所任命的來台接收的新政府及其有關人員應該在重編行政制度的同時，更加一層努力將台灣民眾受殖民地統治所造成的否定性自我身分認同加以分析、整理然後開導，讓它能順利地轉化為肯定性自我身分認同，並促進其與全中國架構的開闊的、更大格局的中華民族的群體的自我身分認同相結合。光復後的台籍人士興高采烈地歡呼台灣回歸祖國，衷心地擁護以陳儀長官為首的祖國接收人員，熱烈地迎接國軍登陸台灣，學習國語之狂熱瀰漫了整個台灣全省之每個角落。在台灣民眾心裡，燃燒起一種喪失或迷失已久的戀母情結。因為他們已飽嘗被丟棄的失母情結之痛苦，台灣民眾主觀上努力從自我身分認同的困境尋找光明的出路。但美麗的前景不但不曾出現於台灣，反而在歷史的進程中，台籍人士卻白白浪費了難得的良機。陳儀的長官公署甚至在制度上都沒有擺脫日本殖民統治的窠臼。取代的台灣行政長官公署沿襲了日本殖民地體制。雖然當年之當局有其困難及考慮，但焦急於期許有關補償行為能實現的台籍人士們，當然深覺不滿與委屈。在這般心態下所見到的來台接收官員、軍警們的「前近代性」行為，大多是屬於惡劣者，加上「二二八」事變之發生，人們的祖國熱只好跌入冰窟之中，他們對大陸人士的心態經歷了「期待——失望——懷疑——不滿——委屈——反抗」的痛苦歷程。自我身分認同的糾葛及危機非但沒有能夠解開轉化，反而向另一個極端滑落，並沉澱於深層心理且累積下去。「二二八」風暴過後，好不容易有好轉之契機，但不多久又來了1949年末期的「政治肅清」，冤魂不但沒有來得及散去，又累積了新的冤魂。200萬人撤退到台灣，經濟尚未上軌道，政府又正準備實施由上而下之農地改革，台灣全省籠罩在風聲鶴唳的極端緊張的政治空氣下，台籍人士的窒礙難耐的鬱積心態更累積成「冤氣」。在認知層次上本省人與外省人認知差距愈來愈大，但無管道可任其溝通與化解。儘管來台灣的大陸人士中有些人具有善意的思考與行為，但從總體上看，多數人目光如豆，只知肥自己的腰包，根本不曾考慮到在徹底打破殖民地體制的基礎上重建行政制度、重建新的價值體系，在台灣創造出新的格局。他們多數仍跳不出傳統中國政治的框架，當然就無法又無力整合新歸來的台籍社會力量及人心。光復以後十年間台籍人士的情結，由小惡、小怨的累積以及「含悲九泉與草木同朽」的冤魂，甚至於否定性自我身分認同的補償行為沒有能夠得到落實反而挫折加深的種種傷痕之糾纏淆亂，終於成為當前「台灣結」的首要負面部分。若能把它釐清的話，死結可能化為活結。

當今流行於台灣的「台灣結」之主流部分是屬於負面的。他們想從過去被分解、被壓抑的各種自我身分認同的糾葛、悶局裡面找出他們認為是適當的、統一的、廣泛的，包括一種新自我身分認同（new identity）。他們的政治詞彙叫作「台灣全體住民自決」。「台灣全體住民自決」是來源於「台灣住民自決」、「台灣人自決」之新變種而已。這是一種「擬似種族化」的社會行為，即把己或己所屬的集團所「敵對」或厭惡的集團，看成低下的存在並加以排斥。近代史上希特勒所率領的納粹德國以「擬似種族化」的觀點來看賤猶太人、殘殺猶太人。日本帝國主義也是藉著「大和民族優秀論」之類的「擬似種族化」觀點來看賤中國人，施行南京大屠殺和星馬華僑大屠殺慘案為代表的日本軍國主義行為。德日的「擬似種族化」行為不但自焚還虐殺了不少他們所認為的「敵對者」的無辜難民。美國的黑人運動一直是不曾掌握到政權的「擬似種族化」的一種社會行為或社會運動。早期多為未經組織的情緒性的直接宣洩行動。當黑人運動還處於「擬似種族化」的「自我種族中心主義」的小格局時，運動始終不見有多大的開展。1960年代中期以後因持續性的壓抑，他們的領導層喊出「黑人是最好的（Black is Best）」、「黑色是美麗的（Black is beautiful）」的口號，藉而激勵黑人新生代奪回他們自己的尊嚴。他們把否定性自我身分認同經過轉化變成肯定性的自我身分認同之後，再與富於前瞻性的人類共同體主義的自我身分認同，即開闊性的自我身分認同及更新格局的自我身分認同相接合時，運動就非常迅速的展開，同時得到了白人及世界有心人士的共鳴與支援。這個事例意味著黑人運動的「擬似種族化」的社會行為及社會運動並沒有走向反面的死胡同。近幾年，「台灣民族論」者、「台灣意識」或「台灣人意識」至上主義者高喊「台灣人優秀論」、「台灣文學高水平論」、「台灣話優美論」亦可藉艾利克生的「擬似種族化」心態的顯現來看待。台籍人士的上述主張當然是長年所受委屈和壓抑的「反動（reaction）」的舉動。

任何國家、民族、社會、群體、個人，當面臨危機或歷史性轉換期時，一概會引發出反省自己的定位以及自我身分認同的重新建構之社會性需求。在台灣所興起的有關「中國結」與「台灣結」的爭論亦不外乎其同一類型之顯現。「台灣結」與「中國結」鬧出分歧、對立甚至變為對抗性，當然意味著台灣住民對既存政治、社會、經濟結構以及當局所提示之目標不願一體化。亦即是不願在被動之下被整合的意願的另一種表現。台灣社會的當今局面本身雖隱含有某些危機，但就總體而言，開創新格局的轉機和希望是比以往40年來得適當與圓熟，很可能使負面的、否定性的台灣歷史情結轉化並昇華為正面的、肯定性的有關台灣的自我身分認同。問題之關鍵在於「中國結」架構內部能否提出更開闊、更革新、更富於普遍性理念的中國的、中華民族的、中國人的自我身分認同概念，來整合全體台灣人民。更迫切的課題是如何有效地開導「台灣結」由負轉化為正。然後再把正的「台灣結」、健康的台灣意識，與新格局具有說服力及整合力之「中國結」、健康的中國意識連結在一起，使「台灣結」走出其負面的影響，走向健康的發展之路。

關於「台獨」，用精神分析的方法看，「台獨」是一種情緒障礙症候群，是「台灣情結」負面發展的結果，是「二二八」前後台灣人的怨氣沒法發洩而形成的一種精神病。「二二八」事變和1949年國民黨政權撤退台灣後，台籍一些中產階級和知識分子因自己所處的窘境以及受到的種種壓抑甚至多方面的強行壓制而引發的委屈而開始鬧情緒。尤其是光復後受到「二二八」事變的巨大衝擊，處處看到來台接收的外省人官僚中的害群之馬的不守法、貪污、敲詐等惡劣行為，同時社會一片混亂，經濟不上軌道，大陸政局日趨惡化，國家前途一片迷茫。在這種背景下，他們一方面有疏離感，更因為認識的差距過大，又沒有足夠的時間，無法和國民黨當權者建立「共識」，也找不到自己在光復以後的台灣社會中以及中國政局中的適當地位。1950年代上半期，尤其在1950至1953年間的「政治肅清」的風暴下，台籍中產階級和知識分子的精神境界相當苦悶，他們無處宣洩。由此他們的「台灣結」逐漸往深層累積，由小而大。其向負的方面發展表現在台灣內部是隱藏和鬱結，表現在台灣外部則是通過「台灣獨立運動」反映出來。幾十年來，「二二八」累積的省籍矛盾一直存在。現在較年輕一代吳伯雄、施啟揚、許水德等人，他們都是吃國民黨的奶水長大的，大概沒有李登輝、林洋港那一代人對國民黨的特殊的省籍觀念。蔣經國快死的時候，還用「我也是台灣人」來安慰台灣人的情緒反彈，完全遷就於台灣現實政治情況，台籍人都很高興，達到了其政治安撫的目的。但台灣意識不等於「台獨意識」。台灣意識問題，「台獨」也理不清，在自我陶醉。對這種意識，我們要讓其壯大，連起來形成中國意識，這才是正路，打壓是不行的，愈打愈不好。

「台獨」表面上看來台灣老百姓在衝，但這只是表面現象。「台獨」意識可走向正面，但也可走向法西斯的窄路。現在「台獨」的報紙在島內銷路並不好，「台獨」的「經典著作」在島內也沒有市場。「台獨」沒有把其思想理論化，不值得中共那麼怕。「台獨」的種子是國民黨種下的，對於很多激進的「台獨」分子，要慢慢消除他們因省籍矛盾沉下來的冤氣，對這冤氣不能壓。台灣大多數老百姓並不支持「台獨」，搞「台獨」只是一小部分人罷了，大部分人還是拜媽祖，到大陸看長城，遊頤和園。本省人更關心的是在政治上如何參與。反國民黨、反壓制的力量實際上不完全等於「台獨」的力量。把這一部分人壓過去搞「台獨」，搞分離意識，我想沒必要。我們應讓其慢慢地沖淡，慢慢消除「台獨」意識，然後再來統一才是正道。

對兩岸關係的看法

基本上歷史是連貫的，當前的情況是過去的歷史在今天的顯現。我們可以把歷史分為三個層次，即：當為歷史的過去（the past as history）、當為歷史的現在（the present as history）、當為歷史的未來（the future as history）。中國從辛亥革命到現在的歷史，是中華民族逐漸趨向成熟、追求以法國模式為主的近代國家的過程。其真正的內涵是20世紀的100年，所有民族追求如何趕上或超越西歐國民國家。現在說「兩德模式」，均未談到二次大戰前雅利安民族有否形成一個國家。我一直在思考為什麼日耳曼人擁有那麼高的文化，卻會那麼殘殺猶太人；東南亞的華人會遭受那麼嚴重的情況；「二二八」國民黨為什麼會鎮壓；思考一直追溯到希特勒，發現很重要一點，即解決當前的問題，不能忘記歷史的脈絡。希特勒當年想要對抗英、法，在歐洲建成日耳曼人的國家，但內部的力量不夠，於是只有靠集合內部的力量，把猶太人當作假想敵，從而掩蓋了人性的文明，發生了野蠻的行為。東歐的變化，是共產黨自己放棄了歷史設計工程師的角色。國民黨和共產黨都想當中國這一大舞台的歷史設計工程師。國民黨退守到台灣以後，雖認為不能成為全中國規模的歷史設計工程師，但仍拖著「法統」。台灣現在雖然在經濟上翻了身，但仍不能取得歷史設計工程師的角色，但又不願像東歐共產黨一樣自己放棄。國民黨政權到台灣後，為了圖存，必須發展國際貿易，發展國際貿易就必須提高教育。教育發展、資訊發達、國際交流擴大，即面臨著三民主義崩潰。台灣不能關起門來做貿易，一定要在國際上有生存空間。有的學者因此認為李登輝縱容「台獨」，這不是科學的說法。李登輝如不這樣做的話，台灣就會出事，政權就會垮。台灣雖不能扮演全中國的歷史設計工程師的角色，但仍想參與歷史工程的設計。大陸太大，只要保住台灣就好。對於台灣當局「台灣地區」這一概念的提法，相當值得思考。「台獨」指的是台、澎二島，主張不要金門、馬祖二島，而「台灣地區」這一概念包括金門、馬祖二島，國民黨當局不能到大陸，所以是想把「金門、馬祖」這一部分包含進來以對抗「台獨」。這是國民黨當局的理論性認知。沒有那一個中國人的政治勢力敢說我能夠取代中共。民進黨試圖藉台、澎二島來扮演歷史設計工程師的角色。國民黨把金門、馬祖包括在「台灣地區」裡頭，是不想完全放棄大陸大場面歷史設計工程師的角色。因此，「台獨」的問題，應用全體的視野，看其互動性。用相撲理論來解釋，就是台灣當局想和中共在「一個中國」這一圓圈內「相撲」，但台灣有一部分人（民進黨）不接受，李登輝、宋楚瑜在努力想把這一部分人拉進「一個中國」的圈子內與中共「相撲」，和平競賽。所以不要一定把李登輝說成「台獨」或「獨台」。他是想把外面的小朋友（民進黨）拉進「一個中國」的圈子裡來。

在兩岸關係上，也可用「醫生出走論」來說明台籍某一階層的心理。中國人的傳統是幾代人同堂的大家庭，在這種情況下，有一個兒子，全家供養他讀書，後來他當了醫生，賺了大錢。但按中國的傳統觀念，醫生的錢必須交給家長。這時候醫生不願意了，認為自己辛苦在外賺錢，但家裡其他的兄弟則好吃懶做，於是醫生出走了。台籍人抗拒大陸，如同有錢的醫生兒子，出走四十多年，不願幫小弟弟，但父親仍在，家鄉是共產主義。現在中共說我只要你回來幫小弟弟，只要你投資，不是要你的錢，如果你要出走我就要動武懲罰。但情況會慢慢好轉的，因為國民黨本身讓人發洩。

兩岸經貿交流的發展有利於兩岸雙方的經濟發展。資本主義經濟發展的模式要考慮國內市場的適當規模。一個國家或地區的經濟發展需要面臨開發費用分擔問題。韓國對中國山東的開發，除了考慮對抗日本及國內勞動力成本高外，最重要的因素是尋找更大的經濟圈能幫其承擔開發費用。島國經濟的發展具有一定的局限性，英國、荷蘭的沒落即為此例。台灣經濟具有短暫的滿意，有八百多億美元的外匯儲備，但其實際的發展是不健康的。因其沒有自己開發的東西，其設計圖紙都是花錢從美國、日本買回來的。站在企業家的立場來思考，從台灣擴展到大陸華南的某一個圈子裡，擁有一個適當的人口或經濟圈來承擔經濟開發費用，台灣經濟才會繼續繁榮。沒有大陸做為腹地，台灣經濟最終會失去活力。台商到華南投資，也能分擔起經濟發展的社會成本。台灣當局要求企業界在台灣留根，應是政治的根而非經濟的根。台灣企業經濟的根是在大陸。台灣工商界人士普遍支持「三通」，但對統一有懼怕心理。這是因為對大陸這幾十年來走過的路感到害怕，怕問題發生而解決問題的能力不在自己，如果自己有解決問題的能力，他們就不怕了。他們擔心問題發生而自己沒有辦法解決，這是台灣工商界害怕統一的原因。統一以後不要讓台灣掉下去，把台灣編進具有中國特色的社會主義建設軌道，台灣與大陸能夠相互配合，這樣台灣工商界在了解以後，對統一的懼怕心態就沒有了。

要注意那些走後門、搞官倒的台商。不要睜一隻眼、閉一隻眼，這樣會影響兩岸關係的未來，甚至會留下後遺症。對這種兩岸關係發展中的小盲腸要割斷，以防引發腹膜炎，影響全身。如果正當的工商業路子不通，而這些方面通了，這是害了大陸，會影響統一的。這點大陸得提防。總之，大陸希望台商來投資，但最好的辦法是大陸使台商投資制度化，不是僅藉優惠來吸引他們，而是讓他們投資有一定的利益保障將它留住，以配合大陸，達到具有中國特色的社會主義。

統一是一個過程，但假如馬上統一，對大陸、對台灣是否都有好處？這要多研究。統一是大前提，除了激進派「台獨」外，很少有人反對。問題是統一以後能否解決問題，怎麼統一，這是一個課題。激情可能動員大家搞革命，但治國是利益資源的合理的再分配過程，這時候激情不能用。統一也一樣。統一的過程是需要摸索的，應多思考一下。

本文原刊於《學術交流簡報》第5期，北京：中國社會科學院，1992年10月20日

三民主義新釋小試論

寫在前面

戰爭與革命的20世紀將快結束，1989年以來的「蘇東波」的動盪、蘇聯的解體及第二次世界大戰後國際性冷戰結構的一並瓦解叫醒了人們，人人趁機確認全世界已進入世紀性大格局轉換的新時期。

眾人皆知，台灣地區加上中國大陸及海外華人、華僑，也就是全中華民族當今的人口大約已達12億6,000萬人。這個數字象徵著什麼，不必本人特別揭示。

記得拿破崙三世（Napoleon III, 1808～1873）警告過歐洲人，「讓中國（人）睡著覺的吧！若是叫醒了的話，中國（人）將搖撼全世界」。從此以後的歐美人常稱呼我們中國（人）為Sleeping Lion（正在睡著覺的獅子）。

自20世紀初以來，我們中華民族中的有志者，一直都不願意繼續扛上那個具有諷刺及恐懼兼半的「頭銜」，反而前仆後繼、勇敢地面對挑戰及掌握機遇，企圖全面性地改善我中華民族的處境。無可諱言，因受主客觀的各種制約，我們民族規模的掙扎及奮鬥成果並不彰顯，其成功的層面是非常有限的。

在此世界格局大轉換時，貴同盟能舉辦「中山先生思想與中國未來研討會」，提供絕佳機會給與會諸先進進行多方面的研討，既是難得又值得感謝。我本人忝列盛會，願就有關在日研究的一點心得在此披露，敬請指教。

三民主義是大時代的政治綱領

只要我們能立於純學術立場來冷靜觀察，不難發現當今台灣地區的中國人成人世代，不可能不知道三民主義這個名稱，但真正讀過它而能通達其理者，我相信不會太多。雖然學校教育規定有三民主義及國父思想等課程，但其效果是一直遭受質疑的。任何國家抑或社會，被迫強灌方式的政治性課程，畢竟是難於落實並被接受與肯定的。

處於世界新舊格局交替的動盪時期，對我全中華民族而言，可說既面臨著嚴重挑戰，又遭逢此一世紀以來最難得的際遇。我認為，重新把孫文思想（包括三民主義）放回環繞在1920年代中國的時代精神，來作概括及新定位，對於我們摸索全中華民族的未來去向是有莫大幫助的。

為了研討「中山先生思想與中國未來」的主題時，首先我得重新確認以下幾點。

1. 任何思想一旦制度化（體制化），便難免陷入僵化的困境。體制化將衍生出寄生於體制化後思想體系圖謀安易生活的一群「道學先生」。思想的教條化又必然地隨而形成，此是無疑的史實。

2. 孫文思想是在特定「時」（清末～民初）、「空」（中國人社會，包括華僑、華人的中華民族的全生活空間）的產物，且係漸進性的歷史產物，絕對不該把它看成為超時空的抽象性產物。

3. 孫文思想中的三民主義，它的最後定型在於1924年1月到8月。在此期間，孫文先生正面臨著緊急課題——北伐（力圖打破北方軍閥割據局面促進全國性的政治統一為主要目標），在當年的革命基地廣州，召開了國民黨第一次全國代表大會後，他利用星期日作了連續演講，《三民主義》便是利用此演講筆記整理成稿。它既然是鼓勵國民革命的演講稿，當然是活生生且富有熱絡感人氣氛的。

4. 三民主義所體現的時代精神是救國主義。必須言及時代精神的前提下，我們得重新正確地描繪當年（主要自第一次世界大戰〔1914～1918年〕至國民黨第一次全國代表大會〔1924年1月〕），圍繞著全中國的內外政治經濟情勢。

⑴第一次大戰之爆發迫使在華西歐列強勢力後退。新興日本帝國主義大為囂張，乘隙向華滲透甚至於侵略（1914年9月到11月間，登陸山東半島，企圖取代德國在華勢力的一系列軍事行動，及1915年1月，日帝當局向袁世凱政府提出〔二十一條要求〕）。

⑵俄國十月革命（1917年）的成功，其影響波及到亞洲各個角落。

⑶美國總統威爾遜為終結第一次世界大戰而提出的「十四條

和平原則」，尤其是有關「民族自決」項目（1918年1月）鼓勵了反殖民地體制民族解放運動。

⑷中國的新興社會力——民族資本家藉機成長，現代知識分子隊伍又逐漸成型，大大地提高了民族主義覺悟。

⑸五四運動（1919年）的爆發，把中國推進新的歷史時期。

⑹孫文先生受挫於反袁的第二、第三革命，而深深地體會到地方軍閥背後的帝國主義列強勢力的存在。它們阻礙著中國革命及中國現代化運動，遂有改組中國國民黨變為大眾性國民政黨之舉。繼而召開了國民黨第一次全國代表大會，並做了他的《三民主義》連續演講。由之，我們可以把它稱呼為大時代——國民革命期的政治綱領。

三民主義的新釋

與會諸先進當然周知，孫文思想是有其形成過程的。原來的三民主義之發想雖然得自於美國第16任總統林肯（Abraham Lincolnn, 1809～1865）言及民主主義本質的演講（1863年11月）之名句「Government of the People, by the People, for the People」的啟示。但三民主義的主要內容卻是孫文先生獨特的創見。

三民主義的雛型可窺見於1905年的「四綱」。所謂四綱則是，斯年在日本東京成立的中國同盟會之政綱。一為驅除韃虜，二為恢復中華（以上為民族主義），三為建立民國（民權主義），四為平均地權（民生主義）。

在推行革命及推動中國現代化運動中，孫文先生把豐富的西學與中國社會的實況及歷史（國情）結合來闡明自己的主張。辛亥革命爆發以後，中山先生在歐洲的演講中宣布：「將取歐美之民主以為模範，同時仍取數千年舊有文化而融貫之」（《孫中山全集》第一卷）。他在革命事業中對待中（傳統文化）、西（歐美新物）文化的態度——取中西文化而融貫之基本方針——仍然是我們的典範。他融貫中西的基本性思考，又在「東京留學生歡迎大會」的演說中表露無遺。他說「取法西人的文明而用之，然後漸漸發明，轉弱為強，易舊為新，則一切舊物又何難均變為新物。」（《孫中山全集》第一卷）。前年本人受邀在亞洲留日學生團體的某一次演講時，曾經借過中山先生之言，鼓勵青年朋友們：「為了搞好學習及推動自國的現代化，全盤西化（包括日化）論是個陷阱。完全捨棄抑或離異自國的傳統及國情而執迷於全盤西（包括日本）化來思考並實踐，將會見不到勝利（成功）女神之微笑的。」

一直到晚年，中山先生仍然不斷地修正及充實自己的思想。他對中西兩文化的擇善而從，不拘一格的作風始終不變。

原來的民族主義的主張「驅除韃虜，恢復中華」即使是反映了當年的「國情及以漢族為中心的眾多民意」，但它顯然是含有「種族主義」（Racism）屬性，既褊狹又閉塞。

辛亥革命後，孫文先生很快地把四綱中之第一和第二條歸納為一，同時又揚棄了種族主義。促其發展成與全球性殖民地民族解放鬥爭運動相連結的開放性近代民族主義。

孫文先生的民族主義，雖然經過80年，它不但經得起歷史的考驗，而且仍然受到有識之士及有志之士，尤其是第三世界年輕朋友們的認同，引人深思及啟人奮發。

建立民國（民權主義）的主張，我們都知曉，其主要發想是脫胎於西方（早期主張之首要範例取自於美國及法國革命思想）的民權學說（人民主權說）與議會政治（共和主義和民主政治〔democracy〕）。中山先生還借鑑於中國傳統的監察、考試制度（在此請特別加以留意，我們傳統的科舉制度，後來由英日兩國借去脫胎換骨創建了他們當今傲於世的文官制度）營構五權憲法來彌補西方三權分立的不足。

除此以外，民權主義不難發現孫文先生把中國固有的民本思想與西學融貫為一體之痕跡。

下面我們談「民生主義」。它的原初之主要主張為平均地權，孫文先生始終是位進步主義者。他深深地體會到中國傳統社會的歷史包袱及牢不易破之傳統惰力。在其推行革命及推動現代化運動中，勇敢地向它挑戰。總而言之，他是反對守舊的。但他「取法於人（指西方）」時，他不曾忘記「取其上，捨其糟粕」的作法。當他發現歐美社會存在貧困及社會問題時，他積極營構「未雨綢繆」的經濟政策，便是平均地權的主張。行家周知，平均地權是師法美國經濟學者亨利・喬治（Henry George, 1839～1897）的學說。亨利主著有二：《進步與貧困》（*Progress and Poverty*, 1879）和《土地問題》（*The Land Question*, 1881）。他在著作中提倡土地單一課稅制，並藉而主張調整貧富之不均和促進產業之發展。但我們不能忘記中山先生的平均地權學說裡頭又可發掘中國傳統的大同思想、均田、公倉等法的深厚淵源關係。

到了1924年的最後一版的「民生主義」，中山先生再加上了

「耕者有其田」的主張，企圖廢絕封建地主制度。至於他的節制資本的想法卻早就出現於1912年。親身體驗了歐洲資本主義所衍生的貧富差距問題時，他開始主張節制私人資本，代而發展國家資本並建構了他的「實業計畫」（1919年）。

經過以上的整理和簡括所呈現在我們眼前的《三民主義》，當然不是當今台灣地區的部分人士所反彈並賤視的「古玩」抑或政治古董一類的政治思想和學說。

輕浮地不經過任何學術研討而鄙薄先驅者及其業績（包括政績及學說和政治思想）的粗魯舉動是我們有識之士絕不能苟同的。

孫文先生並不是神，但他是我們中華民族為「翻身」（用當今台灣的用語該是「出頭天」），為祖國現代化而奮鬥的偉大先驅，不管他成功的政績抑或失敗的教訓，都是屬於我們中華民族後裔——今人的珍貴「遺產」。

中山先生所體現的時代精神——救國精神仍然值得我們繼承發揚光大。理由非常簡單，我們中華民族的至上課題——救國的偉大事業尚未完成故也。

孫文先生的三民主義套上當今的用語，我們不難把他的民族主義改唸為「民族的獨立自主與自尊」的主張。民權主義則是「自由民主的主張」。民生主義當然可以歸納為「福祉及社會正義（social justice）的主張」。從而，我們不難發現三民主義仍然具有世界規模的普遍性原理。

孫文先生的兼容並蓄，擇善而從，博採眾長，融貫中西，為中國及中華民族居住社會的現代化奮鬥不輟而留下的遺產，我們後人有何理由不繼承它？這個由衷的質疑便是我小試論暫時的結尾話。

本文原收錄於《中山先生思想與中國未來研討會實錄》，台北：三民主義統一中國大同盟，1994年3月29日，頁351～356

戴國煇全集 4

史學與台灣研究卷・四

台灣結與中國結

睪丸理論與自立・共生的構圖

寫在前面

——睪丸理論及自立・共生構圖的建構

自從世界史上出現了資本主義生產方式以後，所謂的先進諸國又隨之誕生了資本主義屬性的國家。其統治型態則可略分為下列幾種：資產階級民主共和制、立憲君主制、絕對主義君主制、法西斯主義獨裁制。

儘管這些國家體制在其開展過程中，出現了內涵及型態上的差異，但它所朝向的前景，大致上可歸納為「國民國家」（nation state）之形成。

國民國家有時又被稱為「近代國家」。其典型實例可以見於法國革命後的法國。肩負法國革命的重要社會力的資產階級，在革命過程中，把君主手上的政治權力奪取、移轉至人民或國民手上，所以亦可叫此革命為「市民革命」（bourgeois revolution）。政治學者有的時候會把近代國家就其主權之所在而稱其為「人民主權國家」或「國民主權國家」。但，眾人皆知，所謂人民主權抑或國民主權，有關其普及度和成熟度，始終只是在於理念狀態之中，它的局限性不斷地呈現於眾人眼前這才是現實。

不管現實和理念之間存在有多少的落差，近代國民國家成型以後，在其「憲法秩序」中，人們將獲得國家與社會具有不同層次的認知。各種社會問題隨即被發現正在社會各個角落不斷叢生。

當今，已成為精緻科學一門的社會科學，原本並非是超越時空的存在。發現了社會問題的嚴重性的有識且有良心之士，便開始把它同社會正義（social justice）相關聯起來，就其「人（human being），如何才能活得尊嚴一點」、「何種社會才是人人所冀求的理想社會」等等課題而有所思考。這些思考日漸被自覺並提升為社會思想。

社會問題，在其本質上難免糾結有社會不同集團既複雜又衝突的利害關係，及愛憎甚難分明的感情因素；既不易擺平又難於做好冷靜客觀的認識。於是，世界上遂有社會科學的誕生。

依據上述的整理，我們可以大略地描繪出一條軌跡來：社會問題→社會思想→社會科學→社會政策（為了解決原初的社會問題而策劃）。

1970年代初期開始，我對圍繞著「自己的出生」，自己該歸屬的客家人、台灣人、中國人、中華民族及其社會和國家，如何下其「定位」而做些思考和剖析性的研討。

除了精讀艾利克生的有關「認同」（identity）理論之著作外，還嘗試藉用「拓樸數學」（topology）、位置分析（analysis situs）及文化人類學所言及的中心／周緣（center／periphery）理論等來思考。特別對島嶼中國（台、澎、金、馬、港、澳）與大陸中國之間的有機性關聯及互動關係，做分析與詮釋。

收在這本書裡的是有關的論文和報告。研討所獲得的初步結論便是本書第二章所獻曝的「罣丸理論」及「自立與共生」的構圖。這些，本來是僅僅屬於提示問題和試圖理論分析的一些「小嘗試」而已。而今把它編成書時，深感惶恐，這些議論和觀點有無道理或巧拙如何，只好仰賴讀者諸賢的批判了。不過它已成為一種「歷史性的證言和敘述」卻是另一面的事實。

經過多年的摸索，我已經把歷史當作三個時間的流程來掌握，即：當為歷史的過去、當為歷史的現在、當為歷史的未來。

一般來說，古老民族的後裔，大多數人都喜歡把「歷史時間」的第一優先標準放於「過去」來思考並發言；他們不斷地叫喊「我們有偉大、燦爛輝煌之歷史，如何……如何……」。然而，兼有朝氣和活力的新興抑或重新振作的民族，他們所切盼的即在如何創寫好其新的歷史；因而他們對「歷史時間」所願抱持的優先順序，非常自然地看輕「過去」而著重「未來」。

如今我們正面臨著歷史的大轉折時刻。全世界的有識之士，都被這股大趨勢所逼，大費周章地在整理其「來龍」（等同於上述的「當為歷史的過去」），同時亦渴望繼而能做好展望和掌握其「去脈」（等同於上述的「當為歷史的未來」）。

來龍去脈的語意指的是事情的來歷和發展。「來歷」和「發展」中間，當然就隱約藏有上述的「當為歷史的現在」之「歷史時間」。教人甚感困擾的是，這個「現在」常具有的「不可視」（invisible）和不易洞察的部分。

為了做好展望和掌握「未來」，我們絕不能忽視對「現在」的冷靜客觀分析。但對「現在」的研討及發言是吃力不討好的。除了容易招惹無謂的是非和爭議外，還得冒蒙冤受過之險。

毋庸諱言，著者個人的能量極為渺小，但我有一個堅定的信念：「大學問」才能通至「大政治」；反之，「小學問」只能是供給小政客玩弄「小政治」之份。我時時刻刻自我警惕，力圖潔身，避免被捲入「小政治」漩渦之險。所以，我堅持對現實政治保持一定距離的態度迄今。

1920至1930年代的世界史，記錄了不少所謂自由主義派學者被法西斯的狂瀾所吞噬的事例。法西斯的激情在義大利、德國、日本剛起步時，一些所謂自由派人士尚可藉用「明哲保身」來應付一時。等到狂熱日益膨脹成為潮流時，他們逐漸向現實低頭並且選擇了跟上時尚之途，亦步亦趨。最後不但賣了身，還遭燒身、浩劫之難。那些血淋淋的、十分齷齪的、極其醜惡的以及傷心斷腸的悲劇等痕跡與史事，仍然清清楚楚地架排在我書齋，出現在我眼前。這些歷史教訓教我如何在海外、在學界立業和做人。

在大浩劫中，堅持不屈不撓精神，值得後人景仰的有德、日兩位大儒。雖然他們的學術觀點，我並不能全面接受，但他們「為學、做人、處世」的態度，一直是我所私淑的。一為卡爾・雅斯培，任職於海德堡大學教授時受到排斥與解聘（日文《雅斯培選集》〔《ヤスパース選集》〕1950年代開始由東京理想社陸續出版，迄今已出有37集）；二為河合榮治郎（1891～1944），任職於東京帝國大學教授時，因批判法西斯主義，受到彈壓並定罪（其全集23卷加別卷〈傳記〉全24卷，迄今由日本社會思想社出版了兩次）。

固然資本主義經濟的成熟已帶來了物質生活上的優裕，即使學界也難免染上市儈鄉愿之氣。但，我仍然願意保持憨厚求真理的姿態。雖然我也知道，中國人社會也有我們祖先遺留下來的「明哲保身」的處世哲學。的確，我是不願、更是不懂得用何種態度及方式去繼承它。

我堅信「知性的誠實」（intellectual honesty）、「道德的勇氣」（moral courage）及社會科學家的批判精神等三個大旗，仍然值得我這個「不聰明人＝笨拙人」繼續高擎起而前進。

最後，我應當感謝許倬雲教授和莊月清（竹林）博士（現任台北常在國際法律事務所律師*[1]）的雅意。他們同意他們「評我」及「訪我」的玉稿讓我收進本書，以供讀者諸賢參考。

同時，我得向寬容的王榮文社長及代我校正的林淑慎小姐深謝。沒有他們的耐心及協助，這一本書是見不到太陽的。

戴國煇　誌於東京梅苑

1994年1月28日

*1 莊月清目前（2010年）為該事務所資深顧問。

第一章　我觀「中國結」與「台灣結」之爭論
——藉心理歷史學視野的幾點剖析

一、我的立場

由於我們要探討的是涉及政治、情感、區域、鄉土、派別、意識形態等諸種既複雜又錯綜的敏感問題，我覺得，首先讓報告者界定自己的立場，可能妥當些。我旅日已超過30年，並一直從事學術研究和執教鞭，在異國異文化的領域中生存，便有許多磨難。儘管如此，三十餘年來，我始終固執於出生之尊嚴、民族之尊嚴、學術之尊嚴。我之所以堅持這三個尊嚴的立場，是基於如下思考：

第一，出生的尊嚴：對個人而言，任何人的出生都無法事先選擇，是帶有命運性的一種「結果」；而個人座標軸之基點便是在其出生，因而非固執不可。

第二，民族之尊嚴：我認為民族是半悠久性的，對自己民族的認同是一件極為嚴肅的事情，來不得半點馬虎。戰爭、動亂一類之話題和課題，最多也不過是以10年或20年為思考「時域」（the range of times），但一國或一民族之有關文化、社會的命運的思考「時域」，該是以百年甚至於千年來做單位的。基於此，我在日本三十餘年，仍保持著自己的中國國籍。當然，這並不意味著其他鄉親們拿其他國家的護照都是不該或不對的。比如在議會民主主義比較發達的美國，拿美國護照並不就是一定要放棄自己所屬民族的尊嚴，像前美國國務卿季辛吉，他在外交方面代表著美國的尊嚴，但不排斥他原本所固執的猶太裔民族之尊嚴；還有前夏威夷州州長George Ariyoshi，他依然保持著他原來的日本姓「有吉」（Ariyoshi），以及日本民族的文化、社會習俗。在上述前提下，拿美國護照絕非等於喪失民族尊嚴。反觀日本，其包容各民族自尊的社會條件似乎尚不成熟，整個社會之排外性、閉鎖性極強，當你在法律上變成日本公民，也就是拿了它的護照時，整個社會將有一種氛圍強求磨滅你原來的民族的、甚至於屬於個人人格的尊嚴，把你同化埋沒在日本民族（大和民族為主流）的單一鎔爐之中，迫使「歸化」人士改姓換名。

第三，學術之尊嚴：我認為自己的個性不適合於投身政治，因而選擇了學術研究為專業，一方面以求避開政治的是是非非，一方面力求從學術相對公正的角度做些回饋社會的工作。在堅持學術的純潔和尊嚴上，我固執這樣幾個原則：1. 進行原理性，也就是根源性的探索。我雖注意枝葉末節和時髦的社會現象，但並不將這些表層現象當作特別重要的部分來做考慮，而是去追尋隱藏於表層現象後，相對穩定且具有持續性質的根源性實質。我願抱持些「行雲流水不足掛齒」一類的氣概來因應時尚；2. 注重從邏輯層面進行探討。避開情緒、感性（情）的直接宣洩，而是將個性化的情緒和感性加以醞釀，從而昇華到具有普遍意義的理性

「中國結」與「台灣結」研討會與會人員合影於聯合報系員工休假中心南園（1987年8月23、24日）。第一排左起李鴻禧、戴國煇、楊選堂，右一蕭新煌；第二排左二李亦園，右二起尹章義、傅偉勳；第三排左一胡佛，左四尉天驄，右起：黃俊傑、葉石濤，右三王曉波；末排左起黃光國，右一陳映真，右三陳忠信（林彩美提供）

層次；3. 力求從思想層面進行探討。這裡所指的思想不一定指著意識形態的，更指著「時代導向且為時代精神所涵蓋的」思想層面的探討。因為思想是銷毀不了的。

二、我與爭論

在上述一系列立場原則前提下，我得以參加本次研討會，既感到榮幸，又覺得惶恐。原來因為這個問題有很強的政治敏感度，我思考再三，以往總是避開冒昧涉及此議題。但是，漸漸地隨著問題的嚴重性加深，以及一些令人擔憂的現象與局面的出現，出於鄉土台灣的熱愛，期望它能得到比較健康的發展，更憂慮它再一次惹發類似「二二八」事件一類的風暴，如果到了那種局面，那台灣是擔荷不起的。基於一種對鄉土的責任感，我從1983年旅美研究期間開始對這個問題發言。

大家或許已看過拙作《台灣史研究——回顧與探索》[1]。1983年秋季，我有幸在美國愛荷華大學聶華苓女士所主持的「國際寫作計畫」中認識陳映真兄，並與陳兄在呂嘉行先生、譚嘉女士夫婦家裡，就「台灣人意識」與「台灣民族」為題做過一次長談。這次談話內容由已故葉榮鐘先生的二小姐葉芸芸女士整理後，在美國的《台灣與世界》[2]雜誌發表。後又被《夏潮論壇》[3]雜誌轉載。因轉載時沒經過我本人事先同意及過目，導致產生了一些錯誤，這是較為遺憾的。此後，因為我的講話，引起了一些有「台獨」意識的鄉親們的批評、挑剔和攻擊。對這些批評、挑剔和攻擊我只是置之一笑，既無意對其耿耿於懷，也無意對陣反駁。如前所述，我固執自己力求探討根源性問題的學術立場，故而對於任何情緒性的發言都不願浪費時間與精神去置理。這是我的原則而絕非自傲。當然，或許這是我做為一介書生的一些書卷氣吧！

隨著歷史的向前發展，那些在歷史上留過足跡的前輩們，他們的言行和思想總是給我們帶來許多寶貴的啟示。我常常回憶起

1 戴國煇著，《台灣史研究——回顧與探索》，台北：遠流出版公司，1985年3月初版。
2 《台灣與世界》第8、9期，1984年2月號、3月號。
3 《夏潮論壇》，1984年3月號、4月號。

我在日本或返台時和那些前輩們見面的情景，他們是吳濁流先生、葉榮鐘先生、王詩琅先生以及剛過世不久的楊逵先生。跟這些富有良知但歷經磨難的台灣文化人前輩討論台灣的過去、現在和將來，應該承認，透過他們的言談，可窺知他們都具有一定程度的台灣情結。「台灣歷史情結」潛藏於其思考之中，這是毋容避諱的事實。

他們都經歷過日據時代的壓迫和耳聞目睹，甚至於好不容易迴避過「二二八」事變以及1950年代前半的「政治肅清」的亂局，特別是楊逵先生被關進火燒島過。但這些前輩們，絲毫沒有主張過「台灣民族」論、台灣獨立或聲稱台灣應自決分離於中國成為台灣獨立國。這是值得我們台籍後輩和台灣年輕一代深思的。

三、我看「台獨」

我曾經在日本發表的文章[4]中指出：令人痛心的「二二八」事變和1949年國民黨中央政權撤退台灣後，台籍一些中產階級和知識分子因自己所處的窘境，以及受到種種壓抑甚至多方面的強權壓制而引發的委屈，而開始鬧情緒。尤其是受到「二二八」事變的巨大衝擊，處處看到來台接收的外省人官僚中害群之馬的惡劣行為，譬如不守法、貪污、敲詐等。同時「慘勝」隨後社會一

4 戴國煇，〈中國人にとっての中原と辺境——自分史（台湾・客家・華僑）と関連づけて〉（收載於《漢民族と中国社會》，日本：山川出版社，1983年12月初版），頁365～434。〔參見《全集8・對中國人而言之中原與邊境》〕

片混亂，經濟復興不上軌道，大陸政局日趨惡化，國家前途一片迷茫。在這種背景之下，他們一方面因具有疏離感，另一方面又不具有足夠的時間，更是因為認知差距過大，根本無法和國府當權者建立「共識」，也找不到自己在光復隨後台灣社會中以及中國政局中之適當定位。1950年代上半，尤其是1950至1953年間的「政治肅清」的風暴下，台籍中產階級和知識分子的精神是相當苦悶的。他們無處尋得宣洩渠道，由此，他們的「台灣結」逐漸往深層累積，由小而大。其負面發展表現在台灣內部者則是隱藏和鬱結，表現在台灣外部則通過台灣獨立運動，特別在日本反映出來。

我要說明的是，當年在東京，台獨元老人物，已故的王育德先生多次邀請我參加其運動，但我堅決地加以拒絕。我當時對台獨的態度是：能同情其苦悶的心態，部分能理解其心態之所以然，但卻不能苟同他們的政治行為及主張。隨著台灣地位在內外及歷史條件的變遷，當今的台灣結與1950年代的台灣結，雖然不完全一樣，但1945年到1950年代前半所累積的「台灣結」，卻是當今台灣結之根源所在。由此值得我們拿出來分析與討論。

我曾經給王育德先生們的「台灣結」取名為「情緒障礙（困擾）症候群」[5]，他們雖然沒有正面地反駁過我（據我寡聞），但我相信，他們不曾有意識地去面對自己的心態做過自省與探討，這才是實情。

5 同註4。

四、比較理論層次的一些問題

我想用較大的篇幅，從理論層次綜合整理一下，對台灣結進行心理歷史學[6]的剖析。如果這種嘗試能成功的話，那將使他們從縱橫交錯的、內部外部的、個別普遍的、表層與深層心理的多種角度，去把握和深入我們對台灣結的認知，並找到這個緊鎖之結的開啟鑰匙。

對政治層面上心理因素的一些話題

如前所述，我沒有搞過政治，但是做為一個社會科學研究者，並且對心理歷史學抱著深厚興趣的學人，從學術角度來討論如何剖析政治層面上的心理因素，當然是重要課題之一。我認為，如果不從階級分析的角度出發，政治的內核就是組織人群和物質的一種技術。因篇幅及重點所限，我這裡暫且不談關於生產財富的政治，而只從組織人群的層面來展開論述。

可以這樣說，有關人群的因素或人群的心理因素是政治的核心精髓。用另一種表現形式來說，一個國家的政治的根源性因素，是基於人或者人群的心理（其對象是階級、職業、地域群體的集合心理）。在這種前提下，對從事政治的政策家——這裡說的政治家是與政客嚴格區分開來的，前者為statesman，後者為

6 在此所言的心理歷史學的方法，主要得自於Erik H. Erikson: *Psychological Issues Identity and the Life Cycle*, International Universities Press, Inc., New York, 1959之啟示。當今較易購讀者為同著者的*Identity and the Life Cycle*, W. W. Norton & Company, New York, 1980。

politician——來說，應該把構成該社會或民族種種範疇（即每個社會和民族中所有的種種階級、群體、職業等範疇）之中隱藏的性格加以充分認識，並在互相信賴的氛圍中把它們結合，讓它們協調合作，這樣一種總合性運作的能力是一個真正的政治家成功的基礎。換句話說，這種總合運作能力的具備與否是檢定政治家優劣的標準。

在通常的國際關係中的有關心理因素，一般是以國民性和民族性來體現的，而優勢民族的民族性常常被視為該國家的國民性。眾所周知，世界上沒有一個只由單一民族來建構的國家，只有日本誤認為自己是純大和民族的國家（實際上有愛奴族、琉球族、朝鮮族等少數民族並立存在，並受到優勢的大和民族藉日本民族之名，以單一民族國家之神話來加以歧視）。

現在我們將這種國際關係的心理因素做為一種驗證方法來反觀中國。「中國」，從漢字上顧名思義，已有國家之名赫然存在，就是說，中國雖名為國，外部形式上有國之名、統一之儀，但冷靜觀察，中國的國土大、人口多、民族複雜，宗教、語言多元，由此角度而言，中國內部一直處於chaos（渾沌）的狀態，這種沒有真正凝固、定形的「星雲狀態」亦可稱為一種中華之「世界」，而非近代國家之意識相當成熟之概念上的國家。因此，古往今來，中國政治家（統治階級）一貫的價值導向是以「大一統」為至上命題。

持這種思考方式的原因何在呢？依我一孔之見，是當權者為保持自己的權力秩序而如此苦心主張的。換一個角度而言，傳統的中國政治家不曾對具有地方性格的大眾（或曰群眾）心理投下過精細的關心。必須言明的是，這裡所謂的精細即為英語的delicacy，絕不等同於枝葉末節的事物。中國有一句「馬馬虎虎」的日常用語，其實依我來看，這個常用詞恰恰是用一種類似於生活哲學的語言，表現了中國人的生活智慧。因為中國是一種chaos的星雲狀態，所以日常生活及有關生活之凡事就不能太認真、太嚴謹，不然沒完沒了之自討苦吃的事例將找上門來。

如前所述，中國的皇帝和自孫文以後的近代中國的政治家，不管其黨派如何，對於群眾心理或具有地方屬性的大眾心理——也就是草根性情結——從未給予精細的關懷。特別是辛亥革命之後，政治局面異常動盪混亂，不是受到外國侵略，就是軍閥之爭、國共內戰窩裡內鬥，政治家即使有心關懷也是無能為力。

對台灣來說，除了上述那種普遍性的傳統政治文化的負面影響之外，被「割讓」給日本後的台灣同中國大陸完全脫離，造成的特殊政治、經濟背景，逐漸形成了鮮明的台灣地方屬性，而且此種性格為台灣住民多數有意識或無意識地所具有和支持。在此，我覺得有必要對台灣近百年歷史做一簡單的縱向回顧：1895年，隨著第一次中日甲午戰爭的失敗，一紙《馬關條約》將以台灣、澎湖為中心的島嶼群「割讓」給日本，成為日本的殖民地。這種人為的，即日本帝國主義的殖民地統治把台灣住民（包括少數民族的先住民和以廣東、福建兩省為中心，移居台灣的漢族系住民）與大陸割斷了。從社會學理論層次來說，這種割斷意味著台灣和大陸本來向形成近代國家掙扎的過程一起邁進的條件也被割斷分離；說得更明確一些，由於這種割斷，台灣住民不管是在正負各層面上，不能同大陸人民在同一個共同基礎上、經驗上走向近代國家之途。在同一路途上將發生，或愛或憎、幸福痛苦、喜悅悲哀等種種體驗都被一概割斷；這種情況意味著，台灣住民與大陸住民共享「共同」之基礎經驗的機會被日帝剝奪。

當台灣被割讓時，台灣中上層文人知識分子和老百姓都感到悲哀和屈辱，覺得自己被當成養女送給萬惡的日本帝國主義，從而形成被割掉、丟棄、出賣、疏離、無奈的心態。雖然，台籍人士抗過日，流過血，拋過頭顱，但不曾成功，祖國又無力解救其水深火熱之困局，遂形成無奈、抱怨及自哀自憐之被迫害的「養女」屬性，或被丟棄者的特殊情結。在這以後的歷史中，台灣同胞同大陸的關係呈現出多樣的相貌。一部分台灣同胞在辛亥革命及抗日戰爭中投奔大陸，獻身民族解放抵抗列強以及抗日鬥爭；一部分人則認識不清、骨氣不足而甘當日本的二等公民，反而欺壓大陸的百姓；另一部分人則投入「滿洲國」和汪精衛南京政權的懷抱，為自己的升官發財自鳴一時之得意；還有一部分人（包括我家兄一代）則被強迫徵入「皇軍」充當砲灰。這種種經歷與歷史脈絡自然促成台灣住民既複雜又錯綜的心態，這是不難想像的。但是，迄今為止，還沒有哪位專家學者對此做過社會心理學或精神分析學的研究分析，對此好似都欠缺了解。

對情念等內部心理因素的一些話題

現在，台灣社會時有街頭運動、激烈抗議時政的現象產生，許多學者和報紙對這種情緒性的發洩認為不夠理智而加以批判與攻擊。我認為對此絕不能一概簡單否定，而必須以哲學和心理學的更深層次去剖析這樣的社會現象，才能觸摸到社會與民眾心理運行的脈搏。

1. 哲學根源性的誤解

英文的passion被解釋為熱情、情欲，有的辭典更將其譯成失去理智的強烈感情、欲望；但在哲學用詞的層次上，日本將其譯成「情念」。所謂情念者，從哲學根源性來說，是不帶有負面性，而是具有正面意義的。

可悲的是，在日本或台灣的當前社會氛圍裡，一般常識是將情念、感性同理性、理論、學問對立來看的。我認為這是對哲學根源性的誤解，應加以省思。即不能無視或蔑視情念、感性，而應將感性與情念當為人的內面的一種「自然」來看待，以還其本來面目。它們在人的心靈上有相當重要的正面價值（當然常常會因各種條件與因素而走向反面），是我們人類最親近的生活因素、生存基盤。眾所周知，1970年代的日本和當今的台灣，因科技發展的無計畫、無制約或非社會性的亂用（單純性的追求利潤），引起了公害和自然環境的破壞，人們往往忽略的是，我們亦不知不覺地逐漸破壞著我們每個人的心靈、人性，也就是我所說的人的內面的一種「自然」。這種人內面的自然之涸竭、荒廢、沙漠化，已引起我們整個社會的病理現象，諸如暴行、性方面的犯罪加劇、日常生活頹廢加深。更為嚴重的是，心靈自然的「公害」化，除了影響道德倫理的荒廢化外，亦使人們對知性、理論的培養與接受能力受到不易察覺的衝擊，逼它日漸衰退下去。

2. 我所理解的「台灣結」

人們對台灣結的內涵界定是有分歧的。有人說「台灣結」就是台灣民族或台灣人及台灣意識等。如果我們冷靜地看待這個問題，會發現這亦是一個演變的過程，在詞彙上面的顯現，即：台灣歷史情結→台灣情結→台灣結。我首先要表明，「台灣結」的存在本身並沒有任何問題，更不該讓它有問題。「台灣結」本身的存在並不是壞事，只有當它走向負面時，才會帶來問題。也就是說，有台灣人意識、有台灣鄉土感情是可以理解的，讓「台灣結」與「中國結」帶來分歧、對立或對抗，則是值得擔憂的嚴重問題。

以我自己來說，我是客家人，出生於台灣，而祖籍又是廣東梅縣。小時候受到日本帝國主義的統治，又經過了「二二八」事件，在這期間有幾位親戚死於非命。命運和心路歷程賦予我「客家情結」、「台灣情結」以及超越於這二者之上的「中國情結」，在我自己來看，係非常自然的一種「內面世界」的成長過程。我深深感到，低層次的情結不容被蔑視，但它本身應該向更高層次昇華，在昇華中顯現出它更開闊的、更大格局的情結並發揚其光輝，才是理想的境界。

在此，我先把哈佛大學著名精神分析名譽教授艾利克生的理論試做如下的闡釋。

艾利克生的identity若要翻成中文來用，得花相當的精神，因其內涵是辯證的、動態的、歷史連續性的，隨環境、社會變動的，甚至包含著人性自幼年至年老之變動體驗之總合。在心理學之用語或許可翻成「人的自我同一性」，在社會學亦可翻成「人的自我存在證明」，在哲學用詞上則可翻成「人的主體性」來套用。

但因概念所包含的「歷史的連續性」以及「人格的同一性」不只停留於「自我」（個人）之境界，自我（ego）者，從自己與母親之相互關係（mutuality）做為基點，一步一步地走向與父親、家族、鄰居、學校、服務機關以及政府、國家，形成其社會化過程之生活圈裡的相互關係。這個生活圈，艾利克生名謂「ego-time-space」，即「自我—時間—空間」者逐漸擴大。個人得涉及、參與或受干預的主使者集團、社會組織，亦隨著歷史的、時間的延續而擴大。

伴隨著個人所得涉及的「世界」（生活上的）之擴大，個人能獲得或被迫不得不獲得的，有關「當為某某的自我」的「角色」種類亦將隨之而增加。在其既動態亦辯證的歷史過程中，自我將向其所必須涉及之「對方」、「集團」之價值觀或價值體系（群體自我同定【group identity】）認同。這個過程將是某一個人在獲得價值觀（正負雙方面的）並變為自己的，形成自我同定，擴大並統一自我同定之具體過程。

3. 歷史性心理層次的探討

下面我將套用艾利克生的理論，來對「台灣歷史情結→台灣情結→台灣結」的過程演變，試做一歷史性心理層次的探討，以嘗試從「內面」來解釋令人困惑的「台灣結」問題。眾所周知，艾利克生教授是世界上第一個提出「自我認同危機」（ego identity crisis）概念與理論的學者。報告者曾經於1984年春季在紐約哥倫比亞大學的演講「『中國人』的中原意識與邊疆觀——從自我體驗來自我剖析或解釋」[7]當中，提出把identity翻成「認同」廣泛應用可能有不盡妥當之處。我認為如果只將認同當作動詞用是比較妥貼的，但做為名詞用，似較牽強，可能不足夠涵蓋其內涵。故我將認同改成「自我同定」來應用，在本文亦準備沿用。艾利克生教授的自我同定理論包括著他的概念層次：特別是把identity分為negative identity與positive identity，然釐清其兩者間之相互關係給我甚多啟示。

我們可闡釋其概念如下：即被壓迫或被殖民的民眾受到外來勢力的壓抑，從而引起自我同定的迷失、糾葛或危機。在一個漫長的過程中，受壓抑的人們慢慢被迫接受並習慣外來勢力強加與的外來價值體系，由此形成負面的、陰性的、否定性的自我同定，也就是前面所言之negative identity。這自然是一種悲劇。但是，這種負面的、陰性的、否定性的自我同定並非是一成不變的，在社會歷史條件的變遷下，如果通過積極的轉化，它也可以轉變成正面的、陽性的、肯定性的、健康的自我同定（positive identity）。

艾利克生教授雖然是以個人的生活方式之模式為主要討論對象，但他亦把他的概念延伸到個人與歷史的際會，來探討人的深

7 與註1同。請參看拙著頁114。〔參見《全集》1〕

層心理與歷史之間的動態性關係[8]，甚至擴張到group identity即群體自我同定的有關考察上。經過慎重的學術思考，我認為將上述理論套用在光復前後的台灣社會狀況與台籍人士之深層心理的探討是適合的。

如前所述，隨著台灣被清朝政府割讓給日本帝國主義，台灣與大陸同甘共苦、共同走向近代化（＝資本主義化）甚至於現代化道路的可能生，或共享共同基礎經驗之機會被割斷，在軟硬兼施的日本殖民政策強制推行下，台灣民眾被分化了，出現了錯綜、複雜、多元的面貌。一部分人在「中國結」的主宰下，回國投身辛亥革命、北伐戰爭；一部分人雖沒有直接投入大陸上的種種具體鬥爭，但他們堅持認同中華民族、熱愛中國，堅持想以孫文的三民主義思想或憑藉溫和的「台灣議會設置運動」來解決被殖民之台灣的政治、經濟、文化的困境，如國民黨左派系之蔣渭水、右派民族主義者林獻堂是其代表性人物。但是，更有一部分人在日本皇民化運動毒害下，加之認識不清、氣節不正、勇氣不夠，第一步是喪失了固有之自我同定，然後逐漸地接受了殖民地體制（＝日本帝國主義）所塞給、強制之價值體系；進一步地肯定了它並走向否定性的自我同定的一種反彈行為，投入滿洲國、汪精衛之南京政府，如新竹出身的謝介石（「滿洲國」外交總長）是反面人物之代表。許多青年被徵召入「皇軍」，成為日本

8 請參照Erik H. Erikson: "Ego Development and Historical Change", *The Psychoanalytic Study of the Child, II*, pp.359～396, International Universities Press, New York, 1946。當今易於購進參照者為"Group Identity and Ego Identity"，收載於前註6之*Identity and the Life Cycle*, pp.18～25。

侵略者的幫兇和砲灰。這是可悲的，但卻是史實之一部分。

然而，歷史終於給了這種否定性的自我同定可能轉變為肯定性的自我同定的絕好機會，那就是1945年8月15日的日本戰敗投降，台灣光復而重新歸屬中國。如果我們將殖民地體制加於被殖民地人們的壓抑分為外面（指制度、政策等，容易可用肉眼看到的或易察覺的事物）和內面（指意識層次和精神境界）二種，則可以看到，隨著光復，外面的殖民地體制在形式上被摧毀。在這種情形下，中央所任命來台接收的新政府以及其有關人員，應該在重編行政制度的同時，更加努力將台灣民眾受殖民地統治造成的否定性自我同定加以分析、整理然後開導，讓它能順利地轉化為肯定性的自我同定，才是理想的心理建設或是應定的努力目標。也就是說，應該尋求台籍人士在自我同定的喪失、迷失、危機、困境等狀態逐漸改進，以期其回復並進一步的促進肯定性的自我同定與全中國架構的開闊的、更大格局的中華民族之群體自我同定接合，樹立台籍人士之全新格局的肯定性的自我同定，這才是應該努力的「健常之路」。

光復之後的台籍人士之「祖國熱」正是台籍人士斯年正面且正常的反應社會行為。台灣同胞爭取奪回固有自我同定之積極行為，他們在新環境中竭力進行正面的補償行為。這表現在他們興高采烈地歡呼台灣回歸祖國，衷心地擁護以陳儀長官為首的祖國接收人員，熱烈地迎接中央軍登陸台灣，學習國語（北京官話）之狂熱瀰漫了台灣全省每個角落。在台灣民眾心理，燃燒起一種喪失或迷失已久的戀母情結，因為飽嘗被丟棄的失母情結之痛苦，台灣民眾已主觀上努力地從自我同定的困境中尋找光明的出路。當時，以丘念台和林獻堂兩先生為核心組成「台灣光復致敬團」到南京去見國民政府首腦，以感謝祖國光復台灣之功績，他們還到陝西去遙拜黃帝陵，以表明炎黃子孫的赤子之心（以丘念台與林獻堂兩先生為領導人的致敬團在組團時，曾對閩、客兩者間之人數配額上做過考慮與安排，卻沒有納入先住民代表，這亦表明台灣中上層人士對時代認識的局限性）[9]。這種政治行為完全可以認為是一種自我同定的補償行為。

但是，台籍人士最終掉進了戀母情結的一廂情願之中，而沒有認定和搞清楚自己的自我同定的適當之座標軸。其原因在於經過接收而成立之台灣省行政長官公署沒有藉光復的歷史良機，將台灣民眾的戀母情結創造性地開導促使其昇華，使其變成肯定、陽性、正面的以及健康的自我同定。如果這種轉變成功的話，台灣民眾在這之後鬱結的「台灣結」就不至於走向如此反面，「台灣歷史情結，台灣情結」就很可能會健康地、成熟地和「中國結」連在一起，從而昇華並建構起要大格局的自我同定和正面且具有更富普遍性的新架構之自我同定。

美麗的前景不但不曾出現於台灣，反而在歷史的進展中，台籍人士白白地坐失了難得的良機。陳儀的長官公署甚至在制度上都沒擺脫日本殖民統治體制的窠臼，取代台灣總督府的台灣省行政長官公署正式表明了與中國大陸體制相關的，好似省政府制都不實施，對台灣沿襲了日本殖民地體制（最典型的係台灣省專賣局）。正面意味著一種特別對待，但自反面來看卻被視為一種歧

---

9 請參照註1之拙著，頁119～121。〔參見《全集2・「中國人」的中原意識與邊疆觀》〕

視或差別待遇。

當年之當局，當然有其困難及考慮，但焦急地期許有關補償行為能立即實現的台籍人士們，當然深覺不滿與委屈。在這般心態下所見到的來台接收的官員們、軍警們的「前近代」（＝封建）屬性的種種行為，大多是屬於惡劣者，加上「二二八」事件之發生，人們的祖國熱一下子跌入冰窟之中。他們對大陸人士的心態經歷了「期待→失望→懷疑→不滿→委屈→反抗」的痛苦歷程，自我同定的糾葛及危機非但沒有能夠解開轉化，反而向另一個極端滑落並沉澱於深層心理，且不斷地累積下去。

「二二八」的風暴過後，好不容易有個好轉契機，但不多久，又來了1949年末迄1950年代前半的「政治肅清」。怒氣不但沒有來得及安撫，更累積了新的冤魂（據聞需要平反、伸冤之案件不少）。經濟尚未上軌道，正準備由上而下實施農地改革，台灣全省籠罩在風聲鶴唳、極端緊張的政治空氣下，台籍人士窒礙難耐的鬱積心態更累積成「怨恨」。

或許這種悲劇的背景是在於當時政局複雜，抗戰剛結束，國共內戰又起，在如此動盪的政局下，國府當局某些人士即使有心在台灣搞一番事業也無力達成。更何況當時確實欠缺成熟且具有遠見的政治家，政客性、封建性、正統性、家長性的傳統觀念，充斥於政界和政治運作者的腦中。在認知層次上面，本省人與外省人之認知差距愈來愈大，卻無管道可讓其化解與溝通。儘管來台灣的大陸人士（也就是所謂外省人士）中也有些極具善意的思考與行為者，但從總體來看，多數人是目光如豆，只知肥自己的荷包，根本就不具備政治家之格局，清廉並具備高效率之行政才能的人士更是欠缺。他們不曾考慮到在徹底打破殖民體制的基礎上重編行政制度，重建新的價值體系，在台灣創出新的格局，他們多數仍舊跳不出傳統中國政界的框架以及陳年陋習的泥沼，當然就無法又無力整合新歸來的台籍社會力以及其人心，這是不必贅言之史實。

他們更無暇考慮台胞的歷史傷痕，以及否定性自我同定需要醫治、補償、平復、轉化。這不禁使我想起光復後在中學英文課本裡讀到的一篇小文章，那是法國作家阿爾芬斯・道地（Alphonse Daudet, 1840～1897）的〈最後一堂課〉（"The Last Lesson"）。眾所周知，這是一篇很著名的文章，其內容是普法戰爭之後，法國戰敗，將兩國交界的阿爾薩斯（Alsace）割讓給普魯士，在割讓的前一天，老師給學生們上最後一堂課，這一課內容是講法國文化和母語，老師用質樸但充滿無限愛情的敘述，告訴孩子們要熱愛自己的母語　　法語，要在心靈的深處承繼祖國文化的傳統。這就是法國人在成為被殖民者之前深重的悲哀，被遺棄、眷戀母語及祖國的心態表露。

說來也巧，最近我又看到法國當代著名歷史學家埃曼紐・勒華拉杜里（Emmanuel Le Roy Ladurie, 1929～）給岩波書店寫的一篇文章〈新歷史學與現代科學——理性的危機和人性的復權〉[10]，在文章中，他談到當阿爾薩斯在第一次世界大戰後重新回到法國懷抱時，法國中央政府沒有因為它曾一度變成殖民地而加以蔑視，反而對它投以非常的關懷和巨大的援助，特別是進行

10 日本岩波書店編集部編，《現代文明之危機與時代精神》所載，1984年3月，頁217。

了大規模的「知性」投資，促使它迅速彌補及接續上因分割而被割斷的與祖國經濟，特別是文化、政治、思想意識上的斷層。我讀了這篇文章後深為感動，我絕無拿此例來影射國府對待光復後的台灣之意，只是由衷感到，做為全世界的兩個文化大國（法蘭西文化和中華文化，甚至法蘭西料理和中華料理也是齊名於世的），為什麼對待一個曾經被割離的小地方會有如此大的差距？這是不是值得我們反思與研討？法國能夠對阿爾塞斯這個地方投給精細的關懷，那麼我們是否可把我們以往的政治掛帥「大一統」的觀念放鬆一些，精細地肯定福建、上海、四川、西藏、蒙古包括台灣等等地方的某一些地方特性的存在，我們是否可以放大胸襟來先肯定這一事實，並在這一基礎上提出更寬廣、更具普遍性格的新群體（＝中華民族）之自我同定？這些問題是否為值得中國人（包括台籍人士）及海外華人政治家及學人們深思、探討的課題？願我同胞三思之。

五、對台灣光復後十年的反省來看台灣結的癥結所在

前幾個月，我在報上獲悉在我的故鄉——中壢，由中原大學及宇宙光傳播中心舉行了「現代人心靈的真空及其補償」學術研討會。我對這個題目是很讚賞的，中國論壇社的文崇一、李亦園教授，據報導也都參加了。我覺得挺有意思的是，研討會的探討對象年限只定在1955至1985年的30年，並沒有把1955年以前的頭十年當作討論的對象。主辦單位有何考慮和意圖我不敢妄加評測。當然，這30年是台灣急遽地由農業社會文化結構向科技工商

業社會文化結構過渡的時期，探討這一歷史演變的過程，以及傳統文化如何受到科技和工商業經濟的衝擊挑戰，人們在應戰中如何走向現代科技工商業社會的價值體系，以及由此存在和產生的種種不安和荒廢人心的負面社會病理現象，這都是很重要的。我也一直強調我們應該探討如何恢復我們當代人的感性和被扭曲的心靈世界。這個部分可以界定為屬於當前因「近代化＝資本主義化＝西化＝工業化」所引起的自我同定之危機的課題。這一類課題是具有普遍性的，不管台、美、日都已有其明顯存在，但台灣特有的根源性自我同定之困局卻應該被特別重視與對待。

同時，我亦認為，我們在台灣所面臨的「信心危機」、綜合性的社會矛盾、日益升高的認知差距和逐漸有可能走向極端的某些意見分歧等根源性因素之根基時期，是在於1945至1954年這十年間。

因而，我在此次盛會特別得指出，「台籍人士在1945至1954年間有關自我同定的糾葛、危機、迷失之探討」課題的特等重要。

眾人皆知，問題的揭發，便是解決問題之首要前提。我們若能對光復之後十年間的台籍人士之情結——由小惡、小怨的累積以及「含悲九泉，與草木同朽」之冤魂，甚至於與否定性自我同定的補償行為沒有能夠得到落實反而挫折加深的種種傷痕之糾纏淆亂，終於成為當前「台灣結」的首要負面部分——若能把它釐清，我們的「死結」可能就能化為「活結」；再把「活結」轉化為健康且肯定性的自我同定，不是能更上一層樓嗎？

六、「台獨」傾向鄉親們之「中國結」

我反對把「台灣結」絕對化，亦不曾把「台灣結」當作死結對待，已可略見於前述。

事實上，傾向「台獨」或以往台獨運動之元老代表性人物，亦常不知覺或無意識地具有某些程度之中國結。

我想用三位人物之有關事例來闡釋他們之自我同定的糾葛與迷惘。一位是已故王育德博士，另一位為「財神爺」邱永漢先生，最後一位則為在美的陳唐山博士（前任台灣人公共事務協會會長）。

育德先生一直藉著他的語言學專業，想把台灣的地方特殊性感情，為方言上顯現的所謂「台灣話」問題上綱，讓它具有一種政治符號性的「語言」而大作文章的代表性人物。他曾經向我遊說，邀我以客家系台灣人的身分參與他們的台獨運動。但我一直堅拒。有一天，我問他：「你與你們的同路人士之文章，還常可看到『光復』後如何如何之用詞法，究竟你們台獨運用的主體感覺為何？究竟光復到哪裡去？你們是站在哪一種主體定位上講光復？」他被我問得一頭霧水。他的出名之作《台灣：苦悶的歷史》中，始終沒有能將「台灣人」與日本殖民體制間之關係理清楚，是有其邏輯層次之原因和弱點的。比起台灣一般老百姓更苦悶的可能不是別人而是他自己，他的「台灣結」內裡潛藏之「中國結」，雖然受其本人之抗拒而不易顯出，但有時亦會表露一二。

邱永漢先生則自己承認是已不會講客家話的台籍客家人（他

於年前已取得日本國籍）。他早期的台獨言論不必多說了，因我有親朋與他同過學，知其真名——邱炳南，他搞台獨時用的筆名卻是「永漢」，我的那位親朋曾經說他是在耍，既然要搞台獨，怎麼又來個「永漢」的筆名呢？真是位政客型人物。當今，邱先生之一切社會行為，如何評判是見仁見智的吧！

陳唐山博士，據聞是真名。若是的話，取名當然不歸責於他，那麼他的「中國結」應該是屬於他的父祖輩的。換而言之，陳家父祖輩之「中國結」透過他而留痕跡或顯現出來是其內涵所在。由此亦可窺知「台獨」鄉親們之「台灣結」難免又帶有中國結，其情卻是糾纏淆亂，難於釐清的。

七、暫時的結尾語

眾所周知，任何國家、民族、社會、群體、個人，當面臨危機或歷史性轉換期時，一概會引發出反思自己的定位以及自我同定的重新建構之社會性需求。當前，在台灣所興起的有關「中國結」與「台灣結」的爭論亦不外係其同一類型的顯現。

我認為台灣社會「求變」、「求新」的當今局面本身雖隱藏有某些危機，但總體而言，開創新格局的轉機和希望是比以往40年的任何時期都來得大。不說別的，這一次能藉這個敏感題目來舉辦學術研討會，已是破天荒的一大壯舉。真理愈辯愈明，社會能走向學術自由、言論自由，便是民主主義之一大進步。只要在政治、社會、文化上之總體性運作適當與圓熟，很可能讓負面的、否定性的台灣歷史情結轉化並昇華為健康的、正面的、肯定性的有關台灣的自我同定——也就是台灣意識以及台灣人意識。

希望我們有關人士全體不但不該再一次坐失歷史性的良機和契機，更期待能藉此良機把一切因日帝殖民統治、「二二八」事件、政治肅清以及40年來的各種壓抑所帶來的後遺症——也即是「台灣結」的最大的負面性格——化解為零，再轉而走向光明、進取、茁壯的健康大道。

在此，我們得確認，任何成型的健康且自立的自我同定，它將憑藉其嶄新的活力來尋找更寬廣、更高層次、更易與人類最普遍性的自我同定聯繫的思維，並轉化為創造性之思想行為。據我未成熟之所見，當今流行於台灣的「台灣結」之主流部分尚是屬於負面的也即是停留於「退行」層次的一種。

當然，可以站在善意的立場，來對主張「台灣結」為至上命題的人士之意圖解釋如下。

他們想從過去被分解、被壓抑的各種自我同定的糾葛、困境裡面找出他們認為是適當的、統一的、廣泛的、開闊的一種新自我同定（new identity）。用他們的政治詞彙附名謂「台灣全體住民的自決」。但有心人已察覺出其「台灣全體住民的自決」確是來自於「台灣民族自決」以及「台灣人自決」之新變種而已；不僅如此，它的說法，潛藏有艾利克生所指pseudo-speciation[11]「擬似種族化」的自我主張。這種主張則認為只有「我」這一「種」（species）才屬於真正之「人」＝「種」，乃唯我獨尊、偏頗之

11　請參照Erik H. Erikson：*A Way of Looking at Things-Selected Papers from 1930 to 1980*, pp.327～331, 333～335, 498～499, 518～520, Edited by Stephen Schlein, W. W. Norton & Company, N. Y. 1987。

自我同定的負面主張。艾利克生之pseudo-species（擬似種族）的特別用語並不是給予某特定的種族之稱呼，他認為任何人都難免懷有對自己或自己所屬的集團裡所「敵對」或厭惡的集團，看成平均以下之存在並加以排斥。在這般心理狀態下所造出的一種「幻想的種族」，艾利克生把它稱之為擬似種族。

近代世界史上，最悲劇的事例是希特勒所率領的納粹德國看賤猶太人、殘殺猶太人。納粹德國雖然同樣地藉「擬似種族化」的觀點看賤蘇俄人，但蘇俄人卻與猶太人有異，他們具有其國家、有其武力甚至於有其宗教信仰的意識形態等，來與納粹德國「擬似種族化」的狂熱集團行為對抗，終於阻擋了它之進一步的瘋狂並且逼其自焚了結。

第二個事例則可舉日本軍國主義所惹起的南京大屠殺或星馬華僑慘案做為代表。日本人亦是藉其大和民族優秀論及大和魂（＝大和精神無敵論）一類的「擬似種族化」觀點來看賤中國人為「支那人」或「清國奴」，大大地實踐了其瘋狂侵略行為，確是我們中國人悲慘的日本體驗。

從以上二例，我們可窺知，德、日兩民族在納粹和軍國主義支配下之「擬似種族化」的集團性行為終於走入死胡同，不但自焚還虐殺不少他們所誤認為「敵對者」的無辜之民。

另外，值得我們留意的是1960年代在北美興起的少數民族覺醒運動，尤其是黑人運動。

美國的黑人運動，一直是不曾掌握到政權的「擬似種族化」的一種社會行為或社會運動。早期多為未經組織的情緒性之直接宣洩行動，他們多採用「以牙還牙」、「以人種差別主義對抗人種差別主義」，或以「毒」制「毒」的一種個別的、散發的而自囿於另一種人種偏見，或不甚高層次的政治意識和欠缺社會科學認知下的暴力行為。

當黑人運動還停留於「擬似種族化」之有關文化的、種族的、宗教的盲目沙文主義，也就是尚自陷於「自我種族（或社會集團）中心主義」（Ethnocentrism）的小格局時，運動始終不見有多大的開展。

他們的領導層，1960年代中期後因多年來受到持續性的「有關可能性的壓抑」、「有關意志層次的壓抑」、「有關真正一類希望之壓抑」以及多種的凌辱和委屈，而喊出「黑人是最好的」、「黑色是美麗的」的口號，藉而激勵黑人新生代奪回他們自己的種族尊嚴以及不該被侵犯的固有人權和心靈。

他們把否定性的自我同定經過轉化變為肯定性自我同定後，再結合富於前瞻性之intercommunalism（人類共同體主義），轉化成更上一層樓之開闊性的自我同定（wider identity）以及更新格局的自我同定，這種演變非常迅速地開展，同時得到白人以及世界有識人士之共鳴與支援[12]。

這個事例意味著，黑人運動之「擬似種族化」的社會行為及社會運動並沒有走上反面的死胡同，反而及時地經過轉化，自我提升格局，成功地從死胡同的窄路或「自我種族（或社會集團）中心主義」的泥沼中拔腳脫身，獲得當前比較平等的待遇。雖然

12 有關黑人運動中的intercommunalism與wider & new identity之交叉關係的視野，請參看*In Search of Common Ground: Conversations with Erik H. Erikson and Huey P. Newton*, Introduced by Kai T. Erikson, W. W. Norton & Company, Inc., N. Y., 1973。

黑人問題仍然存在，但情況已改進不少，這是眾人皆知之事實。

近幾年，「台灣民族」論者、「台灣意識」或「台灣人意識」至上主義者高喊台灣人優秀論、台灣文學高水準論、台灣話優美論等，亦可藉艾利克生的「擬似種族化」心態的顯現來看待。台籍人士的上述主張當然是長年所受委屈和壓抑的「反動」，能否克服仍然自囿於否定性自我同定以及由其而來的台灣種「擬似種族化」的一些社會心態或社會行為，非常值得我們的留意。

至於我們的自囿於「台灣結」深淵的鄉親們，迄今不見其有過反思，自陷於否定性的自我同定。大多數的「台灣人意識」至上主義者反而認為他們的主張既是正面，又是肯定性的，因而難於自拔，更不易自我提升、自主地從困局或窄路走向更寬闊之自我同定的健常大道。

我們亦得承認，台灣這種「擬似種族化」的社會心態之所以產生，係與既存「中國結」架構有密切互動之關係。「中國結」的內涵若是仍然跳不出傳統的框框，而只是八股、口號式的主張的話，是無法給「台灣結」提供解開其「死結」變為「活結」之契機的。

當前台灣社會之「求變」與「求新」的大眾需求，意味著：第一，既往「中國結」（＝中國意識）所涵蓋的個人或集團向政治秩序統合之意願、取向以及能耐，已有求變、求新之民意徵兆出現；第二，有關住民裡面已有一股力量向既往「社會共有目標」之共識（雖然不曾有過真正的大眾性表態與建構之紮根性的政策展開），喊出存疑的聲音並表示異議；第三，有一股力量，對現存各種制度之「適應」已覺得不耐，希望能有革新之舉。

台灣結與中國結鬧出分歧、對立甚至於變為對抗性，當然亦意味著有關住民對既存政治、社會、經濟結構以及有關當局新提示之目標不願一體化；亦則是不願在被動之下被整合這種意願的另一種表現。問題之關鍵在於中國結架構內部，能否及時地提出更開闊、更革新、更富於普遍性理念的中國、中華民族的、中國人的自我同定概念來整合全體人民。更迫切的課題可能是如何提倡出並有效地開導台灣結由負轉化為正，然而再把正的台灣結（＝健康的台灣意識）與新格局具有說服力及整合力之中國結（＝健常的中國意識）連結在一起，動員所能動員的一切活力以開創新局面。

新局面，當然是能讓人民多參與，能提供滿足老百姓真正的「歸屬感」。人民爭取當家做主，爭取各種自由、平等，保障社會正義，保障人權，法治落實的民主主義之一般需求，已成不可迴避的時代潮流。

上述新局面若能真正開創，我相信，幫台灣結與中國結之間找出鋼索來，把具有分歧性、兩義性之雙方在意識形態的情念上找到能讓它們整合為一之架橋，是不至於太困難的。

盼我這份未成熟的小文章，能扮演尋出上述鋼索之起點性的功能。

本文原刊於《中國論壇》第289期，台北：中國論壇社，1987年10月10日，頁56～66。係聯合報文化基金會與中國論壇社合辦的「『中國結』與『台灣結』研究會」（1987年8月22～24日於南園）的報告全文。

【附錄】

群體的心態及群體的成長

◎ 許倬雲

最近拜讀戴國煇先生的大文〈我觀「中國結」與「台灣結」之爭論——藉心理歷史學視野的幾點剖析〉。在該文中，戴先生根據艾利克生之精神分析學的理論，延伸於「台灣結」心理層次的探討。戴先生借用了艾氏群體「自我同定」的觀點，用以考察台灣結的發展過程。他特別提出負面性「自我同定」與正面性「自我同定」的區別。戴先生並且呼籲，有台灣結的同胞終於應當在「自我同定」的危機與困境中，進一步建立及肯定正面性的「自我同定」與全中國架構的群體「自我同定」接合，應屬為「健常之路」。戴先生又指出，有一部分人士的台灣結中，事實上潛藏有「擬似種族化」的主張。他提出納粹仇視猶太人及日本軍國主義的大和民族優越論，指陳「擬似種族化」的集體行為，終於會走入死胡同，造成歷史的悲劇。（註：戴先生的這篇文章見《中國論壇》創刊12週年專輯，第56至66頁。文中所引各項名詞，係戴先生著意譯自艾利克生的理論，其中「自我同定」，即一般日常用的「自我認同」。「健常之路」，也是原文的說法。為尊重戴先生原文，本文亦均沿用。）

近來討論「中國結」與「台灣結」問題的文章頗多，戴先生的大文堪稱為最有深度的著作。我在此謹表敬意，同時此文也引發一些我的感想，謹為戴先生之文的註腳。艾利克生的心理分析理論，最初討論的主題為個人自我成長各階段的危機。若是一個人能在生命漸次開展的時間程序上，每一階段的自我，也隨而一步一步擴大，則這個人必須能在每一階段重新界定自己的社會角色及功能。群體的自我，其逐步擴大，雖與個人人生的階段不同，卻也有其在轉型期間的困難。近代世界史上國家形成的現象，也屬於群體擴大的範疇。其中群體認同的困惑，往往或則留下許多國家內部團結的病根，或則留下國際衝突的亂源。個人生命成長的過程中，超越前面一個階段，並不是一樁容易的事，因此艾利克生用「危機」一詞，表誌這種轉變的過程。有些個人，一輩子只停滯在某一階段，永遠不能再進一步，其自身長在痛苦迷惘之中。我們在日常生活中，也常見到這種「長不大」的人格個案，這些「長不大」的人，當然在處世及事業方面，大致都是一事無成的失敗者。

個人如此，群體亦復如此，而且因為牽涉的情感因素更為複雜，群體「自我同定」的超越及成長，遂比個人的成長更多盤根錯節。這些情感因素，往往可以凝結為群體的心態。「心態」是近代史學研究中的一個課題。某一時代的某一群體，大致都有其獨特的心態。群體中的個別成員，一方面受群體的影響及感染，而由群體心態決定其行為，以至理性的判斷竟不足與心態的影響相抗衡。另一方面，群體中的若干領袖分子，又能因為掌握了傳播媒體及眾人矚目的身分，可以塑造或改變群體的心態。歷史上許多具有關鍵性的人物，大致即是這類能與群體心態呼吸相通的一型。如艾利克生著作研究的對象馬丁路德（Martin Luther），即是這一型中的正面人物。他們將自己的生命與群體的生命融合為一，幫助群體的發展，超越了群體轉型的難關。至於戴先生所提出的希特勒，以至我們親眼目睹的毛澤東，則當是這一型中的負面人物。他們因為自己生命中的若干難關，始終不得超越，卻將其與群體心態中的凶戾之氣相結，連帶將群體的超越拉下來，甚至將群體推向史無前例的災難。

正如戴先生文中指出，台灣的社會，做為一個群體，正在一個轉變的關頭，能夠超越狹隘的前期「自我同定」，則前途開闊，格局廣大；如果不能超越，則這個群體將長期在猜疑與鬥爭的過程中，逐漸走向牛角尖，甚至死胡同。在這節骨眼上，群體的心態如何，即是極為重要的因素，可以決定群體發展的方向。

目前台灣的群體心態，也正在逐漸成型的過程中。這些年來，政治的鬥爭占盡了新聞的篇幅，街頭以至議會，處處都有戲劇性的場合。不論是群眾運動，抑或是政治人物一己的作風。群眾的情緒是訴求注意的主要對象，而暴烈及誇張則是表示情感的主要方式。這兩項鬥爭的結合，已經構成群體心態的基調。在黨外時代，黨外為了從弱勢地位爭取氣勢的優勢，上述群體心態正是可以運用的戰略地帶。可是，一旦群體心態走向這個方向了，則以暴易暴，會有人也利用同樣的群體心態，從事內鬥。於是，民進黨的內部，遂有批康、倒費……街頭運動中，民進黨的隊伍會有不相協調的數段人馬，也會有過了時間即難以約束的脫線現象；民進黨外面的組織，也會有社團因即時提出的主張改變了原有的宗旨；選舉也會有強人所難、黃袍加身的作風。凡此種種，都顯示群體心態走向暴力與肆意衝動的方向。循此方向走得更遠一步，台灣勢必有一個以暴易暴的群體心態，禍亂相尋，當然不是愛護台灣者所願見。

今天台灣的政治領袖們，固然當為台灣的自由化與民主化，進一步盡力促其實現。同時，政治領袖及社會的一般人員，也當注意將群體心態已呈現的病象，盡力挽回「健常之路」。現在，矯枉已經過正，必須將過正的角度再扳回理性與和平的方向。若有人只以個人的聲望地位及政治前途為重，不惜利用群體的心態，推波助瀾，以便將自己推向權力的高峰，這樣的人實際上是在玩火。暴力是火，群眾的情緒是火種，火點燃後，只會越燒越大，連點火的人自己也會面對引火燒身的危險。大凡譁眾取寵的人及動輒發動群眾的人，都當存此戒心。

台灣地方小，局面狹，過去累積的人才資源也薄弱，台灣經不起一次又一次的動亂。大陸上文革的滔天大禍，當然是我們不願再見的災難，然而導致文革的心態，也不是在文革那幾年才忽然冒出來的。文革的鬥爭心態，實際上經過二十多年的孕育，經過一次又一次的運動，一次比一次，暴力鬥爭提高了層次，一次又一次，群眾的情緒變得更易激動。最後，文革突破了臨界點，整個中國變成了修理場，十億同胞都陷入瘋狂的烈火中。這一大災難，不是一天造成的。履霜堅冰至，防微杜漸，要在未萌將生之際。台灣今天的群體心態，已有走向暴力及誇張情緒的跡象，此時此際，即使野心家，也該捫心自問，是否應當再努力的搧火了。至於本來一片善意，為了推進民主化及自由化的人，原以為在此時必須運用群眾為資源，訴諸情緒為策略，此時此際，大家也該仔細思考，為了達到一時的目的，毀壞了大家托足寄命的台灣，揠苗助長是不是值得的事？引導群體的心態，趨向「健常之路」，這是大家的事。要知道，今天鬥人者，明日就會被鬥，以鬥爭為務的群眾心態，今天再不糾正，就可能太晚了。

本文原刊於美國《星島日報・獨立論壇》第9期，1988年1月4日

第二章　台灣與現代中國

一、前言

在正式進入主題前，我要就我的立場與想法，提出一些交代，也就是我在日本一直主張的三種尊嚴。所謂三種尊嚴，第一個是出生的尊嚴；第二個是民族的尊嚴；第三個是有關職業的，對我來說是學術研究的尊嚴。沒有任何一個人能夠事先選擇自己的父母，我們都是父母愛的結晶；因此，任何的出發點便在這裡。我認為不管身為黑人也好，身為客家人、閩南人、中國人也好，最基本的出發點就在這裡。這也是我在日本這麼多年來，還是一直保持中華民國國籍的基本理由。

第二是民族的尊嚴，既然我們沒有辦法選擇自己的父母，同時也沒有機會和權利選擇我願意生在台灣、生在中國大陸、美國或者生在日本；我們的父母在哪裡生活，我們就在哪裡出生。出生的時候附帶來的民族屬性是半永久性的，是很不容易改變的，因而民族的尊嚴也就不容易、更不應該拋棄。我們能夠選擇別的國家的國籍，拿別的國家的護照，但我們的民族屬性不會因而隨即消失。我熟悉的幾位在美國具有知名度的日裔學者、政治家、企業家，我問過他們：如何處理「血緣」的問題？就是說他們的父母或祖父母是日本人第一代，現在他們拿的是美國護照，如何處理他們因此所遭遇的認同的困擾，他們說：「要做好真正具有國際性的美國公民，就先要做好真正的日本人。」所謂真正好的日本人，不是要向日本天皇表示盡忠，而是說他父母所帶來的歷史、文化的背景，他不要放棄，而且能夠讓它發揮；不然他就變成一個沒有個性、沒有根，就像大海之一粟般被埋沒掉，不能有所主張自我存在的個人。他們不願意只是「one of them」（其他甚多甚多裡面的一個）而已。他們願望主張「something special」（具有某些特別或個性）的自我存在。這些話我相信，也一直認為應該如此這般主張。這一種主張對「個人」、對「社會」、對「人類」都有其正當性及前瞻性。所以，我認為民族既然不是那麼容易變化的，我們應該主張它的尊嚴。

第三個尊嚴是指我本人的專業，便是做學術研究，學術的尊嚴。在社會的分工上，也就是學術界在扮演其社會性角色來講，我既然選擇做學術研究，就不做生意也不搞政治。我在學術界的角色，在於社會科學、在於歷史科學，這個領域的立場，一定得帶有批判性，一定不能遷就於常識。任何高層次的研究，它的起點可能立於常識，以常識為出發點，但不能拘泥於常識，甚至要打破「常識」才是真正做好學術研究的使命，才是突破。馬克斯・韋伯曾經點破過，從事社會科學的第一要件，必須培養出對自己以及自己所歸屬的社會所感不愉快的一切事物，能把它「對象化」抑或相對化——客觀對待的心態。一定要能夠接受自己及對自己所屬的社會感覺不愉快的事物，能夠接受它、了解它，更能夠克服它；這是當研究者的第一個要件。我們都知道任何事物都具有其正面和負面的意義，我們需要繼承它的菁華，去掉它的糟粕，然後克服自己的缺陷；把負面的揚棄，這樣才能對社會、對國家、對人類有所貢獻，這是我基本的一種主張。所以，我主張社會科學的基本屬性就該是批判性的。但批判不等同於漫罵。社會科學以及任何學術研究都該是以打破「常識」為天賦的使命，因而有時更需要干犯「眾怒」——只要那個「眾怒」是虛構或被「操縱」的。

第二點要交代的是我的研究方法。我追求的是本質性、原理性的，同時是個邏輯層次的，還有，是個思想層次的格局。這裡所謂的思想並不是指左右的意識形態，而是不拘泥於常識或者是表象的，應該把它提升到思想的層次來思考問題、探討問題。意思是說，泡沫現象、道聽塗說的，我不會去理它，因為那是在浪費時間及精力。這是多年來，我在學界所採取的一種態度和方法。

第三點我必須交代的是對歷史的看法。一般朋友對歷史的看法是當它為一種過去的事物；其實，只要冷靜的思考一下，目前所發生的一些事物，是過去在當前的一種顯現。所以我們命題為「當為歷史的現在」，這種想法也可以存在。再者，當今的事物亦將影響到未來，甚至可以規制我們未來的導向，或者這些事物將在未來顯現出來。因此我認為歷史具有三個局面：一個是當為歷史的一種過去，一個是當為歷史的一種現在，第三是當為歷史的一種未來，基本上它是連續的。但是這三個局面有時候在「可視」的層面上會發生一些斷層；實際上對這個斷層，任何的民族社會都會有一種社會性欲望企圖去彌補它。我們能真正凝視到它的暗流、底流的時候，我們不難發現這三個局面是有其一貫性、持續性的。這個不易視覺的歷史巨流仍然向著企求普遍價值的實現而流向，這是我對歷史的基本看法。

我們正處於全世界激變的潮流中，一個後冷戰時代的新秩序正在重編及建構的大潮流中。日前得到的訊息，美國CIA（中央情報局，Central Intelligence Agency）的長官表示，舊蘇聯可能會發生大動亂。我們一直都看好東歐的變化、蘇聯的所謂和平演變，人人認為它們的「和平演變」對人類都有好處。這些變化跟台灣或者跟中國大陸的直接關係我們暫且不談，但我想在歷史哲學的層次提出一些未成熟的看法。人人都知道，歷史是從很小的空間開始來創寫的，然後變成一個國家的歷史，而後我們開始有世界史的概念。所謂世界史，基本上是以西歐基督教文明圈為中心的歷史，是以一個國家主權做單位的，這個主權不容許任何外力的侵犯，從而建構的歷史被認為是世界史。因此，聯合國就是一種「salon」（沙龍），法文意謂的客廳，就是很多的國家聚在客廳，大家相互在調適而已。但是現在我們即將邁進21世紀，我們的「transportation」交通運輸很發達，我們都擁有電傳、電腦，還有「communication」電訊網，這種科技發達帶來了空間跟時間的縮短，人類在物理上以及心理上的距離當然也在縮短，因為我們能夠頻繁地來往，例如半天內可以飛到美國，據說不久的將來，東京飛到紐約只需五個小時。這種頻仍的來往不斷地促進彼此間的交流及理解，在這種條件下，我們已經不能再以一個國家的權益做為本位來思考問題了。

我們人類正面臨三大危機：一個是公害污染（pollution）。

這個問題我們已經在蘇聯得到教訓，他們的核子發電廠故障，影響到歐洲老百姓的生活。我有朋友從義大利回來，他說他們在超級市場買東西的時候，會問及這蔬菜是在什麼地方生產的，因為他們怕受到核能污染。我們該知道台灣也可能發生類似的問題，韓國、日本甚至於大陸、香港亦同樣地可能引發類似的問題。這類生態系的破壞將帶來的災害，不是一個國家為單位能夠因應和處理的，因此就需要有另外的思考格局了。

第二個是人口的爆炸。人口問題在當前的台灣比較不嚴重。當年農復會的蔣夢麟先生為了節育問題，抑制人口增加政策，跟蔣老總統曾有過意見衝突。大陸上毛澤東跟馬寅初先生也曾為此發生同樣的景況，時任北大校長的馬先生差一點被戴上右派的帽子，最後還是從北大校長的位子上被拉下來。政治上所考慮的人口問題跟學術上考慮的人口問題，是兩碼事。其結果我們都知道，毛澤東所言的「人多好辦事」帶來了當前大陸嚴重性的人口問題，這個人口的問題不單單是中國人自己的問題，應該也是全世界的問題；人口爆炸的嚴重性我們已經不能只當作中國個別的問題來看，或者是某一個國家的問題來因應。第三世界愈窮，人口問題就愈嚴重，因為窮，所以想多生孩子，然而衛生不好、教育不普及，節育政策甚難推行，惡性循環因而難以打斷，低品質的多人頭只能多吃飯，經濟成長常常被吃掉，很可能變為負成長。因而人口問題已是人類共同的全球性問題。

第三個是核能、核子戰爭的危機。我們都知道布希（George H. W. Bush）和戈巴契夫對於裁減核武的談判頗有進展，而今蘇聯已解體，解體後蘇聯的核子武器由誰來管理？目前布希和CIA

都在擔心這個，假若解體後蘇聯管理核子武器的機制鬆懈下來，可能給世界帶來極大的災禍。因而大家雖看好蘇聯和平演變，卻不能就此放心了事。還有，那一批原蘇聯的核子武器相關科技人員，被中東產油且有錢的伊斯蘭國家禮聘去搞核子武器的時候，難免帶來核子武器的擴散，這個結果將帶給全世界的情勢及國際關係何種變化，都是值得人人關懷的大事。舉凡這三大危機，都不是一個國家能憑一己之力得以解決的。

當前的台灣，也可以看到「地球村」的標語及聽到「地球村」的概念；這個「地球村」的概念全世界已到處可聞。我所要指出的是，它為什麼不被叫作「地球街」、「地球市」或「地球都」？或許這個運動背後，顯示人們對都市化、對工業化有一種抗拒感，認為我們對這個過度都市化、工業化的社會已有一種厭倦，我們希望能夠平衡發展，希望從全地球的自然（標誌是綠顏色），或者生態系不曾被破壞的村莊來思考問題。如果大家能夠接受我這種邏輯，非但要即刻調整過去對世界史的看法，還需要立於地球規模來思想，從人類史的立場來掌握問題，從地球共同體的立場和格局，來準備創寫我們未來的歷史。我認為這是一個很迫切的課題，我就以這種格局來定位台灣，來定位全中華民族，來談台灣與現代中國這個題目。

二、前史性的簡介

所謂前史性就是講現代中國跟台灣，或者台灣跟現代中國，它的前史的部分。我們知道人類所能學習的，只能是過去發生的歷史，也唯有過去發生的歷史才能當作教訓；未來的，我們只能做一種預測，而預測因為變數過多，常常會產生錯誤。所以，我還需要有一種交代，對過去歷史的一種交代。

自古籍的記載到鄭成功的入台

史前史，就是還沒有文字以前的歷史，我們只能請考古學家來解釋或是探討。我要提出的是，從有文字紀錄以後的台灣跟大陸的關係。

我們都知道，台灣的先住民鄉親們，到現在仍然沒有自己的文字，這點漢族系的鄉親要負點責任。一般來講，相互來往的關係，是經濟發展或文化發展較高的一方，向低度發達的一方移動。就如同我們現在常常會想，宇宙中有沒有人類，月球有沒有人類的存在，雖然不很確實地知道有沒有，但即使有，我們大概可以放心，他們的文化、文明的程度不會比我們地球人來得高，若他們比我們高，他們應該可以飛來地球。我們已經可以發射太空船探測太空，但還不曾看到宇宙人發射的太空船到地球來。同樣的，當年遠東的關係主要是靠中原中國的文字來記錄；日本的古代史也靠中原中國的文字紀錄。因為遠東地域初步具有文字的是我們中原中國，台灣也是一樣的只能靠中原中國的文字來記錄。

但是有一點我要特別提出來的，就是日本人最近十幾年來經濟發展後，他們就忙著尋根，對自己過去的歷史想要弄得更清楚些，因而古代日本變為熱門話題。但他們除了發掘古墳等的考古學作業外，能利用的卻是晉人陳壽所寫的《三國志・魏書・東夷傳》裡頭的〈倭人傳〉，就是日本人所謂的《魏志倭人傳》。利用這紀錄在尋找他們的「耶馬台國」，究竟在哪一個地方。〈倭人傳〉中述及當年的倭人國——耶馬台國的女王派人到魏朝去朝貢。我們從《三國志》裡可知，當年的魏政權已經把領土從華北擴張到遼東，然後到滿洲、到朝鮮，終於讓日本列島的倭人國，當年統治30個部落國家的女王卑彌呼派特使到魏的朝廷去朝貢。

值得我們注意的是，《三國志・孫權傳》裡談到夷洲，一般認為是指台灣，雖然，現在我尚不敢妄下定論，就其內容來看大概所指是台灣。我們可以發現，有關古代日本的紀錄和古代台灣的紀錄同在一本《三國志》裡出現，這是非常有趣的。不同的是，因為我們都知道孫權是吳國的第一代皇帝，而吳國主要是在江南發展他的政治勢力，建都在南京（當時叫建業），後來還發展到現在的北越，讓北越向吳國朝貢。但是有關台灣的部分，孫權只是派兵來台灣，對吳國政權來說，當年的台灣還不具魅力，不具吸引力；或說當時的漢人還沒有充分的武力，抑或當年台灣的經濟資源等還不值得他們去冒險，來對付我們現在所謂的先住民。此外先住民當年的發展階段，也不像日本列島和北越一樣能夠有本錢及有意志去做他們的朝貢交易，他們沒有那種習慣，也沒有那麼高生產力的經濟及需要去朝貢。所以，從這兩點我們可以了解到當年台灣大概的情形。

從晉朝一直到隋朝這一段期間，有關台灣的文字紀錄不曾被發現或留存。直到隋煬帝，約是第七世紀開始才有《流求傳》的出現，然後變成當前的琉球；演變中可以發現有大小琉球的區別。在參考文獻追溯源流時，我經過思考後，發現所謂的大小，不在於地理上的大小之分，而是有沒有接受中華的禮教抑或當年漢人認為的文明，也就是以文明發達的程度來判定其大小的。如此解釋，大琉球該是指那霸為中心，屬於現在的琉球；小琉球所指的即是台灣。從紀錄來看，漢人當年還沒有大量的人員來台，而台灣這一方也還沒有能力越過台灣海峽（當年稱烏水溝，也就是黑水溝，危險的大「水溝」）；而從那一邊過來的，往往是為訪求異俗（就是跟漢民族不同的風俗）而來。等到宋、元朝的時候，開始有一些毘舍耶人到福建沿海去搶農戶鐵器的紀錄，這大概可以推想為現在的雅美族；雅美族當年之分布狀況大概可以判定為台灣的蘭嶼、綠島及菲律賓呂宋島的北部。

中原中國的王朝，自宋、元朝開始在澎湖設立地方行政機關，然後，台灣本島住民才以澎湖為轉口，對泉州有了交易，這類紀錄慢慢增加後，我們迎接了明朝。明朝是中國歷代王朝中，第一次以江南做中心統一中國的政治勢力。朱元璋以江南為中心建立了明朝，定都於南京（應天府、金陵）來統治中原中國，那麼這個以江南為中心的新興王朝力量，當然會把它的勢力擴及到台灣。我們都知道鄭和下南洋有七次，有關台灣和鄭和下南洋的故事大概有二說：一個是赤嵌，現在的安平（台南），說係鄭和的艦隊經過斯地補給；另一個是在台南一帶流傳的三保太監（鄭和）的故事。這些並不是歷史紀錄，而只是民間的口傳，是一種傳說，很可能是由福建傳來的。不過值得我們注意的卻是已有江南的政治文化的成熟及朝氣，波及到台灣來，這是可以想像並肯定的。

我們都知道在明朝有倭寇的出現。倭寇怎麼解釋？我以它是一種武裝貿易集團來解釋：有時候他們會變成海盜，有時候他們是正常的貿易集團。倭寇可以分為兩期，「早期倭寇」以14世紀為中心，主要騷擾朝鮮半島沿岸至華北、山東沿海一帶；「晚期倭寇」則以16世紀為中心，主要活躍地帶為長江下游至華南、浙江、福建、廣東沿海地帶。因此跟台灣有關係的倭寇應是晚期倭寇。倭當然所指的是日本人，其實其內涵並不全然；晚期倭寇根本是以中國人為主，朝鮮人、日本人為副，由三者聯合所成的水軍。

晚期倭寇的主導勢力係浙江、福建、廣東沿海習慣於水上生活者，為了避免明朝的鎮壓，他們偽稱倭人並逐漸利用台灣做為補給基地以及轉口交易地謀求發展。他們之間的溝通手段為「漢字及漢文」，他們的交易對象除了他們的出身地（中國、朝鮮、日本）以外，還有東來的先進西方三國：葡萄牙、西班牙和荷蘭。

晚期倭寇中的佼佼者鄭芝龍，逐漸開發西南部台灣平原為基地，開始控制台灣海峽而得勢；明朝不得平靖，只有收編他，任其為明朝水軍的龍頭。

明朝沒落，滿洲族建立「大清」入關後，鄭成功沒有辦法繼續抗拒，乃經過金門到了台灣。入台後，鄭成功居然向荷蘭人聲明，台灣不是荷蘭的，是他父親鄭芝龍開發的，荷蘭人給我滾開。鄉弟在日本講到這裡的時候，很多學生會問，明末時鄭成功的水軍能夠把據台荷蘭勢力打敗，為何明朝卻不曾再興？統一了全中國的清朝又為什麼沒有繼續發展他們的水軍？這些問題都非常有興味，我們姑且不在此討論。

有關葡萄牙和中國的關係，大約是在15世紀末至16世紀初大航海時代開始，可以用基督教、西歐文明向其他大陸之擴展來看待這個時代的特徵。葡萄牙、西班牙、荷蘭接踵東來，他們利用大航海獲得財寶及資源，特別是香料，因而大發其財。葡萄牙人雖曰於1517年即到達澳門，但得到明朝的正式許可定住下來卻要遲到1557年，正式取得成為殖民地更要晚到1887年。

從這一段歷史過程裡，我們可以窺知三件事情：第一，明、清兩朝，斯時還有國力抗拒葡萄牙人進大陸中國；第二，葡萄牙人後來除被西班牙人、荷蘭人趕上外，最終還敗落於英、法兩國之後，因而無法繼續在中國大陸內部發展其勢力；第三，葡萄牙人本為商人，從事商業資本性質的海外活動，只考慮轉手貿易的效率及利潤，不曾有過產業資本性質的海外活動，因而它的野心僅止於寄居澳門經營它的三角貿易（日本、中國、西歐），賺取其貿易利潤。葡萄牙人早期為了獲得明朝的特許定居權並利用澳門，還經過一番奉獻和努力。

明朝為了應付晚期倭寇，利用了名為「佛郎機」的葡萄牙人。當時，佛郎機與明朝合作討伐倭寇是有其目的的，只要幫助明朝鎮壓倭寇，葡萄牙人則可獨占日本、中國（尤其是華南沿岸地帶）和西歐在遠東的貿易主要航線。佛郎機的奉獻得到了明朝的肯定，葡萄牙人終於獲得了澳門的寄居權，獨占了將近三世紀的轉口貿易特權，迄鴉片戰爭爆發為止。

西班牙、荷蘭和台灣的關係又是如何？我們都知道西班牙先到中南美後經太平洋到菲律賓，然後準備向台灣來的，後起之秀的荷蘭也趕著東來。荷蘭雖是歐洲後起的商業資本主義國家，但它在歐洲已經把西班牙打敗，然後開始統治印尼；17世紀初葉到台灣，在台南附近開始它的殖民地經營。荷蘭的殖民地經營比葡萄牙、西班牙要來的先進，葡萄牙、西班牙基本上只做貿易，所以他們要塞的砲口主要是對海的，但是荷蘭卻把砲口轉為對內。因為它經營殖民地，怕殖民地內部的住民會造它的反，這是值得我們注意的變化。

這時候的日本，正值由豐臣秀吉統一的所謂戰國時代。豐臣的興起壓住了倭寇中的日本人部分，豐臣以為台灣有「高山國」，還派了特使到台，準備遞上「國書」。葡萄牙卻已得到明朝特許，配合明朝來對付倭寇以及西班牙和荷蘭，然後行使它的特權。所以，明朝的萬曆年間，就是西元1573至1620年之間，台灣周圍第一次開始有國際性的騷擾。不久鄭成功抗清失敗，把荷蘭人趕走，入主台灣，從1662年開始統治台灣，一共三代22年。這期間他給台灣帶來的第一個禮物，係漢民族政權首次在台灣的出現；第二是中原文化的入台，它主要來自於福建的讀書人階級。福建的中原文化，乃南宋受到元朝的壓迫，漢族系知識分子南移因而推動了福建的開發。福建山岳重疊，水利技術因而特別發達；把水利技術引進到台灣來，促進了水稻的栽培。在此以前的先住民諸族只懂得種陸稻，但陸稻生產力不高；有了水田，開始水稻的栽培，大大地提高了台灣稻作農業的生產力。第三個是甘蔗栽培的推廣及製糖技術的引進。明代中國甘蔗糖業的中心地帶在福建和四川，砂糖當時是高貴的商品。製糖除了技術外不可或缺的是燃料，當年，原始林在台灣到處都綠油油地正好提供燃料，而且砍了樹亦可造水田，真是一舉兩得。

鄭成功家三代人一方面抗清，另一方面自發圖強。為什麼區區小台灣竟然可以保持22年的偏安局面？不要忘記，我們對清朝的看法不能以晚清衰老的清朝來看待，早期的清朝，康熙到乾隆這一段時期，可說是中華大帝國有史以來的顛峰黃金時代，我們當然不能以晚清的鴉片戰爭期，被英國打得慘兮兮的清朝來類推清朝的國力。鄭家在台政權為何能支撐與對付清朝？它靠的是當年台灣水稻農業的擴展及砂糖和鹿皮輸出到日本、砂糖輸出到波斯（現在的伊朗），這些國際貿易的利益支持了鄭家三代，這是值得我們留意的。

康熙23年（1683），鄭家鬧內訌給清朝趁機吞併過去。清朝統治台灣從1683至1895年整整212年，這期間的事蹟，一般來說都比較有概念。我想指出兩點加以說明。第一是人口：根據追索和了解，剛開始只有30萬的漢族人口，到被日本殖民地化的1895年前後，已增加到255萬人；耕地面積則自8,000甲，發展到75萬甲。第二是行政區域：本來台灣是屬於福建省的一府三縣，1885年建省，台灣省開展到三府一直隸州六廳十一縣。清朝統治期，可說是漢族向台灣發展最快速的一段期間；這段期間的台灣，亦可以說是漢族——特別是閩南遷來的，加上福建和廣東兩省移民過來的客家系——開拓農民們企求發展的一個開拓前線（frontier），也可以說是江南在海島台灣推展的一個過程。初期主要是以西部平原做中心，東部的開拓是後來才開始的。

然而就在以江南為核心的中原文化正開始在台灣生根落實時，清朝被日本打敗，台灣被迫割讓給日本，成為日帝殖民地。

三、現代中國的悲劇、掙扎和台灣

接下來，我想提出台灣比較少被談及的幾個觀念。我們都知道中華民族開始為了現代化而掙扎，換句話說既抗拒又不得不接受西歐文明之挑戰，是從鴉片戰爭開始的。

儘管人們常會罵滿清的腐敗及辱國等敗績，其實，冷靜地一想，滿族已成為中華民族的一員，滿族可以說已完全漢化，連他們自己的母語及文字都得靠他族學者來研究及保存。只要好好地讀一讀史籍，我們漢族人士又不得不承認康熙帝比任何漢族出身的皇帝都要來得英明，單就康熙帝給我們留下《康熙字典》一事，已甚為難得。

康熙、雍正、乾隆三帝（1661～1795年）主政的這一段時期，可以說是中華大帝國的顛峰黃金時代，已在前面述及。從15世紀末，西歐人對非西歐的「地理上的大發現」，也就是所謂的「大航海時代」為契機，舊大陸與方被西歐人所發現的「新大陸」開始相連接。這個過程可以做為建構世界史的一個層面來比較考察。

對Pax Sinica的崩潰、鴉片戰爭的反思與定位

那麼，康熙至乾隆時期遠東（Far Fast）國際秩序的維持，當然主要依靠的是中華大帝國——清朝。我們可以用Pax Sinica來表示。這一種說法是借自Pax Romana以及Pax Britannica而來。Pax本來是拉丁文的和平之意，也就是英文的Peace，前者為羅馬帝

國霸權維持下的和平秩序，後者便是大英帝國霸權下所出現的世界和平秩序。從而，Pax Sinica可以說是大清帝國霸權所維持的亞洲和平秩序。意思就是說，17至18世紀，Pax Sinica與後起的Pax Britannica尚是平起平坐而且均衡的。

乾隆朝為最後的分水嶺。在其前，中原中國內部不曾發展出近代科學和技術以及資本主義生產方式，影響了後來的落伍並引發了受辱於西歐基督教文明的衝擊。Pax Sinica的解體崩潰惹起了鴉片戰爭之敗退、明治日本的興起以及華僑的產生（中國人向外流出）。

與我們中原中國完全不同，西歐世界經過大航海獲得了不少財寶，累積了資金，由內部產生了產業革命，同時又發展了資本主義生產方式，繼續把他們的霸權擴展到全世界，並企圖把非基督文明圈的所有國家及地域，捲入西歐的生活方式體系裡面去。非西歐、基督教文明圈的人們碰上西歐的衝擊有三種方式來因應它。夠力量時當然可以採取排外策略把它打回去，但軍事和科技力量的懸殊，大都是難於招架西歐的攻勢。有的屈服成為殖民地（印度為例），有的如中國部分地屈服，成了半殖民地。幸運的卻是日本，它轉了身，追趕西歐走上「脫亞入歐」之路，把明治維新搞成功，然後再轉回頭來個「仿歐侵亞」的軍國主義行徑。

值得我們一提的，是有關基督教普及的一些現象。

菲律賓的呂宋島，大部分住民的宗教信仰是歸屬於天主教的，只有山上有一部分是美國聖公會傳教的落腳地域；南韓的基督教徒勢力也相當地大。但台灣的基督教信徒始終不超過50萬人。我們都知道，中國人用了差不多一千年的時間把佛教中國化，基督教迄今卻很難在中國的大地上廣泛地生根。

日本雖然有過織田信長對基督教傳教的許可，而襲其位的豐臣秀吉卻在其統一全國過程中發出放逐宣教師出境之令（1587年），到了德川家康時代，江戶幕府公布了禁教令（1612年）對教徒加以迫害。明治維新後雖然開放了宗教信仰的自由，不過基督教信徒迄今不見有顯著的增加，一直保持著大約一百萬人左右。為何有這般差異現象的顯現，值得我們中國人思考及探討。

日本在明治維新時所提出的口號是「和魂洋才」，我們中國人在同一時期的洋務運動所提出的口號是「中體西用」（中學為體，西學為用），結果我們沒有成功，日本倒是搞上去了。中日現代化過程的比較研究是非常值得我們去挑戰的研究課題。明治維新前段的日本，一貫地在向內凝聚，歷經的又是收斂的過程；但我們中國的國土太大，除了不少凝聚外，還一直是過著擴散——出血的軌跡。鴉片戰爭以來，列強對中國的剝削及侵略是個大出血的例子。

日本人搞明治維新時的社會經濟條件，比我們搞洋務運動時的社會經濟條件成熟許多。他們的人口、面積的規模比較適合於凝聚力量，方便於為現代化的一切運作，值得我們留意。明治維新時的日本人口只有3,600萬人，他們搞了七年就向台灣出兵，打南部的牡丹社高山族。不到30年後的明治27年（1894），就與清朝為了朝鮮半島的權益打了第一次甲午戰爭，翌年清朝戰敗，賠款外還割讓了台灣。日本軍國主義的野心繼續膨脹，不出十年又為了朝鮮半島及東北三省的權益與帝俄槓上；日本打敗了俄羅斯後把韓國併吞過去，還奪去帝俄在我東北的路權搞它的「南滿鐵路」。

不能、更不該忘記的是，甲午戰爭也罷，日俄戰爭也罷，戰場都是中國的大地，我們中國人不曾派過一兵一卒登陸日本四島去打過仗、放過槍。

台灣的抗日與中國革命

1895年開始，台灣被日本帝國主義侵占而統治。我們漢族系台籍的前輩，頭十年用武力抗日，先住民則在1930年，還揭起霧社蜂起的大旗，勇敢地鬥爭而犧牲，但都沒有成功地把日本人驅出台灣。

國父孫文先生，一直在悲歎中國是一盤散沙，中國人有家族、有宗族，但沒有國族的觀念。用現代的語詞就是說沒有「nationalism」，沒有民族主義的意識，因為我們一直在擴散，不易凝聚。辛亥革命雖然搞成功，孫文先生及其領導的國民黨終究不具備能力及條件統一中國，這是客觀的事實。我們雖然尊敬孫文先生為國父，但我們不能在虛構裡崇拜他、尊敬他。

北洋軍閥的跋扈、軍閥的割據與混戰，都是中國近代史的史實。雖然是悲情，但我們不得不承認，中華民族主義是藉著日本帝國主義對我侵略的行徑，當作反面教師而逐漸地孕育出來的。

因為台灣是首先受到日本帝國主義凌辱的中華之地，因而中華民族主義在台灣的萌芽及成長，比大陸任何省分都要來得早、來得快。

值得眾人特別留意的是，台灣被殖民地化的特殊性。當年的世界史上所呈現的殖民地化和殖民地統治的一般景況是：異人種統治（白人種支配有色人種）；異文化（不同價值觀念及價值體系）的統治；整個民族或國家（包括具有有機關聯性的地域）被吞併抑或統治。

顯然，台日間的殖民和被殖民的關係是有異於世界史上的通例的。第一，台灣住民和日本人同為蒙古人種（Mongoloid），有關這一點，朝鮮人和日本人的關係具有類似點；第二，日本的甚多文化（包括它的文字、儒家思想、佛教等等）之根，係來自於中華文化；第三，朝鮮不只是地理疆域，連它的最後王朝（李王朝），一並整體地被日帝吞併殖民；但台灣是自中國大陸分割其甚小部分（台灣的面積僅有中國大陸之1/370，人口僅有1/55而已）而被日本帝國主義殖民統治。

還有一點，我們必須記住的是，台民被日帝凌辱和剝削的頭十年（1895～1905年），中國大陸正值多事之秋，即革命派人士費心醞釀辛亥革命的前夕。我們只要記起蔡元培、章炳麟等人的光復會成立於1904年，孫文所領導的中國革命同盟會又成立於1905年，我們便可觸摸到當年圍繞著中華民族的尖端時代精神之脈動。

台灣在日帝鐵蹄下呻吟，在水深火熱時，隔著台灣海峽彼岸的中國大陸又在不甚相同的狀況下，與國內的封建軍閥保守勢力及在華的列強帝國主義暨其爪牙抗爭，企圖藉自發圖強而走上現代化（modernization）之路，從而開創中華民族和強大新中國的新時代。

但，客觀的史實及歷史的進展明示我們，這一條應該是堂而皇之的大道，中華民族走起來卻成為既崎嶇又曲折的窄路。

母家的中國大陸自陷泥濘無法自拔，當然也無法把「棄兒」的台灣自日帝鐵蹄下救出。在孤島甚難獲得母家直接支援的台民抗日運動，隨日本治台政策上了軌道以後，其在台灣島內所能活動的空間愈來愈小。為了避免無謂的犧牲，逐漸由武裝抗日轉變為文化社會運動的抗爭方式。有些志士們選擇了「曲線救台」，投效祖國革命及抗日戰爭陣線，意圖先把中國大陸自火坑及泥淖中救出後再救台灣，堅信欲求台灣光復，須先救祖國，並建設祖國，所以不少台籍青壯年冒著險，毅然投入中國革命的大火爐中。

非常遺憾的是，另有一部分淺見而民族意志不堅的台籍人士，渡海返大陸做起日帝的買辦走狗之行徑，被母家人惡罵為「台灣呆狗」（台灣流氓）的事例又時有所聞。

但，大部分台灣住民卻是依然地拜他們的媽祖、城隍爺、觀音娘、關帝抑或大伯公，並沒有屈服於日帝的皇民化運動之淫威下。

第二次世界大戰末期，日帝在台的特高（特別高等警察之簡稱，即特務）高壓統治政策，為了動員台民參戰而變本加厲，但台民的抗日革命氣節不斷延續，日帝瘋狂捕人，教人咬牙切齒。

1945年8月15日，日帝終於無條件投降，中國獲得勝利，其實，這個勝利不過是「慘勝」而已。台灣全島民眾興奮地開始準備迎接光復及回歸祖國的大慶典。

四、中國的「慘勝」與台灣光復

慘勝狂歡曲和光復幻想曲的亂奏

談到中國的「慘勝」與台灣光復，在抗日期間，台灣的漢族系住民，包括客家系的抗日前輩和林獻堂先生為首的閩南系抗日鄉親們，都希望能夠把日本人驅趕出去，同時更希望我們中國能統一成長為世界性強國，海外的華僑亦是一條心。他們之中，自從「Pax Sinica」解體後，在外面有一些人發了財，但大部分的華僑都很辛苦地討生活、圖生存。他們一方面要忍受來自居留當地殖民的白人政權的欺凌，另一方面又要遭受當地一般老百姓的歧視。

珍珠港事件發生（1941年12月7日，當地時間）後，我們的抗日戰爭成為太平洋戰爭的一部分，然後又被編入第二次世界大戰在遠東的重要構成環節，最後在全球性的終戰結構裡獲得勝利。這個勝利，我們應該好好地凝視它的真正內涵，並客觀地定位。一句話，它不過是「慘勝」。

當年的國統區（國民政府統治區）和台灣地區的一般老百姓，大家陶醉於美麗的錯覺而不自覺，總認為把東洋鬼子打垮了，我們中國已可躍升為世界四大強國之一了。

後面，有強大的美國支持，美國人還給飛機（陳香梅的丈夫陳納德將軍的支援），美式軍備滾滾而來，孫立人將軍統率的美式武裝青年軍可真神氣！其實只要好好地把那段歷史整理出來，我們都知道，那時的中央軍主要在西南，日本投降時，連運輸這些中央軍到華北跟中共對抗、到東北去接收都有困難；到台灣來也都得靠美國的海軍和空軍支援。

但，中國人所寫的文章裡，用慘勝（pitiful victory）來定位對日抗戰勝利者並不多。到目前仍然有些史學界的朋友把1945年8月15日，日本的投降當作國民政府的最後勝利來看待。

眾人皆知，我們是不該以主觀的願望來代替客觀的事實。

勝利不久的重慶，及復員回到南京不多時的甚多國府官員，並沒有對勝利的真正內涵做過深刻的探討及思考。這個大時代的局限性思考方式及美麗的錯覺，在台灣也同樣地呈現。雖然在感覺上有些差異，但自陷於形式主義、自我陶醉的基本性景況，可以說並沒有兩樣。

顯然，這類錯覺到現在好像都沒有真正地更正過來。在這種情形下，台灣光復了。在當時的台灣內部，基本上不存在任何一個政黨，也沒有任何一個成形的政治勢力可取代日本的殖民權力，並填補它退出後的空間；所以大家就純樸地迎接光復，等待著祖國派官員、派軍隊來接收。

台灣的中上層有識人士們，天真地認為，迎接光復，日本人退出，他們可以取代日本在台的一切權益及位置，不需任何手續抑或付出任何成本。這一類慘勝的狂歡曲和光復的幻想曲，在台灣市街區的各個角落亂奏，還引發出不少的共鳴，雖然只是短暫期間。

日本帝國主義留下的正負兩面之遺產

上面所講台灣的特殊窘境，及自囚於孤島型台灣小格局的屬性，是有其來由的。

我們都知道，殖民地統治不可能是慈善事業。殖民統治的母體——日本，在台灣的一切政策和措施，是為日本本國的利益而設計並推行的。培養人才當然也不例外。對社會科學欠缺素養的鄉親們常常會說，日本並沒有那麼壞呀！它給台灣留下糖廠、鐵路、台電、台大等硬體以及醫生和律師等人才；更教人啼笑皆非的是，認為日本人是促進台灣現代化的祖師爺，甚至於有拜日本人做阿公的一種軟骨頭的認知。

在日據時代，我們台籍人士有過西醫及律師的出現，的確是事實。但這一點，只要與其他殖民地一比都可以一目了然。

理由非常簡單，殖民地若不能維持夠衛生的環境，殖民地本國的資本家會來投資嗎？殖民地的勞農階級如不能保持最起碼的健康，資本家從誰的身上榨取他們所要的殖民地統治利潤？台電也罷，鐵路也罷，所謂社會性基本設施，英文所說的 infrastructure，基本上是羊毛出在羊身上的——它的建設資金和勞動力，主要來自於台民的稅金和勞動力。日本人並不是為我們台民建設的，至於為什麼會留下來呢？道理甚為簡單，他們敗戰後無法攜返日本。這才是史實。

我們若能好好把這些硬體手段化而活用，就可變為我們的正面遺產。這些可以說是可視的存在。但不可視、難以察覺的是，日本統治留下來的某些生活方式（life style）和價值觀念，以及價值體系，認為日本的事物一切都好，都比較正當。1950年代後半期，台籍青年赴美留學的逐漸增加，台灣與美國的關係日趨親密以後，轉而受到美式生活方式、美國式思考方式及美國現代主義（Modernism）價值體系的影響，以美國的尺碼來衡量有關自己的一切事物及行動模式而不自覺，難以自拔。近幾年，一方面因美金的貶值，美國霸權的退潮，另一方面經濟大國日本的展現，台籍人士看風轉舵，開始有轉身趨炎的預兆。

下面，我們繼續談一下，殖民體系下的被統治民族出身律師功能和存在的意味。在殖民統治過程，必然地會產生刑事和民事的糾紛及訴訟案件，殖民當局除了行使公權力來維持殖民地秩序外，還得面臨和因應在法庭上的各種挑戰。

殖民當局，當然企圖迴避被殖民方的革命抑或武力抗爭，因而只好利用制定殖民地統治有關的法制來因應。在法庭上，判官（推事）、檢察官通常是由殖民方來控制；但律師則網開一面，盡可能起用被殖民方的菁英來裝飾公平和公正。

日本在台灣的殖民地當局，有需要台灣人的律師來幫他們做調停；法官一職他們當然一直不放鬆，直到他們敗戰前幾年，才有幾位台灣人的法官出現，但律師很早就有。這種情形不只是台灣如此，全世界的殖民地一般來講都有同樣的現象。很遺憾的是，我們台籍鄉親往往不從比較的觀點，就世界史的宏觀格局來做好比較考察並思考問題。光復了，台灣老百姓特別是所謂的菁英分子，他們都想，這一下好了，日本鬼子要滾蛋，現在我可坐上日本人留下的空位子了。

我今年滿60歲，比我大一些的兄長輩，當年能夠說北京話的當然沒有幾位；不但如此，連真正能用客家話演講的都沒有幾個，我相信閩南朋友中，能用比較完整的福佬話演講的也沒有幾個。最近情況激變，為了選舉，很多閩南朋友、客家朋友都能演講了，主要是為了爭取選票。就像新加坡的李光耀一樣，他過去只會英語，為了選舉，他學會了客家話，學會了閩南話，更學會了華語（北京官話）。往往，一些朋友忽視了史實，輕視了歷史的演變過程，非常性急地採用形式邏輯來看問題，來討論問題。

他們認為，為什麼通通都是你們外省人占去我們應該占或可以占的好位子。甚至有人提過，當年台灣鄉親從日本留學回來的，外省人罵他們是受到日本奴化教育；但是大陸人到日本去留學，回到大陸後再轉來台灣，他們卻被認為是人才。同樣是留學日本，為什麼有這種差別，這不是歧視台灣人是什麼？這種種作法和看法太沒有道理，太不公平。

我知道台籍朋友在憤怒，也同情他們的心情，但我不能苟同其激情，所以我就講道理給他們聽。我勸台灣的朋友們不能用形式邏輯來看問題，我們台灣人過去學日文，完全是被日本人強制、被壓迫而去學的，我們不曾有過自己的語文來對抗日本語和日本文，客家話、閩南話我們都講不完整，很多話也還沒有字可以用來表達我們的母語和我們的意思；我們大部分人都無法用漢文寫信。同一個時代的外省朋友到日本去留學時，他們把日本文化（包括日本語文）當作一種學習對象，尤其是日本語文只是一種手段，絕對不是價值的一部分。不管外省朋友的日本語文學習得好不好，這個道理一定得釐清。外省朋友儘管他們的素質有高低、有深淺，但他們有他本身的語文底子來面對日本語文；但台籍人士因受日本的殖民統治，我們被剝奪了運作並發展自己母語的機會，我們被迫害成為「跛腳」不完整的「台灣人」或中國人。但，迄今甚多台籍人士仍然沒有我所述及的一種認知，因為受到了「二二八」的衝擊，他們的激情沉澱而建構起極不健康的被迫害心結。

五、民族病變的大悲劇和統獨爭議

「二二八事件」所以發生的原因非常複雜，我們姑且不談。但所以發生的大背景，我們卻可以整理如下。

迎接光復的台民，到處狂呼萬歲，不可遏止的熱情遍及寶島各地，並雜奏著對日戰爭的勝利狂歡曲和迎接光復的幻想曲。台民的熱情來自於被隔離、被割棄而生的補償心態——「戀母情結」。他們所表現出來的是既純樸又天真的愛國主義和民族主義。因為與中國政局的隔離已有半世紀之久，不但對國府的黨、政、軍、特的結構與內部派系關係不知悉，對國府所背負的傳統政治文化也一無所知。台民一廂情願地崇仰祖國政府及中央軍，並歡迎有關接收人員的到來。

反觀母家——祖國的來人，他們中究竟有幾位能識大體、顧大局，懂得接收台灣的真正歷史意義？這是值得我們質疑的。

冷靜地來省察，當今的我們都可以領會到，接收台灣是個大「工程」，它不單需要充分的時間來準備與計畫，更需要十足的優秀幹部才能做得好。勝利來得出乎意料的快，來台接收人員不但素質參差不齊，人數又欠缺許多，甚至有濫竽充數之嫌。

嚴演存先生的《早年之台灣》（台北：時報出版公司，1989年3月）和最近出版的汪彝定回憶錄——《走過關鍵年代》（台北：商周文化，1991年10月），告訴我們不少當年的訊息，我們知道光復隨後來台的母家人員中，也有一時之選的上等人才，但畢竟是少數。來台的多數人之素質，基本上受著大陸小農經濟閉關自守的半封建半殖民地社會性質之局限。他們哪有可能懷著崇高的國家意識，任重道遠的歷史使命感，把接收台灣的問題提到與「安邦治國」不可分的高度來認知，並在台從事接收事業。他們之中出了不少害群之馬與惡徒，只顧著填滿私囊，猛搞他們的接收財，甚至開始魚肉並敲詐一般台灣老百姓。這些惡行終至累積成為民怨。

舉世周知，蔣介石委員長及國民政府在光復初期的台灣，其威望是極為崇高的。母家的來人沒有掌握和珍惜這種大好形勢，充分調動台灣人的愛國熱，積極性、創造性地來接收台灣、建設新台灣以及建設新中國的有關事業服務。客觀地來回顧，當年的來台幹部，除了少數大幹部之外，大多數幹部的文化水平是不高且有限的。他們遭受到台人的輕視後開始心虛，能擺出來的只有空架子，或優越感畢露的高傲態度。

已習慣於守法（雖然這個法是日本強制於台民的惡法）和循法而辦事的台民，當然看不慣來自於無法無天、又貧困又落後的大陸歹徒之作法。毋庸諱言，急於求成的心態必然地形成了急躁冒進的不平衡心態。對祖國的強烈願望及期許逐漸落空後，繼而生起失望、絕望甚至怨懟，這些累積成堆變為乾柴，由緝私煙而惹起的星星之火點燃了乾柴，遂而有我所說的民族病變的大悲劇發生。

認知差距仍然存在

我自認為是省籍觀念比較淡薄的台灣人之一，我有不少外省人的知己，常常和他們交談，發現他們對台灣和台灣人的認知有甚多偏頗。第一，外省老一輩人士，總認為台灣人是想搞台獨，我聽得好笑，常常會反問，那你們把我戴國煇如何看待？第二，外省朋友中較大年紀的，甚多人會感歎，我們在台灣把經濟搞起來，你們本省人的菁英已躍登政權的中樞了，為何還要罵我們、恨我們？外省朋友甚多人認為當前的台灣景況是不錯，國府實施了善政；但本省籍的中上層有識人士絕大多數都不認為當今國府的政治是善政。無論我如何向他們解釋，他們都不大肯接受我的詮釋和分析。往往他們還說：「老戴，你為什麼要為國民黨說話？為外省人脫罪？」

我覺得非常痛心，便進一步同他們談，我發現，外省朋友常做的是縱向比較，但台籍人士則習慣於橫向比較，很可能是他們不知中國的過去因而無法做縱向比較，也可能他們有抗拒心理，拒絕做縱向比較，反而常常依據日、美尺碼來做橫向比較。他們常說日本人留下什麼、做了什麼，說日本人怎麼好，我則答道，不要忘記，光復那一年日本人在台灣只有40萬，我們包括高山同胞有560萬人，合起來是600萬人；但是用我們台灣老百姓的稅金建設的學校，他讓我們台灣青年自由競爭地升學嗎？他只讓我們進小學（就是公學校）、農業學校，就連當初我就讀的新竹中學，一班50人中，台灣人不過是七、八個，我們台籍成績優秀的念了第一名，日本當局絕對不會讓你堂堂皇皇地拿第一名，我們台灣人學生也當不上班長。

我說國民政府有缺點、有失政時可以批判，民主政治嘛，戒嚴令已解除了，應該可以批判，但我不贊成情緒性的反彈或漫罵。尤其傾向台獨的鄉親們罵國民政府是外來政權，來台灣特別實施殖民統治，這一種說法，我不能苟同。依如此般的說法，那麼，我們明清期來台漢人先輩對先住民來言，又應該做下何種定位？公理該具普遍性的屬性，不然，將經不起考驗的。

眾人皆知，從世界史的任何部分，都不可能找出有殖民地統治母國，也就是外來政權，會讓被統治方享受教育機會平等的。國府在治台實績方面，當然有其缺點，有其不公正、不公平處；但在教育方面，尤其在選拔學生上卻很難找出省籍歧視的痕跡，這一點我們台籍人士應該有持平對待問題之度量才是正道。

下面，來談一談「二二八事件」留下來的後遺症，和如何治癒這些後遺症之我見。

如何對待「二二八」的後遺症

1949年12月，國府中央自大陸遷入台灣。為了對抗中共的威脅，實施了長年的戒嚴威權政治，期間還夾雜了掃紅和白色恐怖政策，以鞏固政權。這種政治固然對言論有所制約，對學術研究的自由也有所限制。

多年來，「二二八事件」被列為政治禁忌的頭條性事項。舉世皆知，言論不夠自由，學術研究不能自由開展的國家和社會，是小道消息滿天飛，耳語盛行的一種陰沉、不明朗的社會。換句話說，那是黑盒子橫行於世的不健康社會。如此般社會的常識——社會性記憶，是難於獲得健壯的機會，容易被扭曲，呈現甚多偏差。顯然它的偏差還會持續不斷地衍生出另外一些神話、虛構等。

現代化的法治國家社會，人人可以透過「社會的記憶」（社會現象和事件的有關紀錄、檔案、報導或言論）來不斷地相互激盪、沖洗、過濾，而獲得正常且健壯的社會性記憶，也就是一般所言的通論或常識。

有關「二二八事件」就不能是件例外。當局一直不讓民間討論它、不讓學者研究它，因此圍繞著「二二八」的小道消息便變成人人的最愛，大家傳來傳去。我們已經說過，言論不夠自由、學術研究也不夠自由的時候，謠言、耳語、虛構便長了翅膀滿天飛揚，繼而社會性記憶就產生偏差，學術界也始終沒有辦法樹立信史，所以真相難被釐清。政府當局不公開有關檔案及資料時，更沒有辦法昭信於大眾，民眾也就不會心服。

早在1985至1986年之間，我就透過我所尊敬的政界大老，建議把「二二八」的學術研究開放，追究真相，一方面哀弔冤魂並安撫冤魂的遺族們，化戾氣致祥和，促進台灣社會的和諧。但掌管有關事務的老人過於保守，不能預見事態之嚴重性而不曾點頭。

現在，被情勢所逼，當局只好準備把有關檔案公開，還授權學術單位來做好學術研究，唯一的目的在於盡其快做好政治解決，以期撫平歷史創傷，促進社會的和諧，推進民主憲政之落實。我本人一直抱持樂觀其成的態度。據聞台灣省文獻委員會和行政院的「二二八事件研究小組」的研究報告和資料彙編，都將在明春（1992年）2月28日前後全面公布，我們期待這兩個研究小組能不辜負老百姓的夙願，客觀並科學地把真相代我們搞清楚，並把所收集的一切有關檔案和資料公開，方便遺族們檢驗對照，亦可提供給願意研究「二二八事件」的人士閱覽和參考。

「二二八」的後遺症，我們可以舉出其重要者來加以討論。

第一，無緣無故就被逮捕，從此失蹤變成冤魂，他的遺族不但失去了生活的依靠，事後的現實生活還不斷受到干擾和不平等待遇，他們安得不怨恨政府和外省人（老一輩的遺族們都不管它的真相如何，一概地認為加害者是國府，是國民黨，是外省人，是阿山）。

第二，繼之而來的「白色恐怖」，再度加深了民間對政府的恐怖、不信任感及怨懟。國府為了對抗中共、鞏固政權而實施的長期威權戒嚴政治，一般社會人士敢怒不敢言，把大小不滿和大小怨恨一直累積；把「二二八」所惹起的省籍矛盾（頗多台民不加思考地認為，國民政府來台官員是專來台灣找台民的麻煩，來虐待台灣人，來歧視台灣人的）無限上綱。搞台獨運動的鄉親們更是把它解釋成為民族矛盾，藉此主張台灣民族論，說台灣民族有異於中華民族，台灣民族應該有權主張民族自決，獨立建國。這個就是台獨主張的雛型。

第三，台獨運動者常常把「二二八」的民族病變泛政治化，主張「二二八」是他們運動的原點。這一種主張，其實是不符合史實的。

「二二八事件」發生前後，也就是光復不久時，少部分與日本治台當局具有密切關係的台籍人士，或者深受日本皇民化教育影響的一小撮中上層台灣士紳及其子弟，懷有台獨思想是事實。他們的目的只是為了保護自己的安全和既得權益。不過當時的政治氛圍卻阻礙它的公開化。

萬人在狂呼「勝利萬歲」、追究漢奸賣國行為的口號喊得震天價響時，在其反面的陰影下的一小撮人，不免心虛，當然地便陷於自危的恐怖中，怎麼敢吭聲。

大陸情勢激變，中共政權成立，國府中央遷台，韓戰爆發，美國第七艦隊開進台灣海峽，美國對國府的軍事經濟援助重新開始，國府為鞏固政權以資對抗中共，便大肆搜捕左傾分子並大舉掃「紅」，遂形成「白色恐怖」和風聲鶴唳的全島性社會不安。斯時避居香港的廖文奎、廖文毅兄弟開始主張「託管」，不久後又喊出台獨主張來。

「託管」抑「台獨」運動的基地，在1950年代初期，自香港轉移到日本後，台獨運動家們開始喧譁「二二八」為其運動的原點。

國府當局為維護退居台灣後政權的穩定，一直把「二二八」列為政治禁忌，鎖在「黑盒子」裡頭。如此一來，反而給台獨運動人士提供運作「黑盒子」搞其運動的好機會。解除戒嚴後，言論自由的空間擴大，過去被壓抑的冤屈和怨懟遂有趁黨外反體制運動的激情化而向外噴出，到處獲得共鳴的社會現象呈現。

一些政客及台獨運動家，他們真正要的是可以用來造勢的話題。他們忙著搞他們的政治秀，忙著炒「二二八」的話題。他們當中的大多數人，並不曾對受難家屬真正的訴求、冤屈的真正內涵以及這一個民族病變為何發生等事項，抱有真正的關心，當然更不會去做真正的調查研究，花費他們的精神的。因為他們都是大忙人，就是有其心也無暇去做。

能炒熱話題，能獲得票源，能累積為自己的政治資源，他們的目的便可達到。

但一些不負責任的「炒熱」，不但沒有辦法撫平歷史的傷痕，很可能還會引發其反面效應，並衍生出另外一種悲劇，無止境地惡性循環下去。希特勒鼓勵種族主義，最後引發了屠殺猶太人的大悲劇；東南亞華僑頻頻受到種族主義的迫害，可以說是同類性質的災禍。所以，我一直反對把「血緣」問題泛政治化，同樣的道理，我也反對把「二二八」所惹起的省籍矛盾無限上綱變為民族矛盾一類的虛構，這個虛構一不小心就會變為一種政治性謊言。政治謊言一旦危害起來，受害的絕大多數人卻是芸芸小老百姓。

解嚴以及李總統上任後，台灣社會看起來雖有動盪不安及混亂的一面，但另一方面，我們又可察覺出，因言論自由幅度的擴大，社會愈來愈明朗化、愈透明化，有些「懸案」愈談愈清楚、「謎」愈辯愈分明等正面性社會現象的呈現。

台灣民族論的虛構已開始解體，台獨運動內部的分歧又公開化，激進派的主張失去了市場後，穩健派開始談他們的「台灣2,000萬人命運共同體」。顯然，他們發現，他們以前排斥外省人、疏離客家人及先住諸族的「種族主義」＝福佬沙文主義式的思考及主張，已行不通，所以改變了他們的訴求和口號。圍繞著「二二八」的一些神話及虛構也逐漸地被有識人士識破，激情很顯然也正在消褪中。

我認為歷史的冤假錯案能談開，能翻案平反，對民主憲政的推行與落實是有幫助的。我希望政府當局不要有過度的戒心，應該多相信老百姓的良知和判斷力。我們的老百姓不像40年以前的老百姓了，台灣老百姓的教育程度、政治意識及政治判斷力普遍地提高，只要政府當局有誠意公布真相，該道歉的道歉，該平反的平反，該補償的補償，老百姓自然會心服的。不然的話，這個歷史公案是難以了結，歷史創傷是難以撫平的。

我們很快就將面臨寶島台灣往何處去的大難題，我們的社會若仍然把「二二八」的傷痕擱置，讓政治野心家恣意地借題發揮，玩弄他們的政治秀，又讓低層次的統獨爭議繼續擾攘不休，無法克服統獨之爭的癥結，不能更進一步地把台灣社會加以整合，獲得更高層次的共識的話，將來的難局是不易度過的。

鄉弟在1955年秋天赴日留學以來，一直很關心「二二八事件」，三十多年來不停地蒐集資料，造訪有關人士，多方閱讀內外的相關資料與書籍，期待著能公開著手撰述的日子到來。明年（1992年）恰恰碰上「二二八」發生45周年，官方研究小組的研究報告也將全面地出籠，我們不難預期，台灣的大眾傳播媒體將會對「二二八」這個題目，花上他們的精力和資源的。

鄉弟僅僅是個旅外多年的學界人士，不必湊熱鬧的，本來可以等他們工作小組所蒐集的資料公開後，慢慢地來撰述我所追求不捨的學術專著。後來冷靜一想，這一種作法不大對勁。第一，這不是堂皇的態度，自己不公開自己的研究心得，專對他人之業績做些批判或評論是不夠意思的；第二，放馬後砲總是不負責任且不公正的。

因而，我就決定和我多年的研究夥伴葉芸芸女士，合撰我們有關「二二八」的通俗本《愛憎二二八——神話與史實：解開歷史之謎》，準備明年「二二八」紀念日以前由台北遠流出版公司出版，仰請大家的批判和指教。

今天，因為時間有限，沒有辦法詳細地介紹書的內容。在此地，我願意先披露一些，我們與其他研究「二二八」的甚多人士非常不同的幾個著眼點。

第一，我們採取宏觀的視野來看問題。台灣近年急功近利的社會風尚影響到學界人士，他們忙著只就「二二八」，只囿於當年的台灣來看問題、做研究，因而很難做好真正的研究。我們必須把當年的大背景和大狀況（台灣社會經濟的具體狀況、中國大陸的政局及社會經濟的動態、圍繞著遠東、中國大陸及台澎地區的國際關係等等）搞清楚，才能做好真正的學術研究是毋庸置疑的。

第二，我們必須採取比較考察研究的方法，才能給圍繞著「二二八」所衍生的事物做適當的定位，才可以做好真正的研究。不過做比較考察的時候，我們不能藉外國的理想比較台灣的現實；我們必須以相互間的理想和理想做比較，以台灣的現實與他國抑或異地的現實做比較，這一點是必須遵守的大原則。

第三，我們力圖迴避形式邏輯的陷阱。一般大眾看問題時都希望簡單化、符號化，但學術研究絕不能依據表象來遽下論斷。

圍繞著「二二八事件」的人與人、人與事、事與事、派系與人、派系與派系等等之間的緊張抑或有機性關聯，是我們力圖要釐清的。能否做好另當別論，但以上是我們的方法和努力目標。

第四，甚多人士是以某種政治立場、意識形態和政治目的做為前提來研究，因而他們就先有了他們的立場、目的，甚至於先有了結論，然後才來找適其口味的資料加以填補，碰上與其不合口味的資料或看法，他們連看都不看，一概拒絕。這一類論文或雜文還在氾濫之中，不過一俟激情消褪後，這些將被一堆一堆地扔向字紙簍，最後只得變成紙灰。

我已經花費了三十多年的時間和精力，想把「二二八」的真相搞清楚，但事與願違，事件是複雜的，不是那麼容易就可以解開謎底的。不能以「精誠所至，金石為開」般的弄得一清二楚的。

大家忙著即刻就想知道事件的真相：誰命令開殺戒的？死了多少人？責任之歸屬究竟在於誰？但真正的學術研究絕不可能那麼容易就能找出真相、找出結論的。

統獨爭議的學術性剖析

以社會現象和人文現象為研究對象的社會科學及人文科學的研究工作者，當然不能忽視一般日常性的各種現象，但研究工作者當然也不能掉入泡沫現象抑或一般常識的泥淖而不知自拔。我們的社會，一般來說，係以和為貴、不結怨、不結仇為處世的至上祕訣，換句話說，是「和稀泥」且充滿鄉愿的一種社會。這一種社會氛圍難免會影響到學界人士，所以學界也常常出現「聰明人」，聰明人是隨和並且常常是遷就當前的社會情況的。打破常識、干犯眾怒的「蠢事」，在這一種社會氛圍下便甚難出現。當傻瓜的人士過少，我們的社會就甚難起變化；從洋務運動以來，已搞了一百多年的現代化，效果仍然不彰顯。

不健康、被扭曲的常識應該打破，被誤導或欠缺公義且帶有偏頗的眾怒是該勇敢地去干犯，把它糾正過來，方不辜負社會對學界的期許及寄託。

希特勒興起過程的教訓，值得我們做為史鑑。剛開始的時候，連德國的自由派人士都認為希特勒這個小丑不至於成為大禍的，人人都為了自求多福，明哲保身，而閉上眼睛不願去碰希特勒的政治謊言。希特勒彈壓猶太裔時，日耳曼系的德國人學者說那是別人的事，與我無關；但後果舉世皆知，變成人人有關、人人遭殃的悲劇。日本軍國主義的囂張、文化大革命時紅衛兵的瘋狂也可算是眾怒屬性的激情。這些眾怒型激情危害老百姓至深、至廣，我們的記憶猶新。我們中國有一句話「眾怒難犯」，中國的傳統學者的確鄉愿者太多，連學者都鄉愿的話，我們的社會是病入膏肓難以自救了。我們一定要站起來，因為我們學者所該扮演的社會角色，就是要代替老百姓做好研究，找出真理，並釐清一些不易弄懂的事理。老百姓因為幹活忙，所以付給我們高薪，肯定我們崇高且清流的社會地位，目的就是要學者們找出他們平常看不見、摸不到的真理。友人勸我不必太認真，太認真在中國歷史上，往往是留不下名的，我感謝我的朋友，我當然知道他的好意，但我還是要反問，為什麼要留名？對自己的良心能夠交代得過去，對歷史能做好交代，能回饋社會些許，我認為已經很不錯了。甚至有人說，為什麼你在日本36年，在日本的財界、學界都受到相當的禮遇尊重，為何不拿日本護照，而保持中華民國護照。我說我還是要堅持中國國籍，不然我講話就不響亮。

社會科學和自然科學不一樣，日本和美國的情形也有所不同；自然科學可以超越國界及民族的藩籬，但社會科學當前還很難超越國界及民族的屬性和立場來發言。美國是由移民所成立的國家，等於是一個大旅館，大家都是過客，可以互相不介意誰為本誰為支，誰為主誰為從，實際能活動的空間也甚大，不必太拘束。但日本不是那樣，你若拿了日本的護照，你只好改姓換名埋沒其中，變成隱形人，這個我不願意，我要活得有尊嚴一點。

當今在台灣的有關統獨爭議，甚多部分是帶有政治秀屬性的，這一類泡沫現象或表演，我不但不感興趣，也沒有時間和精力去過問。

我想，就學理以及原理性、本質性層次來嘗試一些探討。

通常，我們中國人喜歡談「血濃於水」、「骨肉情深」一類話。時代在變，國際上的資訊四通八達，相互間的物理上和心理上的距離都日見縮短，愈來愈接近、愈緊密；甚至於有些受到美、日的現代主義價值觀影響的年輕一代，認為「血濃於水」和「骨肉情深」已是保守封閉的落伍觀念，不值一顧。

姑且不談其爭論，我在此另外提出一種看法。地理上的鄰接關係在私人的層面上較易釐清及解決；好比，我們的鄰居若是教我家人討厭的話，我們可以搬家，一拍屁股就走，連說一聲「再見」都不必。但國家與國家、地區與地區的關係，就不是那麼簡單。

近代的中日關係顯然是個好比喻。中原中國人一直把日本四島人叫倭人，把他們當作小弟弟看待。不曾意料明治維新後的「小日本人」不但興盛起來，還開始囂張、瘋狂地向它的文化「母國」猛撲。而我們中國人無法招架，只好一路挨打。

鄰國向我們挑戰時，有能力的話，我們可以把它打回去，不能招架時，則只好屈服或者挨打；在這個過程中，累積我方反撲之資源和力量，準備有一天能有效地把敵人打回去。當今是和平時代，我們既不準備侵略鄰國，又不願受鄰國之侵犯，那麼只好經過溝通樹立和睦善鄰關係。我們不能因討厭它而搬家或者用氫彈炸毀它。

台灣地區與中國大陸的關係，在歷史上、在血緣上，與中日關係是甚不相同的。

我們先前已討論過晚清以來，台灣和大陸所遭遇到的浩劫以及我們的回應。抗日戰爭勝利後到當今圍繞著海峽兩岸的關係，我們可以簡單地整理如下：

國共在大陸上的內戰，我們可以解釋成國共雙方為了搶奪歷史設計工程師角色的一場決戰。在大陸部分的爭奪戰，基本上在1949年底結束。在大陸部分獲得歷史設計工程師角色的中共，建立了北京政權，搞它的社會主義建設，他們搞反右、大躍進、文化大革命等，但並不順利。

國府中央自大陸敗退入台後，隔著台灣海峽，經過許多曲折坎坷之路，終於搞出所謂台灣奇蹟來。國府的甚多大老們深感滿意：他們在大陸雖然沒有扮演好創寫歷史、設計歷史的工程師角色，但在台灣總算有最起碼的成就了。他們雖然不敢奢望他們能完全取代中共，但他們希望能利用台灣奇蹟所形成的「台灣經驗」帶回大陸，刺激大陸並促進其和平演變。

隨著台灣奇蹟展現的，是台灣在野勢力的興起和擴張，他們主張「台灣人出頭天」、「台灣住民自決」等，其中的激進派開始公開地大喊台灣獨立建國。雖然，台獨主張的振幅相當地大，我們只要冷靜地，從原理層次來省察它的話，就可以判定，民進黨為主的在野勢力正在向國民黨——執政黨下戰書，其內容則表明要奪取歷史設計工程師的社會角色，不過它的範圍自限於台灣。

民進黨人說，我們不要你中共過來，我們也不準備渡過海峽。國民黨人則說，雖然沒有時間表，但最後我們還準備在全中國的範圍內，再一次扮演歷史設計工程師的角色。

所謂統獨爭議，說穿了，不外是僅僅以台灣做為舞台的歷史設計工程師角色搶奪戰的一種爭議而已，它的格局並不是很大。

台獨運動與它的主張一直在變化，我預測它還會繼續地變下去。「二二八」的善後處理若能上軌道，台獨就無法再找「二二八」炒它的台獨主張了。主張台獨的部分人士已開始主張：我們並不一定主張絕對性的分離，我們獨立後也可以談統一的呀！

那麼大陸呢？中共成立政權不久時他們很得意，他們認為，終於把帝國主義勢力踢出去了，國民黨主導中國革命的角色基本上也搶到手了。到了1953年底，毛澤東結束了他們所謂的過渡時期，中共開始搞他們的五年計畫，希望知識分子提一些看法。我相信那段時期的毛澤東不是懷壞主意的，毛澤東是有誠意請教知識分子的。眾人皆知，曾經批判國民黨及國府的一群自由派學者及左傾但非中共黨員人士，是為了愛國、為了民族主義而留在大陸的。他們本著愛國、愛中華民族的情操開始批判中共，非常天真地表示了甚多意見。中共當局發慌了，中共幹部雖然把江山打下來，但是大多數幹部的文化水平並不高；他們與知識分子及學界人士接觸機會又少，並不熟悉知識分子的心態。他們認為知識分子故意搗中共的蛋，深怕政權受到威脅，所以把他們打進冷宮，這就是所謂的反右運動。

反右運動一開始，知識分子以及學界人士學乖了，不再講話了，中共當局當然不信賴他們，更不準備動用他們了。

毛澤東主張來個大躍進，我中共、我毛澤東根本不需要你們臭老九，我們勞農階級自己來搞吧！結果，胡說八道的高產田、衛星田的虛構，土法煉鋼的荒謬接踵而來。

中共各方面在批判「右傾保守」思想的動員下，為了肆應他們所謂的「社會主義革命高潮的新形勢」，便展現了「急於求成實即急躁冒進」的大錯誤，引發了破壞國民經濟之大災禍，我們記憶猶新。

揭櫫高指標，喊出「多快好省」的口號，套一句台灣當今流行的閩南話「爽」，可以說人人都可以享受「爽」，可以陶醉在美麗卻是誤解的遠景裡（當然只是畫餅），老百姓剛開始當然不會拒絕那些「美景」和大鍋飯的。革命剛成功，趕出帝國主義勢力，老百姓普遍地懷有要求迅速擺脫貧困現實生活的願望，這當然是無可厚非，值得我們同情並理解的。

但是，做為歷史設計師角色的中共領導層，做下「大躍進」

的決策是不負責任的。不具備客觀條件（社會經濟條件不足夠、知識幹部的欠缺，甚而還流行反智主義，既拒絕又無法動員知識分子及學界人士的合作等），有什麼可能實現那一種遠景（vision）呢？

中共喊出並意圖藉主觀的能動性，乍看似乎很合理、很響亮，其實只是主觀的願望代替了客觀事實及客觀規律的一種典型例子而已。革命與治國，本來就是不同層次的兩種政治過程，但是中共領導層搞混了，繼後衍生的「文化大革命」，給中國大陸招來更大的浩劫，在此，我們就不用詳談了。

藉此，我想談談，經濟建設及現代化事業與知識分子之間的關係。

一般來說，第三世界也就是舊殖民地國家或地區，當它面臨自殖民地體制脫離而自主建國、建立新體制的緊要轉型時期，必然地要遭遇的困難中，一是資金的短欠，二是人才的缺乏。

有關這一點，中共所喊出的「一窮二白」的定性，值得我們留意。儘管引出一窮二白定性的客觀認識，是有其片面性和不夠科學之缺點。

從台灣地區來看，有趣的是和大陸成了好對照。日本不得不留下來的「殖民地遺產」（社會經濟基本設施和以農業為主的人才），恰恰好與從大陸搬進來的中央銀行等的金銀外幣，和由大陸湧進來台灣的高級技術官僚及大學教授等人才相結合，解決了本來該具有的普遍性缺陷的一部分。當然圍繞著台灣地區的大背景裡頭，我們不能少算美國軍經援助的因素。

剛才所提的資金也罷、人才也罷，在大幅員和大泥濘[illegible]中[illegible]

大陸只是大海中的一粟，根本起不了作用。但在台灣卻不同，蔣夢麟、沈宗瀚、蔣彥士、陶聲洋、嚴演存、王作榮、尹仲容、楊繼曾、李國鼎、謝森中等都如魚得水般的在台灣活躍起來，起了一定的作用。

甚多朋友只靠印象論或形式邏輯來說話，這一點我是反對的，我一直主張就客觀現實來著手客觀分析，才能搞得出一套能說服大家的道理來。

六、如何展望兩岸關係的前景

自從鄧小平掌權以來，他們提出在四個堅持的大框框之下，搞它的「改革與開放」和「一國兩制」，甚至於意圖搞出具有中國特色的社會主義中國。

姑且不論其意識形態和政治口號，我認為共產主義思想，基本上和資本主義思想是單卵雙生胎兒。這個單卵母胎便是猶太、基督教文明圈。他們的手段和方法雖然有異，但是他們所追求的卻是一致的，也就是現代化。

所謂現代化的內涵：第一，在經濟、產業層面來言，便是推進產業革命，實行工業化，搞出物質的大量生產和大量消費的機構和機制。為了實現這種社會機構和機制，就必須打破迷信及宗教的束縛，獲得人性的解放以資推進科技之發展；第二，在政治層面，必須摧毀封建制度，創出自由民主主義，實現人民主權（國民主權），並需要創建中央集權的組織性國家。不然的話，便沒有辦法支撐上述大量生產和大量消費方式的生產機構及社會機制；第三，在社會方面，必須把舊社會的身分制度（日本的士農工商制度是一個例子）解體，促進自由、平等的社會之出現。此種社會一出現，社會的流動性就可以增加。美國的黑奴解放，固然是美國資本主義的發展所促進的，然而南北戰爭後，美國資本主義更上一層樓又是一個互動的結果；第四，在教育方面，一定得實施全國民規模的普通教育（識字及小學教育的普及化）。

以上的四個層面，基本上都具備時，現代化的大前提可以說是成立了，經濟成長便有條件推進並實現。

初期的資本主義，具有自由但頗多欠缺平等，因而遭受到馬克思主義的挑戰，被迫不斷地修正。當今的所有資本主義體制，大部分引進了社會主義思想，都普遍地採用社會福利政策，藉稅制來調整國民所得的再分配，以求比較平等的社會形成及增厚中產階級，來穩住其資本主義社會的秩序。

反看社會主義革命及其後共產黨政權的作法，不但遲遲未能導入資本主義思想的正面部分來修正並補正其缺陷，且一直陶醉於虛構、矯飾且僵化的體制內，而無法自拔。早期雖然獲得了比革命前社會更多的平等，但基本上因為「大餅不夠大、不夠均分」，當然只好限制自由。共產黨所倡導藉工農獨裁專制，轉化企求共產主義社會的最終實現，其實這只是口號，已自陷於形式，真正內涵卻是共產黨高幹的實質獨裁而已，舊蘇聯確是典型的事例。

治國事業當成革命事業來搞，當然搞不好。政權成立後呈現的一些新生事物的萌芽，以及朝氣蓬勃的精神道德風尚，都被一連串既荒謬又荒唐的運動，摧殘得一乾二淨。

我這個邏輯若能成立，被各位接受、肯定的話，戈巴契夫的新政可以說是有其來由，蘇聯的解體也不難藉此邏輯來做合理解釋。

因此，我認為鄧小平的「改革與開放」，是不可能停止，更不能讓它退縮的，一旦停止，大陸社會是會亂的。至於「一國兩制」，我認為不只是統戰的口號，它背後的政治、經濟背景，值得我們去深入探討。

鄧小平一而再地提到，中國大陸幅員遼闊，一個香港是不夠的，需要十七、八個的香港。這透露了他的「黑貓白貓」論的一貫性主張。香港是可以當作「火車頭」來拉「笨體」——整個大陸經濟的。多年來，中共在各地搞它的經濟特區，無形中已在詮釋他們的一些想法及作法。在世界及亞洲情勢變化的激盪下，中共還促進各邊界經濟、貿易圈之建構，和振興邊界相關經濟圈之國際性開發（包括貿易活動）。中共外交當局在中越、中朝（朝鮮）、中俄、中巴（巴基斯坦）、中印（印度）等關係地區強力推行的睦鄰外交，是和它推行開放經濟政策具有相輔互動關係的。

所以，多年來我主張不能只拘於「統戰」的口號來看待「一國兩制」。我們甚至可以把「一國兩制」當作是鄧小平在搞活經濟過程的苦惱，或「敗北主義」一類的宣言來對待。理由頗為簡單，若是社會主義體制是萬靈丹的話，還有何需要來搞兩個制度？一個制度足以堅持，可以推行，萬事無阻才合乎邏輯。

以民進黨某一部分人士為代表的傾向台獨的台灣在野勢力，他們的主張用幾句話來概括就是：大陸的事，我們不願涉及更不願意管，我們也不能（沒有能力？）管，我們只願意在台灣這個舞台扮演我們的角色就夠了。中共你們別來，也不該來（因為你們沒有權利）。國民黨你們該下來了，由我們來代替治台，來搞新的國家。那些人士能否說服台灣絕大多數的老百姓，我看今年年底國大代表及明年的立委選舉的投票數字是會把一些徵兆呈現出來的。

我認為往後統獨爭議，將在國民黨、民進黨（包括主張台獨的激進派）、中共三者間，在自我內部改革、自我充實、自我提升之較量互動下，繼續開展。

最後，對於如何展望兩岸關係前景的課題，我們可以從全世界的動盪與21世紀亞太地區的情勢發展，來加以探討。第一點我得指出，第二次世界大戰結束到現在為止，雖然有過地域性的小戰爭，例如韓戰、越戰、中東戰爭等，畢竟沒有引起第三次世界大戰。因而促使美國、日本、西德三個資本主義的龍頭國家所達成的總生產力，大大地超過了人類過去的歷史紀錄，同時也不知超過1935年全世界的最高峰生產力的幾千倍。龐大的總生產力如何來引導，這個該是全世界性的問題。總生產力一定得找出一個正面性的出口以建構其良性循環，所以近日來日本、紐約的股票相繼跌價。我們都知道1987年10月的所謂「Black Monday」亦即「十月的黑色星期一」，雖沒有引發全世界性的經濟恐慌，世界經濟的秩序還是挽回了，但沒有把本質性的問題解決係很顯然的。現在我們不曉得「蘇東波」將帶來些什麼經濟層面的大衝擊，我不像台灣一些朋友那麼樂觀，認為台灣現在的繁榮能夠一直繼續下去。

最近有日本大財團的代表們到台北，他們安排了飯局，我受邀也與台灣產業界的代表性人物同了桌。席間日本的代表說：「我們日本的經濟已開始衰退，台灣真好，到時可以逃到大陸市場去避避風頭。」我第一次在台灣從日本產業界的代表性人物口裡聽到他們的真心話。

我笑著叫起當天上座的台灣產經界龍頭人物的名字說：「你們可以放心，我們的K先生聲望高，人面廣，人脈到處盤據，他可以幫你們日本人的忙的。不止台灣，對岸以及東南亞的華人、華僑經濟圈，他都可以呼籲，拔刀相助。但日本人不能自私，應該保持平等互惠的原則性立場和亞洲人相處。」

一位日方領導性人物回答說：「戴教授，現在是什麼時代，我們不會再走上『大東亞共榮圈』式過時且錯誤的路，教授，你不是在提倡『自立』與『共生』之構圖嗎？」在場中日雙方人士，附和哈哈大笑。

關鍵的時刻，已逼在眉睫，我們並不具有多餘的「時間」和「資源」，我們不能依然如故地喊些口號、要些嘴皮、玩些政治秀，便可以敷衍下去的。

世界的動盪與21世紀的亞太地區

冷戰告終，東歐激變，蘇聯解體，亞洲展開大和解，我們正面對這一種大形勢，值得我們探討的是，21世紀亞太地區發展的可能性和台灣地區遠景的關係。

從海洋的觀點來考察，世界史的主導力量是從地中海轉移到大西洋，然近十年來，已非常明顯地又開始轉向太平洋來。未來海洋資源的開發將是熱門的話題，太平洋的潛藏資源可以說是無限的，但今天時間不夠，簡略不去談它。

主導力轉至太平洋之徵兆可舉出六個：

第一，美國跨越太平洋的經濟貿易關係已遠超過跨越大西洋的經貿關係。

第二，亞洲一大龍（日本）和四小龍（韓國、台灣、香港、新加坡）的躍進，以及東南亞國協（Association of Southeast Asian Nations，ASEAN）的日益跟上，展現了亞洲的生機與活力之嶄新面貌。

第三，成為世界經濟大國的日本，其總生產力已甚為龐大，它與美國的經濟結構性摩擦已面臨大危機；德國的大統一和歐洲共同體的開展，日本甚難涉足歐洲，它的新出路，在不遠的將來只好回歸亞洲來。

第四，過去亞洲——特別是中國大陸和東南亞的人口，多是人頭的、統計數字上的人口而已，因文盲之多而自囿於前資本主義屬性的束縛中，無法發揮其正面性的潛力。豐富的天然資源一直只被當作侵略和掠奪的對象而已。然而狀況在急變之中，殖民地體制已不可能存在，民族和個人都已醒悟，教育快速地在普及化。先進地區或先進國家普遍地欠缺勞動力，唯有亞洲未開發國家和地區保持有既勤勞又豐富的人力。

第五，東南亞和中國大陸之未開發地區和國家，發展空間特大，只要主客觀上的條件具備，政情和社會穩定，政府的開發政策不失誤的話，亞太地區的發展是可以期待的。

第六，中國大陸的經濟，雖然經過「六四」天安門事件的衝擊，但沿岸諸省「改革與開放」的成果已逐漸地呈現，問題固然不少，但它的衝勁是值得我們注目的。

自立（非分離或獨立）與共生的構圖

早在1988年深秋，我出版了日文本《台灣》（岩波新書，台灣翻譯本取名「台灣總體相」，台北遠流出版公司，1989年9月出版）後，因這書上了暢銷排行榜，多次受邀演講，講題集中於「台灣與中國大陸關係的展望」。在演講時我提出了「自立與共生的構圖」及所謂的睪丸（精囊）理論。

自立，用英文來表達更是「self-help」。共生就是「symbiosis」。

人類愈進步，人權就愈擴張、愈深化。在家裡，不但夫婦地位平等，孩子們也開始享有獨立的人格及人權。過去我們東方人，多是用父權或男權來維持家庭內秩序；顯然在這一種狀況下，小孩子們、妻子們、婦女們往往受到壓抑及差別待遇。我們中國人有一句話：朋友只能救急不能救貧。過去的傳統價值觀，血親是有救貧義務的，但救貧往往實踐起來既困難，有時還帶來負作用，協助人人能自立為上策。我們常常可以聽到「富不過三代」，嬌養慣的富家子弟不但不易成才，還可能誤事，這些該是我們生活經驗累積起來下意識的反映，變成格言式的順口溜。

共生的結構亦愈來愈顯著、愈普遍地呈現在我們眼前。不同人權、不同民族、不同族群間都需要探索出相互間最為合適、互相肯定、相依共生的某一種形式。我們已開始走入人類史的時代。世界不該有、也不會有核子戰爭。既然冷戰已終結了，人類就應該用和平的方式來溝通、來協商解決一切的紛爭。人類真正面臨的三大危機：核能（包括核子戰爭、核能污染等）危機、生態系破壞（包括污染等公害）、人口爆炸，都不是任何一個國家可以單獨因應和解決的，都需要站在全人類、全地球規模的宏觀視野和立場來探討並對應的深刻課題。

另一點必須指出的是，國家和國家或地理上的大陸和島嶼間的鄰近關係，不能等同與鄰家的關係來看待。若與鄰家發生不愉快或不易相處時，我們可以搬家，拍拍屁股連說一聲「莎喲哪啦」——再見都不需要。我們與日本之間的關係值得我們再度地反思。

過去台灣受到日本人的殖民統治，中國人受到日本人的侵略及凌辱，現在和平了，我們老一輩的鄉親們心裡頭總是有些芥蒂，不少人還在恨它、在討厭它。但我們不能用原子彈或氫彈炸掉日本，我們也無力更不願意去報復它、去侵略它，那麼只好與它和平相處。

台灣和中國大陸何曾不是類似的關係，更遑論海峽兩岸關係尚存有深厚的血緣及文化歷史的臍帶關係。台灣和大陸的關係是不易割斷的，除了血緣、文化、歷史等層面規制著相互的關係外，地理上又是那麼近，唇齒相依關係，任何人士都難以否定其客觀事實。

我是學農的，植物生理上我們都知道有微量元素的存在；植物若是欠缺微量元素便不能生長得健壯。我們同時又知道，製造特殊鋼時，需要加上少量的稀土類（稀有金屬，rare metal）才能製好鋼。

台灣和大陸比較起來，面積只有它的1/370，人口只有它的1/55，無可否認台灣之「小」。但這個「小」台灣現在實現了「台灣經濟奇蹟」，開始走上落實民主憲政之路，正在充實「台灣經驗」之中，雖然有待改革之部分仍多，畢竟實現了中國史上未曾出現過的格局和新貌。

眾人皆知，中國大陸還在渾沌中掙扎，可以說是懷有甚大潛能的「笨體」或不易拔腳的大泥淖，需要從外邊給它刺激，把它拉出來。

中國大陸可以比喻為男人的本體，港澳可以當作它的睪丸來看待。港澳的有識之士都承認，港澳若沒有中國大陸做為其腹地（hinterland，背後地），不可能有當今的繁榮。港澳同胞承認其土地為中國的一部分，但又不願中共來管制他們。所以我提出港澳是中國大陸的睪丸，既不能吸進又不能割離，只能保持自立與共生之關係。因為被吸進中國的泥淖（這一種渾沌的狀態可能還會繼續相當長的一段時間，人人都希望它能改善，能自力拔出腳來）中，「精子」會因體熱（泥淖）而死去。換句話說，生「金蛋」的母雞將死去而不再生蛋。

中國大陸另外一個睪丸則是台灣。台灣島內住民還沒有真正領會到，中國大陸已逐漸地形成為台灣社會經濟的hinterland。因為台灣還沒有正式開放三通，一般老百姓不容易察覺，其實透過香港的「移出入」金額（以同一個國家範疇來定位時，該與貿易關係和貿易金額有不同的一種對待），將接近甚或超過50億美金大關。往後，美日兩大國的經濟衰退更明顯化時，我們可以進一步地切身體會到台灣經濟與大陸經濟之間的真正互動關係。

日本、美國等大國都想利用大陸的市場、廉價勞工、自然資源來維繫他們資本主義經濟的穩定和發展。一直靠著鑽進日、美經濟間隙而獲利的台灣經濟，將如何走出自我的路，是我們探討台灣往何處去，以及中國往何處去大課題的一個重要子題。

今天，我提出了不甚文雅的睪丸理論來請大家指教和批評，若是受到肯定並能藉此理論架構來描繪台灣和中國大陸間的「自立」與「共生」的遠景構圖的話，是我莫大的榮幸。

全世界人口的五分之一至四分之一是中國人，中國的問題無法解決，無法走上現代化的健壯之路，則世界可以說是很難獲得安定，享受安寧之日的。

鄉弟一直希望海峽兩岸能建構出「自立」與「共生」的良性且有機關聯性關係，在一個中國的大前提下一致對外，對內可以用和平手段來協商、溝通以及調適。我認為，不管是統或獨，在其爭議上打高空、喊大話都只是「爽」的一種自慰行為，是無法解決問題的。

我們如何正確地認識我們的課題，並力圖克服我們社會的虛構及矯飾的結構性缺陷，亦是我多年來所呼籲及期待的。

本文原收錄於《現代中國的歷程》，台北：華視文化公司，1992年10月10日，頁84～140。係於聯合報、華視、文建基金會、中廣公司合辦「現代中國的歷程」文化講座第四場演講的演講錄音整理補正，華視視聽中心，1991年12月11日

第三章　戰後台日關係與我

——尋求中日兩民族的真正友好關係

被扭曲的＝殖民地的孩子

自來日求學至今，屈指可數已經30年。我還記得，1955年11月21日正午稍過，從台北松山機場起飛，到達東京羽田機場已是晚上九時許。

當時自己的想法是何等的單純幼稚，以為只要飛出台灣，便有了自由，從而獲得了「自我解放」。同著名的黑人精神病醫學者、思想家法蘭茲・法農（Frantz Fanon，生於西印度群島的法屬Martinigue島，為阿爾及利亞的革命而奮鬥，36歲就英勇獻身）的「解放人類」的思想境界相比，簡直是天壤之別。至今只要一想起，便禁不住冷汗涔涔，慚愧萬分。

對我而言，留學日本的「意味」一開始就是異常的、沉重的。我想起種種能說服自己的理由：日本是緊急避難的港口；日本是容易觀測「許諾之地」之定點；日本是獲取留學功能主義實利的有效捷徑等等。然而，在我出發前纏繞著我的是內心深處的厭惡、恐懼、受殖民地統治時產生的傷痕，我擔心自己果真能適應在日本的留學生活嗎？

在羽田機場迎接我的是二哥。大戰時，他被強制以學徒從軍，後雖以波茨坦中尉復員（日本接受《波茨坦宣言》投降，隨而給軍人特升一級，由少尉升為中尉辦復員，故名之），但卻毫無歸台之動靜，並很少給家裡寫信。我和二哥實際上是15年之後的再見面。我強調自己的最終目的是留學美國。他刨根究柢地問我：你為何那樣拘泥於去美國？我以為，即使不喜歡美國，但並不能不相信美國的民主主義。總而言之，對自己來說，去美國留學比在日本留學心境要好得多，只是如此而已。日本人究竟是什麼呢？做為統治民族，他們凌辱、壓迫、剝削過我們；他們曾經到處凶惡地罵我們是支那人、清國奴；他們曾經剝奪或企圖剝奪我們的母語、文字，甚至文學；日本還曾貶低我們的宗教、文化、生活方式等一切傳統的價值。而我從今以後就要在這個元凶之國留學。我要向他們學習，這是何等的恥辱！我把自己的苦惱披露給了二哥。

二哥放聲笑起來。他一邊點頭，一邊揶揄我：是那樣嗎？接著，二哥發了如下的議論：日本及日本人確實將我們台灣殖民地化，甚至也侵略了大陸，那是十分可惡的。但儘管如此，憎恨日本人又會有什麼結果呢？俊崧叔父（以日本海軍少校待遇的軍醫被徵用並死於航海中）和興增侄（堂兄的長子，做為軍屬被動員參加新幾內亞島登陸作戰而死）都犧牲了；我們也聽說並知悉祖父和父親在反殖民地鬥爭的抵抗運動中，先後被逮捕入獄的事實。

即使我們憎恨日本人，我們的傷痕就能夠痊癒嗎？叔父他們便能夠健康地復活嗎？

我們都是被扭曲的＝殖民地的孩子。如今，殖民地傷痕的本身成為我們不得不起步再次出發的原點，做為重新開闢的新道路的基石，我們必須好好地活用這個悲痛的經驗。我們一邊要痊癒殖民地的傷痕，一邊要超越它，必須將殖民地遺制的所有東西加以手段化、相對化，經過克服以變成我們自己能掌握的工具及東西。

對於圍繞著我們的殖民地傷痕糾葛的本質及核心事物，我們只有通過內省和對決，才有可能擴大做為自舊殖民地被統治者身分求新生的內在自由之嶄新境界。

二哥的話猶如重錘猛擊。我感到羞愧，並恥於再多談過去與二哥的那一段對話。我厭惡自己的淺薄無知和稚嫩。儘管我專攻社會科學，從台灣的大學畢業，及第了國府教育部的留學考試而來到日本留學。

漸漸地，我發現自己歷史上的真正敵人不是某一個個人，而在於「殖民地體制」，而且知道了應該學習對付憎恨有效的方法。這正是我在日本留學中除專業外，在思想方面所應該加深學習的最大課題。

第二年，即1956年，我有幸抓住了在東京大學大學院（研究所）學習的機會。正如兄長所說，我在學校內遇到的日本人、在研究室聆聽其教誨的教師們，同在殖民地體制下台灣生活的日本人截然不同。這情景甚至使我覺得是否遇到了二個不同種類的人種或民族。難道是幻覺不成？不，不是。

那些在台灣時常聽到的嘲笑、喝罵在這裡全然沒有，即使將「デ」和「レ」的發音混同了，濁音不能清楚地發出，也不會有日本人嘲笑說「支那人」不行，更沒有那驕傲不知天高地厚的日本人敗類罵著「不可能正確地發出像日語那樣的優秀民族語言的發音來，清國奴真是些朽木難雕的混蛋」等這類事情的發生。

我不禁想起台灣的菁英殖民地中學的課程，那令人厭惡的「國語」（日語）課的情景。

殖民者經常貶低被殖民者的行為方式和事物。換句話說，殖民者非靠著貶低被殖民者，他們將無法保持其優越感，安其統治地位的。

當然，每個人的母語和其他民族語言之間是存有「差異」的，但是，這種自然且本質性的差異即使是自然語音之間的，也必然地被扭曲為政治的或人為的事物來言及壓抑或受到貶低。

一旦語言被納入殖民地體制的架構中，殖民者的語言被推上主人且優勢語言的地位——不管其使用者之多寡。然而被殖民者的語言＝母語則被凌辱和被逼廢棄。

這是極為深重的罪惡。但是，這個罪孽只局限於殖民者＝日本人和被殖民者＝台灣本島人（即台灣人）之間，則還是輕的。更深的罪惡之「陷阱」尚不為一般人所察覺和記憶：這不是別的，正是被殖民者無意中自己不斷地被習慣於接受殖民者所附給的蔑視而不自覺。二重性悲劇正始於此。

殖民地體制下被殖民方在語言方面禁抑的囚犯，不久即習慣性地認可了日語的價值優勢，在同胞之間也以能流利講殖民者的語言＝日語而自負，反而接受了自己母語之低劣觀，甚至變得不想講自己的母語，比如閩南話或客家話，以及先住民的各種母語。極端的例子往往產生在「不肖」的殖民地之子的身上：孩子們對自己父母一代奇妙音調的日語自感恥辱並加以蔑視。殖民地統治越長，這種殖民地之子的擴大再生產越迅速。

在著名的農業經濟學者東畑精一（東大名譽教授，1983年病逝）的研討性授課會（seminar）上，出現了「南京蟲」的話題。還充滿著「年輕人特有的傻勁」的我提出了抗議。

我說，為什麼日本人在為自己不喜歡的事物取代號時習慣套用他國的地名——儘管日本也有「南京蟲」（即臭蟲）……諸如台灣和尚（颱風的日語代號）、台灣禿子（病態性禿頭的日語代號）也都是這樣。

東畑老師哦了一聲，隨後笑著機智地回答：戴君不要動氣，（日本）不是也把很好吃的花生米稱做「南京豆」嗎？以此為契機，先生向我們介紹了米飯在台灣傳統吃法和日本傳統吃法之不同，還有，在歐洲的市場價格是在來米（indica）比日本種米（japonica）高價，在流通上也占據著優勢等等。先生還說，日本人千萬不能自我陶醉，你們應該知道日本人所說的外米（台灣稱作在來米）不好吃，那是由日本人的吃法和日本人的嗜好造成的一種感覺而已，它並不具普遍性，在世界上這種說法是行不通的。除日本人之外，幾乎所有的人都喜歡吃在來米，在來米除了容易消化，外國人善於同副食巧妙地搭配起來吃，一般說來，同我們日本人的所謂白飯、醬菜、烤魚、味噌湯方式的貧乏飯桌全然不同。

現在想起來，東畑老師是夾雜著自己的經驗給我們教導，文化的價值只是相對的，不該把它絕對化。東畑老師還說，就對商品經濟的因應力來說，台灣農民比日本農民要來得強，他讚賞了台灣傳統的灌漑機制是如此之卓越精巧。

以後我才知道，東畑老師的這些見解早在1936年出版的專著《日本農業的發展過程》〔《日本農業の展開過程》〕就披露了。我在深為感動的同時，對自己的淺薄無知感到冷汗三斗。

東畑老師的上述一連串話並非只是為安慰我的口頭性應酬，係另具有教誨日本人同學之用意在。

殖民地之子——被扭曲的我在終戰那年剛好是13歲，初中二年級生。我也算是殖民地體制下自囿的小囚犯。凡是在台灣的日本人，不管其承認與否，都力圖全面貶低我們的文化、宗教、思想方式、行動方式、生活方式，使我們變成它＝殖民地體制下自囿之囚徒。我對此的反彈性動作總是張起肩肘，在面對日本、日本人時，不知不覺地準備著過分的自我防衛的姿態。漸漸地，對日本和日本人的猜疑心深深地滲透到內心裡去。

至今想來，我還不斷地遭受自我嫌惡的襲擊。果真只有我一個人對殖民地體制造成的人性破壞之深重罪惡，以及人與人疏離的嚴重性感到顫慄嗎？我時時為此有所反思！

「可有可無」的存在

東畑老師和我的另一位指導教授神谷慶治老師（曾任東大農學院院長、名譽教授），都曾積極地鼓勵我廣泛地聽課，多與日本老師、學友們交往。

在這期間，我碰到過許多日本人的中國、亞洲研究者。值得驚訝的是，我發覺名著《日本帝國主義下之台灣》之作者、亦是日本法西斯主義犧牲者之一的矢內原忠雄教授，早就漸漸成為「過去」的人。

歷任東大教養學院院長、東大校長的矢內原，大概是在他任期內對付學生運動的一些態度和作法所引發之結果吧，進步派學生們似乎已經不將他當作是「敵手」（rival）或「我方」的對象來看待。那是1956年的事情。

當我知道矢內原係日本人的「良心」風範性人物和集父兄輩的尊敬於一身，而且在東京大學內外，當時處於壯年以上的人尤其在「無教會派基督教」信仰上有不少人仍然尊崇他，我感到有些衝擊。

儘管如此，我遍問研究中國和亞洲為專業的日本人學友們，怎樣讀《日本帝國主義下之台灣》一書。因為我本人既具客家系台灣人又是中國人的立場，我對他們如何看待那一本在殖民地台灣時期，被日帝當局禁售的名著這一點很拘泥，並懷有深厚的關心。

我們留學生朋友們以《日本帝國主義下之台灣》為素材開始了讀書研討會活動，雖然是漸漸地，但我們開始看出矢內原的局限性。在涉獵有關文獻的過程中，我們發現了他的〈管理下的日本——終戰後滿三年的隨想〉（後收入《矢內原忠雄全集》第19卷，岩波書店）一文。

該文中，作者首先論述到：「日本殖民地統治政策中的同化主義與法國的同化主義在思想依據上是不同的。法國同化主義的基本思想是天賦人權、萬人平等的普遍性、人類性的民主，因此，其政策執行過度的弊害是將殖民地原住民還不能理解、還不能被賦與的解放，過早地賦與了發達程度很低的他們。」這裡，矢內原儘管是不自覺的，但確實是傲慢地披露了自己認識的局限性。他接著闡述：「與此相反，日本的同化主義是以皇室為中心的民族主義，因而，其執行過度便成了依靠絕對主義的權力進行強制的統一，造成對民族自覺的壓迫。我並不認為日本的殖民地統治都是有毒害的，至少在經濟的開發和普通教育的普及方面，給予了殖民地社會永遠的利益。」這一論述的轉變是急驟的，矢內原認識之膚淺在這裡亦暴露出來，我真是不忍卒睹。

他只用結果論來論及殖民地統治，而不顧及殖民地化的不純動機及毒辣殘酷的過程。矢內原似乎沒能洞察到，被殖民者即使通過殖民地教育擺脫了文盲的處境，但在做為持續殖民地教育的自囿之囚犯期間，他們就不能恢復自己本來的人性，不能真正成為文化上的主人翁。我越發深刻地洞察到了日本學生不再感覺到矢內原魅力的主要原因。

這還不算，幾乎所有的學友們都不曾讀過《日本帝國主義下之台灣》一書。這也是理所當然的，台灣本來就不在他們的研究視野之內。不，丈八燈台照遠不照近，這不能不說是忽視了問題的所在。

當時的一般狀況是，即使研究資本主義發達史，也會忽略對殖民地問題的注意。那麼，如果資本主義研究的視角內沒有殖民地研究的話，那其研究的整體性對象又為何物呢？人們熱中於對中國革命的「寵愛」（favour），甚至有人鼓吹台灣盲腸論（即台灣有如盲腸一般無關緊要），只要中國大陸解放了台灣，台灣問題即刻便解決了。彷彿圍繞著日本殖民統治的責任問題、圍繞著克服殖民地遺制及其手段化等課題，及殖民統治所造成的傷痕等問題的整理及治療等，從開始便不存在似的。彷若對日本人來說，台灣本來就是可有可無的存在……。這些論調對於台灣出身者來說是不能置若罔聞的，總讓有識之士感到痛心疾首。

進步派中國學者口頭上鼓吹著一個中國，實際上新華社、《人民日報》、北京廣播電台對台灣問題說什麼，便百分之百就是他們對台灣問題的見解。

1965年5月中旬，在日本的與台灣有關係的人士看到廖文毅投降國府和歸台的新聞熱鬧了一陣子。廖氏鼓吹台灣獨立，甚至以台灣獨立為目標在東京建立流亡政府，而且還自任總統職。

我記得是同年6月上旬，我有機會與在台灣受了舊制中學、高中教育，然後在東京的大學畢業的某氏閒談。他是日本現代中國研究者，且很有名的北京政權的支持者。話題從廖氏歸順國府談到台灣現狀以及他自己在台灣時期的生活情況。最後他問我：「戴先生，今後打算研究什麼？」我回答：「我想研究台灣史，研究做為中國史之一部分的台灣史。」他正經地說：「你錯了，應該搞台灣獨自的台灣史。」我說：「照先生這麼說，先生對北京的支持以及一個中國論該怎麼解釋呢？」他蠕動著嘴，一臉尷尬的樣子。

過了不久，我在某處演講，在回答質疑時，聽眾中的一個人問，先生是站在什麼立場？是北京派還是國府派，聽說好像不是台獨派。我一邊苦笑著回答，我不屬於任何派，如果硬要我表態的話，該是屬於中華民族的庶民派吧。我對被迫豎起旗幟甚感無奈，日本人那麼喜歡一刀地切。

從會場的氣氛中我覺得非做進一步詳細的說明不可。

我說，我這裡說的中國既非中華人民共和國，也非中華民國。我內心所歸屬的中國是個文化概念上的中國，我本來就厭惡政治，如果有誰要問我歸屬於哪個政治上的中國，我在這裡明確表明，就是孫文想要實現的那個形式的中國。

困難的是，我們大部分東亞人在日常生活上至今都似乎無法明確地整理分清政黨、政權、政府、國家之間的關係，以及它們之間該存在的不同層次的內涵。很難使他們懂得政權和國家並非是等同的。

好像日本人經常自嘲似地說，日本人喜歡「調查人家的戶籍」（暗喻喜歡摸人家的底），那是他們喜歡剖竹子似的性格（當今台灣常用「阿沙力」來形容類似這樣的性格）。聽說他們如果不清楚地知道身旁人物的立場和身分，便會坐立不安。

1950年代，甚至到了1970年代前半期，我斷斷續續蒙受了各種誤解，這真是苦不堪言的體驗。我成為許多議論之的：既然是台灣出身，應該是國府系統什麼的；既是台灣省人又為什麼不參加台獨；又為什麼不回去台灣和前赴大陸等等。

只有喜歡「戶籍調查」、對他人的一舉一動感到在意的人才會多管閒事，至於台灣住著什麼人、台灣人的概念、台灣語、台灣民族論的真正內涵和它所背負的歷史背景等等，很遺憾，他們既不關心，也不想知道，所以所知不多。

圍繞著自我同定（ego identity）的糾葛

在議論台灣人、台灣民族的自我同定之前，我認為有必要先釐清圍繞著台灣人的概念和台灣人的自我同定的糾葛，並做些說明和分析。

正如大家熟知的，台灣人、台灣民族的稱呼之興盛是近年來的事。至於台灣民族論，我認為是台灣獨立運動家的創作，換句話說，是政治運動至上主義者的產物，是一個至今不伴隨有實體的代替物。

今天，人們往往用台灣人這樣簡單的一句話來概括，但是，台灣人的具體內容和其稱呼形成的歷史過程確是錯綜複雜的。

我們先來回憶一下，1935年6月4日施行的台灣總督府訓令第34號的「戶口調查規定」。根據該規定，當年的日本統治當局將居住在台灣而持有日本國籍的人大致分為二大類，即1. 內地人（僅指本來的日本人）；2. 本島人。預先要說明的是，不拘於法律的形式如何，本島人所持日本國籍是被強迫的結果，絕非是自己實質性的選擇。

接著，日本當局又把本島人分為五類：1. 福建族（正確來說，這裡說的是以廈門為中心及同其鄰接的泉州、漳州地方為故鄉的福建人後裔。我們稱作福佬人或閩南人【閩是福建的簡稱】，並把他們的母語俗稱為福佬語或閩南語）；2. 廣東族（正確來說是客家人，其大陸出生地以廣東省為中心，也有福建省出身的客家末裔。他們說的話均為客家話，與在香港和廣州一般通用的所謂廣東話完全不同）；3. 其他的漢民族（指以福建、廣東兩者以外的中國大陸地方為故鄉的漢民族後裔）；4. 平埔族（曾經被稱作熟蕃）；5. 高砂族（被稱作生蕃的少數先住民族群的人們）。

本島人在光復後（回歸中國，即從日本殖民體制下解放出來）就變成了本省人，即台灣人。本省人稱呼的誕生是為了區別台灣省以外的中國大陸諸省人，做為本省人的對立概念或稱呼便是外省人。

在日本人的評論家中，偶然會看到使用從外省人聯想而來的內省人的一種稱呼，以此來取代本省人。然而，實際上這是因不了解實際情況而產生的錯誤，中文語法不曾有過內省人的稱呼。相對本來就住在台灣的本省人而言，通常將「八一五」（日本戰敗）以後新從大陸來台的新移民稱為外省人。

順便說一下，就全中國的尺度來看，本省人並非是固有名詞。以抗日戰爭中的四川省為例來說，所謂天府之國蜀中之人一般來說自豪感頗強，自負的相對表現往往就是排他性。四川人將自己稱為本省人，而將因抗日戰爭來到四川省域的其他省分出生的人，蔑稱為「腳底人」（川語讀法，腳底人即指下賤人）。中國怎麼說都是個大而且多民族的國家，地域主義、地域間的對立、民族間的抗爭史等構成了中國史的一個重要側面。

這就是說，我極不希望那麼簡單而不經思考地自認為已確立台灣人或台灣民族的自我同定，特別是日本人中與台灣有關係的人們通常希望越俎代庖地代台灣人套上自以為「是」的自我同定，並代加在「台灣人」的稱呼上而不疑。理由很簡單。因為人為的、特別是政策上妨礙「台灣人」的融合、統治及其發展、成長的原因不是別的，正是當時的日本當局和日本有關人士（這些人的殘餘和末裔又成了今天日本台灣關係人士）。

古往今來，東方西方，任何國家、任何統治民族，都害怕被統治者方面能建構民族連帶和團結，害怕高層次的統合出現，對被統治方內發性的整合以及團結絕不會感到高興。日本帝國主義體制也不是個例外。從晚清到日本統治時期，我們台灣本島人不論在部族還是民族方面，仍是處於多歧狀態，對立和抗爭依然十分激烈。不僅有先住台灣人社會和移居台灣人社會的對立抗爭，即使在先住台灣人社會，也分為泰雅族等九個系統，部族間抗爭亦持續不斷。移居的漢人社會也有他們之間的抗爭，在多數派（約占全人口的85%）的閩南系內部也有泉州和漳州之爭，甚至在閩南系和少數派的客家系（約占全人口的14%）之間也存在抗爭。

巧妙地利用這種狀況，並在行政管理方面加以應用的實例之一，正是剛才舉出的台灣總督府「戶口調查規定」中所看到的種族欄的記載規定。

日本當時和日本民族在統治台灣的整整50年間，公開的或表面上是企圖將我們所有島民日本人化（即皇民化）；但是，被日本當局期許自本島人變為新日本人者，永遠只有做為附加括號的二等、三等國民的「日本人」之份。

行政管理方面，當局利用台灣內部舊有多歧的部族、民族對立抗爭的結構，玩弄各個擊破、挑撥離間的政策，企圖進行分割統治。在1930年鎮壓霧社起義事件時所製造的「友蕃」（與日本協力的部落）和「敵蕃」（與日本敵對的部落）的抗爭、敵對關係便是典型的事例。

不僅是政治上的分割統治，即使在社會生活方面，直到第二次世界大戰臨近結束為止，一直將我們本島人蔑視為「土人」、「支那人」、「清國奴」、「生蕃」、「熟蕃」，加以區別。

自1895年在台灣被迫從中國大陸分割出來後，台灣諸島被日本殖民地化了。殖民體制下的台灣本島人，無論是先住民還是移居民，都遭到了皇民化政策、分割統治以及歧視政策、愚民政策的耍弄，以至於徬徨不已。可以說，台灣島民圍繞著自我同定的確立產生了許多糾葛是極為自然的。

第二次世界大戰末期到1970年代前半期，用日語寫小說、用客家話詠詩的台灣代表作家中，有一位叫吳濁流（1900～1976年）的作家。吳的一貫主題是，站在客家出身的一個台灣文化人的立場上，描寫日本統治、從日本統治下解放、光復至處於國府統治下台灣社會的變化。

其中有一篇作品叫「亞細亞的孤兒」（日本新人物往來社，1973年決定版），是他在殖民地末期冒著入獄的危險寫成，在光復後才公開發表的。此著作可以說是描寫殖民地統治下台灣人知識分子圍繞著自我同定的糾葛之代表性作品。這個作品用自傳體的形式歸納了因殖民地體制而引起自我心情分裂的漢族系本島人的苦悶。細讀該小說，便可聽到吳氏及其同時代人圍繞著尋找自我定位的「動」和「反動」的煩惱聲之「動態」（dynamism）以及「無告之民」的呻吟。有些人想嘗試做好客家人，有些人想成為有尊嚴的本島人，有些人被強制卻無自覺地裝成「日本人」，有些人嘗試藉「血緣關係」與「出生以來已由命運注定了的土地即父祖之國＝中國」及「神聖之樹即中華文化」聯繫起來，企圖最終能成為「中國人」。

「負」的台灣觀

從1950年到1970年代美中（共）接近以前的期間，成為台日關係的大致框框，基本上便是由《中（共）蘇友好同盟條約》（1950年2月）和《舊金山和約》（1951年9月）以及《美日安保條約》（1951年9月）所框定的東西對立和封鎖中共的全球性結構。

1950年6月，美國發表聲明重新開始對國府台灣進行經濟援助，接著介入台灣海峽的形勢（美第七艦隊防衛台灣和「中立」化政策），8月，美新任駐國府大使藍欽（K. L. Rankin）到任，杜魯門（H. S. Truman）總統發表對台政策七項原則，這一連串的行動決定了台美關係的基本結構。

日美關係和台美關係的大體結構決定後不久，1952年4月，受到美國強大壓力之下，華（國府台灣）日講和條約遂致簽字。可以說，從此，第二次世界大戰後的台（國府）日關係的基本結構日漸形成。

1955年秋天以後，我在東京所窺見的台日關係與其政治經濟方面的整個過程，儘管難免有些小小的波折，但仍在向著緊密化方向而有所發展。第一個高潮便是岸信介首相的訪台（1957年6月）。從此，自民黨保守派政治家集團和國府台灣政權之當權者集團的往來加速進行。

在經濟方面，日本的高度經濟成長和台灣方面勞務輸出型加工貿易經濟政策逐漸地走上軌道，從1960年代末起，在有機地連鎖規制之下，其緊密度亦大幅度地增加。

1966年4月，我取得博士學位，進入亞洲經濟研究所工作。我記得1960年代末期，有一日受當時的日本財界龍頭＝經團連會長植村甲午郎的邀見，並就圍繞著日中（共）關係的開展和台灣的將來進行了交談。

植村翁說我們必須一邊同中國大陸漸漸地改善關係，一邊繼續保持與台灣的老關係。並坦率地說，只要蔣介石總統健在，我們這一輩日本老人就絕不能把腳伸向台灣的方向睡覺。植村沉重地披露了他個人內心的傷痛，道白他自己亦絕不能把腳伸向台灣而睡覺。至今讓我感到的是，「以德報怨」（終戰時，以國府主席蔣介石的名義發表了「以德報怨」的對日態度聲明）這句話與對中國侵略的贖罪感糾纏成為情結而抓住了植村翁之內心深層，也緊緊抓住了有濃厚亞洲主義心情的一代日本人的情感而不放。

但是，這些人中大多數往往將台灣和中國大陸割開來看待，很少有日本人對台灣殖民地的統治感到內疚，同時並不具有責任感和贖罪意識是另一方面的事實。甚至可以說，他們並不認為日本帝國主義在台灣的殖民統治過程中幹了壞事。

對這種「肯定台灣殖民地統治之意識」，我做為一個客家系台灣人頗感困惑，也一再感到憤怒。

更甚的是，我對邱永漢的論點覺得心痛，並要加以反駁，同時也更覺得憤怒，他可算是留日台灣知識分子的代表性人物，但他為了主張「台獨」（過去的年代）而對日本人的「負」的台灣觀進行了一系列媚日性發言。

至今大家公認為賺錢之「神」的邱永漢是在1950年代初期由香港亡命日本的。他是台北高校、東大經濟學部畢業的，換句話說，是殖民地台灣培育的被殖民者菁英分子之一。當初，他通過小說《濁水溪》、《香港》等描繪了光復後台灣的漢族台灣人，特別是上流階級菁英階層的苦悶和徬徨。確立了作家地位後的邱永漢，面對了將結束敗戰後復興期、並向高度經濟成長猛進的日本社會，開始了他的偏愛「台獨」的一些政治發言。

其代表性的論文有〈不該忘記台灣人〉（《中央公論》，1957年7月號）和〈一個中國、一個台灣〉（《文藝春秋》，1958年10月號）。邱所提示的觀點，在「大東亞戰爭肯定論」正在醞釀中的日本社會風潮中，對守舊派日本人來說，正是再合適不過的論調了。

邱氏在〈不該忘記台灣人〉中摘錄了與江戶川亂步（日本著名的偵探小說作家）的對話：

江户川：「現在毛和蔣各據東西而爭，雙方本來都是中國人，我認爲兩者應合爲一體。漸漸地，台灣也應該和大陸合併。」

邱：「從所謂大局著眼來看，那種看法或許能成立……但我認爲，現實的政治或許不會向那個方向運動。俗話說，一山不能藏兩虎，兩雄不並立；更重要的是，美國不會對台灣鬆手。此外，更微妙的是台灣人的立場。這只是一個假定的問題，但假定讓台灣人在日本和中共中選一個的話，大概台灣人會選擇日本。」

江戶川：「眞的嗎？那我取消前面所說的話，讓我們握手吧！」

江戶川在我面前伸出手來。我感到一種微妙的悲傷心情。

我至今還鮮明地記得，當時年值26歲的我，不能不對台灣鄉親的學長感到莫大的失望、痛心和恥辱。

在整篇論文中，我無法從任何地方找出能當作台灣獨立論者的邱氏應有的主體性思考之表達。邱氏論文的寫法從文章開頭就好像是在嘲笑理想主義和道義立場，當年，我雖然希望從他的文章中找尋其主題應該具有的台灣人主體性思考抑或主觀上的純真性，連蛛絲馬跡都難覓，我的盼望只不過是在強求他人（邱永漢）沒有的一種作為罷了。我自這些文章所獲得的邱氏形象，僅僅是一個不付本錢只企圖獲得漁夫之利的商人機會主義者的形象。

台灣獨立論者時期的邱永漢（聽說伴隨著中【共】美接近，他已歸順國府，現在取得了日本國籍，往來於台日之間）的目標是從中共中國和國府台灣兩個體制中脫離出來，他一直在鼓吹依靠台灣人的民族自決論，提出了他那一套台灣問題的解決方法。

邱氏所論的背景有對以「二二八事件」（1947年2月27日晚，由當時國府在台機關和有關人員之失政所引起的暴動事件，台灣中上層菁英分子無故失蹤者不少，更出了許多犧牲者）為契機的國府台灣的挫折感，而且，從他出身的階級和思考方式來說，他對參加中共革命後的大陸中國體制本來就不會喜歡，甚至是絕望的。對他來說，不是對歷史持續性的「中國」（不管是中共還是國民黨體制）之參與，當今中國對他來言，只係「開溜」的對象而已。

圍繞著台灣人和台灣民族的概念，邱氏被迫展開了他的自我同定論。

在吳濁流翁身上所能見到的對殖民地體制的對決姿態，在邱氏的文章中是很難發現的。不，應該說幾乎是不可能發現的。對他來說，與殖民地遺制對決以後，不僅將其手段化的思考方式無法成為他的重要命題，而且他更無法去認知，甚至對他來說，這些原理性、本質性、思想層次的課題，基本上就成不了他的問題的。他的有關台灣的作品和「政論」最多也只是追認、肯定、容納了遺制的「現實」，更進一步還變成了他的台灣近代化論的基礎。邱氏的述懷可以證明這一點：

> 日本人對台灣的統治從被統治者的台灣人的立場來看，絕非是值得滿足的，甚至可以說是相當徹底的警察統治。但是，以公平的眼光來看，台灣經濟要是沒有日本人經營的話，恐怕今天也只能停留在海南島般的水平吧。一視同仁啦、國語普及啦、皇民化政策啦，實際上推行的都是強迫命令式的殖民地政策；但是，其反面也就是其結果即是如下的事實：教育普及了，島民的水準提高了。所謂台灣人氣質（也可說是民族性）——既同大陸的中國人不同，與日本人也不同——的形成也是在這一時期。

迴避不了的問題

同一時期，我認識了尾崎秀樹、竹內好等有良心並有見識的日本的一群文化人。

他們從過去的歷史經緯出發，對台灣人持有親近感，對圍繞著台灣人的政治現實寄予關心和同情。但是，他們對於似乎要介入中國內政的台灣獨立言論抑或其運動則保持一定距離，對北京的「台灣解放論」也不肯無條件、不經思考便百分之百地肯定及接受它。

他們對在台灣生活的人寄予關心，同時也沒有忘記日本國及日本人對中國人的贖罪意識，在追究侵略事實的自我責任中，也認為該包含有對台灣和台灣人的侵略、開展殖民地統治之責任。

尾崎先生總結並寫成了《近代文學的傷痕》（後集大成於《舊殖民地文學的研究》〔《旧植民地文学の研究》〕，勁草書房），站在做為殖民者一員的立場上，自究殖民地統治的責任，嘗試進行思想格局和學術層次的研究。竹內先生在他主編的《中國》雜誌上，先後有過二次組稿並主導編輯了台灣特刊問世。

《中國》雜誌還連載了吳濁流的戰後作品〈無花果〉（後收於日文版《夜明け前の台湾》，社會思想社，1972年發行），並重新向日本社會介紹了戰前台灣無產階級作家楊逵的佳作《送報伕》和「霧社事件」。

我從竹內好先生處學習了許多方法和觀點，其中最為重要的是，我得以認識到這樣一個高貴的課題和思考方式，即：有良心的日本人和能夠真正自立的台灣人必須互相聯繫，進行持續不斷的努力，來向殖民地遺制進行對決，並將其手段化，同時冀求更進一步地來克服殖民地的傷痕。

竹內先生過世已有十年了，但我仍然堅信，為了構築中日兩民族之間真正的友好關係，台灣問題是一個避免不了的關鍵性問題。

在台北的「中日不再戰聚會」

自1972年8月底至今年（1985）春天，我一直沒有回過台灣。不，即使想回台灣，大概也回不去。然而，3月初以來迄今，我已訪問了台灣三次。

都市化的巨大波浪，高樓大廈的「密林」，汽車的洪水，衣、食的豐盛和奢侈，都令我驚訝不已。這真是奇蹟般的經濟增長的體現。

其反面是，空氣的污染、噪音以及各種公害、交通道德的明顯低下，為物質主義、拜金思想，甚至於剎那主義而疲於奔命，對此人們不禁蹙眉。物質的豐盛確實是高水準的，但是生活品質卻遲遲不見提高。有識之士的朋友們為此感歎，並為此趨勢擔憂。因為不僅是經濟犯罪，甚至暴力犯罪也在急遽增加。

一流的觀光旅館、餐廳、觀光地都充溢著日本團體遊客。看著揮金如土的日本遊客，久違的朋友一針見血地質問我：「雖然成了經濟大國，為什麼日本人沒有自信、沒有勇氣面對歷史的事實，為什麼還要篡改教科書？」

在3月底參加悼念無產作家楊逵的紀念集會上，胡秋原

（1930年代在以上海為中心進行的中國社會史、社會性質論爭中活躍時的思想家，第一屆立法委員，《中華雜誌》發行人）邀請我做為講演者參加今年的七七紀念集會，我接受了邀請。我認為這是一個很好的機會，反而提出是否能召開一次「中日不再戰的集會」，其形式是邀請華日雙方年輕研究者和有良知的日本青年朋友們一起參加的學術研討會。建議被接受，首先於7月6日，由天主教輔仁大學主辦了「近現代中日關係國際學術研討會」。

日本方面參加的報告者有中央大學的姫田光義（題目是：圍繞著南京事件日本方面的研究和認識）、立教大學的粟屋憲太郎（題目是：日本軍隊的毒瓦斯武器開發和在中國的使用）、茨城大學的石島紀之（題目是：日本的日中戰爭史研究的動向）、高松中學的森正孝（題目是：戰後日本的社會科教育和十五年戰爭）和筆者（題目是：日帝鎮壓霧社蜂起事件時的毒氣使用問題）。

台灣方面的參加者達六十多人，其中包括學界、民間研究者、研究生以及傳播界人士。報告者有台灣大學的許介鱗博士（題目是：中日戰爭時期日本對華和平勸誘策劃）、政治大學的蔣永敬教授（從「九一八事變」到「一二八事變」期間的對日政策）、（國民黨）黨史會副主任委員李雲漢教授（圍繞中日戰爭的二個爭論點——盧溝橋事變和南京大屠殺）。以這樣熱門的主題——毒瓦斯問題、南京大屠殺問題、教科書問題、日中戰爭——由銳進的日本年輕研究者在台灣發表學術研究，這還是第一次，引起傳播界的一股採訪熱。

「中日不再戰的集會」（在台灣的名稱是「七七抗戰紀念演

講會——請聽日本正義人士對侵略的譴責」）是在7月7日——盧溝橋事件爆發的那一天舉行的。

主持者為台灣作家陳映真。他曾以左傾嫌疑入獄八年。胡秋原代表主辦團體致開幕和歡迎辭。他首先宣布「為了中日不再戰而召開此次七七抗戰紀念集會」，接著他強調：「為了事先防止他國的侵略，我們中國人應該完成民主的統一，建設一個獨立富強的中國。」

接著放映八釐米電影《侵略原史——統治台灣五十年》，該影片製作者為森正孝，他同時做了報告。

集會的第二部分是從下午6點20分開始。石島、栗屋、姫田各氏分別做了學術報告，並涉及自己做為日本公民或日本民族的一員而進行的道義性贖罪行動。

集會最後是放映森正孝氏製作的另一部影片《侵略——未被提及的戰爭》。集會的最高潮是伴隨著上映後的熱烈鼓掌而到來。在鼓掌聲中，一位老人開始激動地斥責道：「有拍手的傻瓜嗎？看了這些殘酷的畫面，應該憤怒，為何鼓掌？」會場內一下子鴉雀無聲。

胡秋原徐徐地站起來，顫抖地說：「這個拍手是贈送給千里迢迢自費來台的有良知的日本朋友的，是贈送給森正孝先生的正義感和道德勇氣的。期待老先生的寬容。」

對哭泣著、顫抖地說著謝罪的森正孝，感動至極的台灣作家陳映真忍不住上去擁抱他。此時，場內再一次被熱烈的掌聲淹沒了許久。

知己朋友和第一次碰見的與會者集中到我身邊來要求握手。

為了抗日運動和社會運動在日本及國府台灣的監獄裡度過近二十年生涯的一位先輩周合源老翁有力地握著我的手說：「他們雖然年輕，卻真是優秀的日本人啊！能夠聽到他們出自內心的訴說和有良心的學術研究，我就放心了。像戴先生這樣的年輕中國人和像森正孝先生那樣優秀的日本青年在一起努力，前途是光明、是有希望的。別的不說，真正的中國人和真正的日本人必須互相知己更要知彼，攜手並進。」

12年沒回到台灣的浦島太郎——我，欣慰地確認到，包括台日在內的中日友好的真正基礎之一，終於在此建立起來了。

今年是終戰和台灣光復40周年了，也是我滯留日本30周年。從公私二方面來說，對我都是個關鍵年。在台日關係的這30年間，我在東京伴隨著苦惱、疑惑、徬徨生活過來。我相信，在台北的集會正是慶祝這個關鍵年的集會。我把這一喜悅讓讀者諸先進分享。

森先生在集會上的呼籲般的聲音至今仍回響在我耳邊：「在呼籲不要再有廣島、不要再有長崎之前，首先應該呼籲不要再有南京（大屠殺），不要再有霧社（毒氣鎮壓事件）！」

自1955年以來的30年間，我越來越明白，我是客家系台灣人，我為自己是出生於台灣的中國人，以及是中華民族的一員而深感驕傲，同時，我重新確認，我也是站在近現代中日關係史的重要原點——台灣，這個寶島上生活至今的見證人之一。

聽了加害者方面和被加害者方面有良知人士的由衷對話，以及森先生等日本朋友的正義呼聲，我重新認識到，自己堅持至今的立場沒有錯，並為此感到由衷的高興和自尊。

今後，我仍將做為被統治者的客家系台灣人，同圍繞著台灣的殖民地體制和殖民地遺制進行對決，繼續使其手段化，並為此略盡棉薄之力。我期待著自己的這點小小的努力能有助於營構並促進真正的中日友好關係，和亞洲和平的實現。

本文原刊於《世界》480號，東京：岩波書店，1985年10月，頁165～178。原題「戦後日台関係を生きる——中日両民族の眞の連繫を求める」

第四章　身分與立場
——環繞台灣史研究的基本問題

開場白

事情是這樣的，檜山先生在東京期間，和我同屬於一個同人性質的研究會。前些時，檜山先生在電話中邀請我講一些台灣史問題。我一想，接到台灣史演講的邀請，在日本這還是頭一次。很奇怪，的確從來沒有被邀請過。

我從1983年3月底開始，一年為期，接受美國加州大學柏克萊分校和哈佛大學的邀請赴美訪問研究，也訪問過芝加哥大學、哥倫比亞大學等多所學校，所受到的演講邀請，主要還是以台灣史為主題。在日美兩國之間，知識界活動的情況為何有這樣的差別，值得質疑。這次我算是在無意間發現了這個問題。

只是，時光荏苒，工作纏身，中間又去了美國一年，且立教大學素來對教員的工作量要求得相當繁重，這些因素都使我無暇更仔細地思考檜山先生的負託。

各位也知道，岩波書店的《世界》雜誌，今年正值創刊40周年。他們似乎在進行著一些特別企畫，據說要以一年時間發行一系列的40周年紀念特刊。本人和《世界》也有些淵源，《世界》

的編輯部便邀我無論如何得給他們寫一篇小論文。

屈指算算，我在日本滯留也快滿30年了。因此，他們提出如下的構想，把我的滯日30年和《世界》的40年重疊來思考，寫一些像「東京生活中的台日關係」一類的主題。

於是我把他們的意見和前面所提的檜山先生的負託一並考慮，重新思考主題，並接受了演講的邀請。也可以說是把本人滯日30年的軌跡，和基於此產生出來的一些想法，趁各位先生的好意帶給我的機會稍加整理，就教於各位，說不定又是一次獻醜，敢請各位多包容與指教。

為何研究台灣史

研究台灣，可以說是一種孤獨的追求。

儘管日本與台灣的關係非常深，戰後日本卻少有人認真地加以研究。因此有些研究生到我研究室來，表示要做這方面的研究，我卻不得不回說研究了以後不方便找職業或位階，免了吧。不過我總要補充一句說，如果有更大的研究視野，比方說，以全中國為對象，然後把台灣做為其中的一個主題而選修，那我贊成。

最近，我們的研究團體——台灣近現代史研究會——的成員，由30位增加到40位左右，以後可能還會成長。且會中的文學研究組，已經有一些成果了，最近開始出版「台灣現代小說選」。第一冊以「彩鳳的心願」〔「彩鳳の夢」〕、第二冊以「終戰的賠償」〔「終戦の賠償」〕為書名，由東京研文出版社出版。

當我們提議出版的時候，研文出版社的山本社長是勉為其難地接受的。想不到出了兩冊後，好評如潮，現在變成由出版社鼓勵我們再多出三冊以便合成五冊，頗令我們同人高興的情況呈現了。

還有，研究會中少壯派中心人物若林正丈君，於前年完成了一本相當大部頭的書，叫「台灣抗日運動史研究」〔「台湾抗日運動史研究」〕。他目前在東大當助教，研究會中除了若林君外，還有一些同人已經取得副教授的位階以及學位。今後會有著作論文等陸續問世，請各位多多期待和指教。

研究會創設十年以來，這些可以說是辛苦十年歷程的一點小成就。

最近無意中自檜山先生那邊聽到各位服務的大學也正在籌備著台灣研究計畫，覺得非常高興。一直想著，有機會一定得來拜訪；那不僅是同行之間的禮貌，只要有人肯研究台灣，我除了感謝之外別無他話。並不是因為我是台灣出生的中國人，才有這樣的感受。這些事情是和我現在要報告的，30年來的想法有其本質性的關聯。我將站在更大的格局、更高的觀點上，向各位報告我未成熟的想法之一二。

老師們和諸前輩們經常告誡我們說：做研究的時候，必須常常自問因何而做學問，或者，為何研究歷史等。在我來說，為什麼研究台灣史呢？何況我本來是在農學院念農出身。我搞台灣史，理由安在？

各位想想，只要我們不自行放棄批判的知性，做為一個社會科學者，或者是一個人文科學者，其研究目的應該是透過研究對象，做好批判性研究，向社會、人類做出貢獻，才是我們的努力目標。只是，我是台灣出生，卻住在日本，專搞常帶批判日本「近代」的、日本統治期台灣的研究，這似乎顯得特別與他人有不同。

現在把剛才石堂先生（當天的司儀教授）介紹過的那本《台灣霧社蜂起事件研究與資料》（社會思想社）出版後不久發生過的一些事情稍為報告一下。

這本書定價13,000圓，對身為日本人的各位顯然是一本「苦澀之書」，卻出了三刷。本人很感謝日本的讀者先生們出了這樣高的價錢買了這本書。

書出後不久，有一次，一位匿名的男士，我想可能是傾向右翼的人物，打電話給我，辱罵且恐嚇我說：「你是什麼東西！住日本領高薪，還罵日本，是何道理！你這個清國奴，給我滾回去！」

我答說：「請等一等，究竟你有沒有看過我那本書呢？書裡面利用的所有資料，都是在菊花紋章（日本皇室徽章）下的作業成果。雖然我們不知道是不是在天皇陛下直接指示下的作業，但總是你們天皇陛下的官僚體制中的產物。我們曾經花了十年時間，和一些日本人的研究會同仁發掘祕密檔案和官方資料，做為參考而整理撰寫出來的書。如果你是看過後仍然有異議，那我將樂於和你見面討論。」

結果對方改變口氣，說：「是的，我了解了，讓我買一本來看看。」便結束了他的電話。

我相信經過了這場小鬧劇，我的書多賣了一本，不過以後再也沒有來過類似的電話。就像這樣的情況，在日本研究台日關係史，是一項頗感心理壓力的事情。在這個意義上，日本社會是讓外籍人士常感受到心理壓力的社會。我們不是說美國社會樣樣好，不過在那種尊重個人主義的社會裡，個人的意見或言論好像比較有保障，也比較能互相尊重。當然，美國的言論也有不自由的地方，其他種種缺陷也不少，但以總體來論，像日本那樣以集團抑或團隊主義為基調的社會控制力，那種看不見的壓力，美國似乎要少一點。

一方面長期「滯日」，一方面從事於以日本殖民統治期的台灣為中心的歷史研究，對我來說，幾乎是天天自己鬥自己；不僅如此，如何在不違背良心的妥當形式下，建立起能為日本社會所接納的邏輯與說明，不但是緊張，亦是非常嚴酷的課題。

不過，說來也許有一點自負，從另一方面來看，那種緊張感到頭來卻促進了我做為一個人的成長，這一點也是現在我所相信的。當然，這需要有前提——我的確有過「人的成長」，或者，正在成長，且已受到了第三者的肯定。總之，我是在這樣的信念下走到今天，這是事實。

辛苦是辛苦，不過，我還不至於完全孤立。一直到現在為止，有些日本人朋友、前輩、老師們，都在公私兩方面給我支援和鼓勵。

今天，我想把我的恩師之一的東畑先生的事，稍為提一提。都是些私人間的事情，很不好意思，請有所見諒。

其實，我們夫婦倆，都受教於東畑先生。師徒之交，期間不短，但我們向來不曾訪問過老師的家，連賀年卡片都沒有寄過。只是出書的時候，經常在第一本上面簽名贈呈，請老師過目批評係我的一貫作法。

記得是1983年的3月24日，是我將出發到美國去的前一天。我突然間感覺到一種不祥的預感：一年後回來，是不是會看不到老師了？就是那一天的奇怪感受，我們夫婦倆頭一次訪問了東畑老師家。老師很高興地接待我們，眼裡卻含著淚水：

「戴君，你是不是住日本住厭了，接受了美國方面的邀請呢？」原來老師誤解了我的美國之行。老師接著說：「當然，有不少無聊的日本人。不過你的發言很寶貴，希望你一直在日本努

戴國煇的恩師東畑精一（前排右一）和三位東大學長前來祝賀梅苑書庫落成，前排中為林彩美，後排中為瀧川勉，攝於日本千葉縣戴宅，1970年夏（林彩美提供）

力下去，不吝給日本人鞭策……」老師言重，令我感動。「如果碰到無理取鬧的傢伙，你不用忍聲吞氣，告訴我！我絕對支持你、保護你……不是在你面前講好聽的話，你的批判性言論是很出色的……一個社會對學術性批評的容納力的大小，和這個社會的成熟度是成正比的……」老師這樣贈送給我鼓勵的話並且替我餞行。

令人感歎的是，我們連老師的告別式都無法參加。在柏克萊接到訃音，只能在異地遙致哀思，祈願東畑老師的冥福。

我的信念

其次，我要把我的信念和研究的態度，向各位說明一下。一個人在某種緊張的情況下，持續地從事於「知性的思維和研究」，必須具有某一種信念。

我在研究途中發覺，身為台灣出生的中國人，只一味地訴說殖民地統治下的「怨恨、艱辛、受辱」，實在沒什麼用處，頂多從此陷入一種自厭心理罷了。寧可一方面重視「怨恨、艱辛、受辱」的感性做為「原動力」，不逃避它，正視它，一方面卻努力將其克服與昇華，把自己提高到理性認知的層次，這才是自己做為一個研究者的最「基本」的命題。

在日本的學界，台灣研究說得上是孤獨的追求。因此，它與職位的取得與「好名愛出風頭的學者」們的行動模式，可以說毫無關聯。

我，曾經為了超越自己，為了自立為更自由的一個人，更為了正確地接受纏繞在自己身上的「責任」，開始寫了形同自願且自行套上重「枷」的一類台灣史研究評論。

還有，當我想到不尋常的台日關係史、中日關係史，乃至日本對亞洲的關係的過去、現在和未來的時候，我也進一步確信，通過我們中國人和鄰國日本人所必須共同擔當的，甚至時而伴隨著痛苦的歷史事實，兩國人民之間彼此確認不可分的鄰人關係，這絕不是沒有意義的事情。

我的覺悟是，在充滿矯飾和虛構的「現況」下，為了忠於自己，我們必須自行洗滌自己的靈魂。如今想來，我是在不知不覺之間，自行培養出如下的一種信念——或許，那個被「人世間」所忽略了的「東西」，或者說，從流行中被遺留下來的「存在」——台灣，在那裡面我們可以找到解讀中日關係（包括台日關係）及日本對亞洲關係的過去和未來的歷史真相的鑰匙！這樣既是豁然開朗又是「反挑戰」性的一種信念。

說來也許有點冒昧自負，為了和有良知的日本友人共同確認身為亞洲人對未來歷史性的責任感，也有繼續台灣研究的必要，這的確是我當前的想法。

說得再具體一點，整理環繞著台灣的日本殖民統治的歷史事實，思索將它的意義在亞洲整體中適當地加以定位，從而向日本朋友的各位提示日本今後對亞洲的應有關係方式的規範，我相信這是可能的，也是應該的。

我曾經自己對自己訓誡過，要超越「怨恨、艱辛、受辱」，要從事於真正關乎亞洲和平，乃至世界和平的「知性行為的運作」。

我這樣的想法和作法，幸蒙東畑先生以及前文部大臣永井道雄等多位先生多方面的支持。不用說，他們幾位先生的支持，使我在言論活動上獲得很大的鼓勵。

昭和30年代環繞台灣的知性的、感情的氣氛

我在1955年秋到日本後，原本打算暫住兩年後再轉去美國，沒想到一住便住了30年。

說到自1955至1965年（昭和30～40年）這一段時期中的日本的某種知識界的情況，或者說，以東京為中心令人感受到的，戰後日本與台灣、國民黨政府周邊一般的知性的、感情的氛圍究竟如何？一句話，那是非常特異的。其特異處，今天絕大多數的學生是難於想像的。那有一些不得不如此的因素和時代背景；總而言之，是中共革命的衝擊，激盪了人心。人們覺得中共是亞洲明日之「星」，和象徵著希望的「青鳥」。很多人對中國大陸懷抱著非常大的期待。就是這樣的時代。

一般說來，日本人有一種根深柢固的「習性」，總是把國家與政府、政府與社會、社會與家族、家族與個人之間的關係，做一種集團主義等同式的看待。除非是具有相當高度的知識水平的人，或者是懷有積極意義的個人主義自覺的人，否則要把自己從這種集團主義的束縛中解脫，是很不容易的。

集團與個人之間的問題，既是不同層次但又纏綿不清，頗難用同一途徑來釐清並解決的課題，一般說來兩者之間是難於機械地理解和處理的。很多人不分層次，不考慮媒介，既用形式又用

一直線的態度看問題。例如，我從台灣來，一般人總是把個人、國民和政權相連，在一條直線上窺視我；他們對於什麼樣的人住在台灣、過著什麼樣的生活，都不甚了解。

有趣的是，當初在我身邊的一些學友，甚至對我懷有相當濃厚的警戒心理。雖然大致說來，思想進步的學友多，開始還是有「戴某，是不是來自台灣的國民黨特務？」這樣的猜疑。背後有人說，他的日語很好，可能是來做間諜的。這些，我初來時並沒有察覺到。有些朋友等到彼此的交情深了以後，才私下道歉說：「老戴，那時候懷疑你，很不應該。」這樣的小插曲，所表示的是，日本人較不容易把一個人從他所歸屬的集團、民族、政權、社會中分開來，純粹地就其個人層次觀察某個體特有的作法與想法。

戴國煇的日文著作《台灣與台灣人》

說來令人悲哀，有些人也不讀一讀我的著作《台灣與台灣人》（研文出版），就說「戴可能是台獨」；也有人因為我不曾訪問過大陸，就中傷說，戴可能是國府的間諜。所謂的啞口無言，便是我聽到這些無聊話後的寫照。

原日本財界龍頭的經團連前會長植村甲午郎先生曾經說過：「蔣介石總統向你們國人提倡『以德報怨』，我絕不能忘記。

我將終生在睡覺時不把腳伸向台灣的方向。」這些話對我來說也是一種很大的衝擊。我漸漸了解到同植村先生一般的感情，的確存在於日本的舊世代和保守的領導層中間。

但在另一方面，絕大多數的新生代，那個年代可以說是向北京一邊倒的，而蔣介石被他們視為負面形象的人物，所得的評價很低。因此，蔣介石統治下的國府台灣，自然引不起新生代日本朋友們的興趣，台灣變成了「盲腸」一樣的存在。這種感情，我都能大致理解，但不便苟同。

可是，現實上的台灣住有1,000萬（當時）人口，只用「一個中國論」的「台灣盲腸觀」輕易地加以概括定性，實不足以反映現實，也屬不負責任的作法。這和日本曾經殖民統治了台灣50年的嚴肅的史實與其歷史意義的再檢討，本來是不同層次上的問題。而有趣的是，人們常常把這兩種問題混淆在一起，幾乎所有的人都不想去了解它的真正意義，也不願去碰它，當然也就不會有什麼研究了。這是令人困惑且感到遺憾的事情。

對矢內原忠雄先生的期待與失望

下面我繼續報告一件帶給我頗大衝擊的事情。這是收錄在矢內原忠雄先生的全集第19卷、寫於1948年10月〈管理下的日本——終戰後滿三年的隨想〉中的一節。

我和矢內原先生的「相逢」，有過如下的經緯。

我有一位遠房親戚，也是中學學長的陳先生，是東大畢業生，曾經是有澤廣已教授門下的一員。1954年年尾，我向他請教，我有可能去日本留學，應該做些什麼準備呢？他勸我，首先讀那一本《日本帝國主義下之台灣》。

各位也許不知道，矢內原先生的名著《日本帝國主義下之台灣》一書，戰前在日本本土雖不曾遭到禁閱處分，在台灣卻因總督府當局作梗，該書不准在台灣上市。我們一般台灣人，要到戰後才能讀到這本書；或者從被遣回歸國的日本人教授等人手裡購進，或者到大學圖書館去找來閱讀。

理所當然地，我變成了《日本帝國主義下之台灣》的俘虜。進了東大後，也和一些台灣留學生組織讀書會研讀它；學友中甚至出現了把矢內原先生當「神」崇拜的一部分人。

我把矢內原先生的宗教以外的著作，隨手蒐集，加以鑽研。那時候，他是我們東大的校長。在我進行研讀的過程中，我逐漸發現，日本朋友中也有矢內原崇拜者和批判者之分。

不久，我終於遇到了摘要上的那一段文章：

> 日本殖民統治政策中的同化主義，在其思想基礎上，和法國所施於殖民地之同化主義有異。

這一段還看得過去。再下去：

> 在法國，其根底的思想是，天賦人權和萬人平等的、普遍性、全人類性的民主主義。因而，政策推行走過頭的弊害，顯現在於這過早地把尚未被理解的「自由」、尚未被渴望的「解放」，賦予尚處在低度開發階段的殖民地原住民。

這實在不能不說是萬分可悲的、不可原諒的說辭。

一位虔誠的基督教徒，當年反抗權力，寫就《滿洲問題》而被逐出東大的矢內原先生，何以有此一文……悲痛與哀切，幾乎使我不能自已。

這種說法，和美國帝國主義者曾經一再拖延菲律賓獨立的實現時所使用過的「藉口」，有何區別呢？我對矢內原先生，完全失望了。

至此，我也覺悟了。我們要留意《日本帝國主義下之台灣》一書的局限性。我們不能讀死書，被它所迷惑，我們要確立閱讀者這一方面的主體性。特別是台灣人讀者，尤其不能忽略這一點。

我再唸下去：

> 與之相反，日本的同化主義，根柢是皇室中心的民族主義，因而一旦推行過度，立刻變成了絕對主義權力下的強制統一，對民族自覺的壓抑。我不認爲日本的殖民地統治全屬於有害者，我想，至少在經濟的開發以及普通教育（筆者按：小學教育）的普及方面，是替殖民地社會帶來了永續性的利益。

這一段，帶給我更大的傷感。

這樣，他的觀點和說法，只有一個「結果論」了。每次到名古屋（中京大學位於名古屋）來，對於道路與地下街井然有序的情況，都覺得令外地來人佩服。名古屋的街道房舍很清潔，說來也是所謂的戰災復興的成果。當年受到美軍飛機B24、B29的轟炸，卻帶來了scrap and build的過程，才有這樣面目一新的大城市及地下街的出現。可是我們不能因為有了豪華地下街，就來肯定當年的美機空襲和戰爭吧！

問題在於：矢內原的看法和感受，並不止於是他一個人所獨具。

三、四年前，在福岡舉行的國際學術討論會上，名古屋的一位某私立大學的A教授，有過如下的發言：「並不能說大東亞戰爭的所有影響都是負面的。舉例而言，像印尼的蘇哈托（Suharto）總統這樣的人才，是日本培養出來的，這就是正面的成果了……」（大致如此）。

所有出席該討論會的外國籍學者都愕然相顧了。

下面我要提一個比喻，也許有點過分，但請包涵：日本對「原子爆炸病症」治療方面的水準，是世界醫學界中很出色的。為什麼有這些成就？那是因為患者很多，其他衍生出來的有關問題也很多，日本醫學界不能不全力以赴，才有今天的成就。那麼，我們為了企求「氫彈症」醫療技術更上一層樓，是否應該請求蘇聯給我們丟一個氫彈呢？我們能否用上矢內原先生的邏輯說，因為促進了原子炸彈受爆關係醫學的進步，原子彈轟炸「並不全為有害」這樣的話呢？

日本人的這種感覺，和非日籍亞洲人那方面的歷史感覺之間的出入和差距，正是圍繞在「歷史教科書問題」上，造成日本與亞洲其餘地區及國家間的摩擦的一部分原因，這一點我在當時就指出來了（〈為「教科書問題」給東鄰日本的評言〉，《世界》雜誌，1982年10月號）〔參見《全集》6〕。

我相信，當議論殖民地統治的功罪時，應把統治的動機、統治的過程以及統治的結果總合而論，才是應有的態度，正確的方法。

現在，我們暫時不問動機與過程，但是，把「普通教育」的成果，和「經濟開發」的成果留給台灣，那絕不是日本人的本意；真相是：因為戰敗而無法把這隻「名為『台灣』的乳牛」帶回日本。且以上所謂的「成果」，能不能成為永續性利益，還要看台灣人這方面的主體性能力和作為如何而定。

很遺憾地，我不能不說，矢內原先生不具有對我們這一方面——也就是被統治者——的「心靈」的理解「力」和相惜「弱者」的感情。我們實在無法接受那種不加限定的一般性邏輯。

從那一次以來，我痛切地感到，透過矢內原批判，我們必須確立我們自己的邏輯、解釋和主張，不然我們無法做好研究，更沒有可能盡到社會所負託給我們做學者的使命。

要進行矢內原批判，很難有適當機會。特別是在東大，矢內原的崇拜者頗多，幾乎欠缺批判這樣的氣氛和狀況。不過我還是在我們留學生的同人雜誌上發表了一些札記。

記得是中（共）、日建立邦交前夕的事情，在《朝日Journal》上，有竹內好先生和不久前逝世的橋川文三先生共同主持，以人物為中心的「近代日本與中國」特刊的系列企畫。我也接到了執筆邀請。在這個系列企畫中，唯有我寫了三篇。那完全是出於竹內先生向來的「虧欠台灣」的好意的補償。不過這些文章後來也和別人一視同仁地只被摘錄兩篇編為「朝日選書」第13與14號。在《近代日本與中國》〔《近代日本と中国》〕的上卷，有我的〈伊澤修二與後藤新平〉，下卷裡有我寫的〈細川嘉六和矢內原忠雄〉。

〈細川嘉六和矢內原忠雄〉一文，登在《朝日Journal》1972年12月15日號。很湊巧，發刊第二日，在東京某一大飯店，有「中日邦交建立紀念晚會」（正式名稱是否如此，已忘記）的召開，據報載，出席者中有大內兵衛先生、伊藤武雄先生等聞名之士。「中日復交」運動曾經是已故細川嘉六先生戰後活動中的主要項目，因此當天的晚會也招待了細川夫人，據說那個集會具有一點「慰勞紀念晚會」的意味。聽說在那席間，我的論文廣泛地成了大家的話題，大內先生竟然一再激賞，問伊藤武雄先生執筆者的戴是何許人。

過了三天，到研究所（亞洲經濟研究所）上班，東畑先生透過祕書邀我去面談。

實在沒有想到，身為大老的東畑先生，把那些為青年人辦的雜誌每一期都仔細過目。

「戴君，你寫得相當精采呀！你把矢內原批判到這地步，很難得……我是他被逐出東大後從農學院被邀，代他在經濟學院兼課。我從來都不會想到要和他一起喝酒的。東大裡面也有令人討厭的傢伙……」云云，先生講了很多鮮為人知的話，令我吃驚。

再過幾天，細川夫人託人傳話邀我替嘉六先生作傳，更使我惶恐。當然，我自感不力，只好婉拒。

「時效」已經過了，所以我才把這些小插曲公開。總之，何為歷史的「真實」，我們大家都拚命追求其真實，但我們究竟能得知多少？很遺憾，我們還得繼續質疑下去。

在研究工作上，問題的提出比較容易，至於要真正解明問題，那可是一件大事。

東畑精一先生與台灣

有關東畑先生廣泛的活動業績，是眾所周知的。不過意外的卻是，先生對台灣農民的高評價，知者不多。

在先生的昔年名著《日本農業的發展過程》（1936年，岩波書店）中，有這方面的描述。因時間關係無法引出原文，只把我記憶中的「論旨」大約介紹一下。

有兩個重點：第一，是對台灣農民有關商品經濟之敏捷反應，及對於台灣農村商品經濟實際情況的洞察，給予台灣農民高度評價。第二，是對台灣農村的農業用水，亦即灌溉系統的優良性的舉示。

東畑的觀點，不用說，是對台日兩地的農村與農民的比較考察後所提出的。這在今天，也許令人難於相信，當時對被統治民族的台灣農民，被統治的殖民地社會＝台灣的傳統技術，給予高度評價，是一件需要有相當道德勇氣的事情。且也需要對觀察對象的社會與人群，具有一種沒有「翳障」的眼睛和澄明的「心靈」，更需要活潑的思考力。我們說東畑先生是一位出眾的自由主義者，備有「知性的誠實」（intellectual honesty）者，實不為過。

在同一時期，日本流行著幾種說法：「台灣是生蕃之國」、「落後、骯髒、瘧疾猖獗的瘴癘之地」，最好的形象充其量亦不過是「出產香蕉與木瓜而四季常夏的土地」。在這樣的時代、這樣的狀況下，身為一個清醒的社會科學家，東京帝大教授能透過他的實地考察了解台灣，寫出真實的台灣，的確是很難得的業績。

這位東畑先生，有一天在閒談中向我說：「戴君，日本實在太對不起朝鮮人。和朝鮮半島相較，我們日本統治台灣的情況還算好的。」

當然，我立刻反問：「為什麼？」

先生回答說：「那是因為在殖民地台灣，生產力有了發展，而在朝鮮卻沒有能夠做到這一點……」不愧是經濟學家的東畑式判斷。

我卻做了如下的回答，同時也提出了質疑：「如果先生肯承認日本對台灣殖民地化的動機不在於慈善事業，且在其過程中也伴隨著毒辣、殘酷的彈壓史實，我願意對老師的判定的某一方面予以同意。」

不過，即使如此，還是有些疑念。很多日本人給予後藤新平極高的評價，認為在台灣的殖民地統治的不少「成果」，是出於他的手腕與政策。我們台灣人也認為後藤是個可敬畏的對手，對於他的厲害作法和鐵腕政策，也覺得雖然遺憾，卻不能不歎服。

然而，我們還是不能把後藤新平認作孫悟空抑或猿飛佐助（日本通俗小說中身具奇術之士）的。後藤「神話」的最大缺陷，是遺漏了當時台灣社會經濟發展所處的階段和既有的條件，及變成統治客體的「台灣人」的「人」的條件等。先生曾經在《日本農業的發展過程》中明示過、舉出過的觀點，正是該神話所遺漏了的主要部分。

殖民地統治的結果或者「成果」非他，正是統治的主體與客體之間的相互「傾軋」和「結合」的綜合性產物，我要指出的是這一點。如果後藤真正具有「神通怪力」，為何不把他的策略帶往朝鮮半島去實施呢？真實的情形是，即使把他和他的方策移向朝鮮，也將毫無作用的，因為朝鮮半島有其特殊的主客觀條件所以然也。

東畑先生頷首表示同意，並且說：「你的那篇獻給仁井田君的論文（〈晚清期台灣的社會經濟——並試論如何科學地認識日帝治台史〉*2，收錄在《仁井田陞博士追悼論文集．第三卷「日本法與亞洲」》）〔參見《全集》6〕實在寫得很好，我也得到了不少啟示。」如此般地誇獎了我。

殖民地統治對日本庶民亦屬不利

我另外還有一位恩師，神谷慶治先生（歷任東大農學院院長，現為名譽教授）。有一天，因為討論會的研討搞得很晚，所以就留下來和老師及學長們共進晚餐，老師說：「關於台灣的砂糖，我有一句話。台灣人的確遭到糖業資本家的剝削，日本的糖業資本家在基本上是靠這種榨取而成長，這是不爭的事實。但，戴君，希望你不要忘記，日本的一般消費者，也是被害者。因為

*2 日文原題為「清末台湾の一考察——日本による台湾統治の史的理解と関連して」。

保護關稅，我們日本人消費者也被迫以比國際糖價還高的價格購用台灣砂糖……」

乍聽之下，我吃了一驚。那是1957年初夏，記得我還就讀研究所碩士班二年級。

這是遲來的領悟。有關殖民地統治的「關係」，具有這一番錯綜複雜的多重結構，我還是第一次被迫而想及。

自從受到神谷老師的啟迪以後，我發覺到「被侵犯的一方」＝被殖民的一方，也有其「責任」。不能單純地自以為是純粹的被害者，不能一味只追究對方的責任，而必須同時究明本身內在的「責任」，把雙方面的有機性關聯明確化，且施加銳利的分析。我把這樣的想法加以邏輯化，一直主張並編入我的方法論裡迄今。

對馬克思主義派學者的失望

大約在同一時期，經由幾位馬克思主義經濟學的教授們的努力，有關日本資本主義研究的戰後成果，逐漸地問世了。我當然期待著他們的研究和探討必是包括殖民地——台灣、朝鮮、「滿洲國」——問題。但是當我拿到書而發覺這些問題完全受忽視而欠缺時，那種失望的心情是難於表達的。

與隱字極多的戰前岩波版「日本資本主義發達史講座」（因受日本當局的檢閱，甚多關鍵之處開了天窗）相較，學術水平不但沒有超越，反而「後退」許多。

即使那曾經惹起昭和史論爭的《昭和史》（岩波新書），對發生在1930年的台灣霧社蜂起事件，也只用六行字處理。這種「問題意識」的欠缺和「薄弱」，實在教人寒心。當然，日本近代史研究者的射程，至今剛達到沖繩列島（也就是琉球列島）而已，對他們來說，台灣是太遙遠了，根本還難得進入他們的視角。

這種「視角」的欠缺、「射程」的不足，到底意味著什麼？為什麼日本的各位學者先生，若無其事地「飛越」過台灣？我想了很多，頗不易理解。

是不是台灣太小，不值得一顧……這一點也揣摩過。

矢內原先生的《日本帝國主義下之台灣》問世以後，社會科學方面比較完整的台灣研究的著作，大概只有川野重任先生的《台灣米穀經濟論》〔《台湾米穀経済論》〕和高橋龜吉先生的《現代台灣經濟論》〔《現代台湾経済論》〕兩本。

為什麼在戰後的日本學界，缺少對過去的台灣統治的再檢討和歷史定位的學術性作業呢？

在我們台灣人方面，也要負一點責任。不過話又得說回來，具有日本本位的「台灣殖民統治史」都不曾在戰敗後的日本出版，即使我們台方學者想批判也沒有素材可以批判。

庸俗論調的橫行

在如此的真實情況下，只能看到有關台灣的既粗糙而又不正確的印象論橫行於敗戰後的日本，的確令人困惑和深感遺憾。

這裡讓我介紹一個印象論的惡例。記得是十一、二年前的事情。在《柳田國男研究》雜誌的企畫下，由有賀喜左衛門先生、谷川健一先生、宮本馨太郎先生和我四個人開了一次座談會〔參見《全集21・追尋民俗學大師之路—— 柳田國男與柳宗悅座談會》〕。在那次的座談會中，專攻日本史的宮本教授對我說：「戴先生，歷任的台灣總督中海軍出身的多，所以在殖民地統治方面相當順利（暗指日本海軍比較開明），朝鮮方面因為都是陸軍出身，所以毫無政績。」（大意如此）這句話讓我大吃一驚。

50年之前，台灣歷代總督19個中海軍出身者，其實僅有三位。那第一位，也就是初代總督的樺山資紀，實際上是半途由陸軍移籍海軍的軍人。另外兩位是太平洋戰爭前夕的小林躋造，和戰爭發生後的長谷川清。像這樣錯誤的印象論並不是宮本氏一個人所獨有，而這樣誤信著的人也不在少數。所以即使當場糾正宮本氏，問題還是很嚴重地遺留下來。

再介紹一個例子吧。是十四、五年前的事情了，記得是在「亞洲政經學會」召開的學會中發生的。某大學的一位M教授，對殖民地統治的成果方面，滔滔不絕地發表著台灣與朝鮮的比較論。他的結論是，因為台灣氣候溫暖，所以日本人比在寒冷的朝鮮搞得順利。好一個地理唯物論！於是乎我質疑了：「那麼，比台灣更溫暖、天然資源更豐富的南洋，也就是現在的東南亞一帶，特別是印尼究竟又如何呢？光從氣候這一方面來說明台灣，好像不太……」我的話還沒問完，那位司儀先生大概顧慮到報告者的面子吧，插嘴說等散會後再由兩位做個人討論比較好，草草地宣布休會了。

這一類庸俗論調及印象論，為什麼這樣輕易地橫行於日本

以日本民俗學之父為名的民俗研究雜誌《柳田國男研究》（季刊），由日本白鯨社發行（原件典藏於中央研究院人文社會科學聯合圖書館）

呢？我曾花精神檢討過這個問題。

依我的想法，第一個原因是認真從事台灣研究的人太少。第二個原因，是來自於台灣人這方面的「反應」，間接地支持這些庸俗論調及印象論。

關於第一個理由，這裡不再重複。下面，我繼續簡單地報告一下，我認為的第二個理由。

台灣方面的「責任」

在由我所撰〈晚清期台灣的社會經濟〉中，我試著把殖民地化前夕的台灣，從下述的三個焦點加以整理：

1. 寄生式地主制度在台灣已相當成熟，形成了具有相當數量的中產階級。

2. 樟腦、蔗糖、茶葉等國際商品，已有相當規模的產量，並輸出於國際市場。米的產量已有剩餘，也已銷售到對岸的大陸市場。

3. 以社會經濟條件為前提與背景，晚清在台灣推行了洋務運動，亦即近代化運動（實施土地調查，鋪設鐵路、海底電纜，引進機械化製糖法等）。這一番洋務運動的「成果」，後來變成了方便殖民地化銲接新政的架構，與日本的殖民地開發事業相結合，對後藤與兒玉的台灣施政發揮了「正面」作用。

因1945年8月15日的歷史轉機（日本戰敗），台灣終於回歸了祖國——中國。

所謂的回歸，也就是台灣自既存的日本統治秩序中脫離，進入當時正由重慶復員至南京的國民政府（國民黨政府）的政治經濟秩序（內實卻是一片混亂）中的一段過程。

在這一過程中，發生了許多摩擦和衝突。當然，主因是國民政府派來的接收機關與官員的失政。終於在回歸後不足一年半的1947年2月27日晚上，發生了「二二八暴動事件」（以1947年2月27日晚間的黑市香煙取締事件為導火線，發展為全島性反政府暴動）。暴動招來了彈壓，有相當數目的台灣人菁英失蹤並犧牲（農民與勞工幾乎沒有參加這一次的民變）。

到了1949年10月1日，中共政權成立於北京。由於「二二八事件」的後遺症和對中共政權的忌避心理，流浪在海外的台灣人中上階級人士之間，從1950年代初開始，產生了台灣獨立運動，當時的運動中心在日本。

整個1950年代期間，邱永漢先生的政治言論活動（主要以《中央公論》和《文藝春秋》兩雜誌為舞台），便是這個運動的一個反映。還有，凡是對台灣懷有關心的一般日本人，大都會看王育德先生的《台灣》，這也是屬於同一類政治主張的書。

邱、王兩位前輩的「說辭」，日本人聽來當然很順耳。連老學人矢內原先生都無法處理不同邏輯層次的問題，則一般日本讀者更無法抗拒邱、王兩位的「甜言蜜語」，那也不足為怪。

當然，即使在邱、王兩者之間，也有行動模式和思考方法上的微妙差異。不過大致說來，他們都認為台灣是因受過日本的統治而得以近代化；他們都討厭國民黨，認為晚景不長了，但對於可能接踵而來的中共合併台灣之舉，也覺得是難於接受的事。他們有這樣的共通心情。說實在的，這樣的心情在台灣的中上層階級並不罕見，在台灣的中上層階級，特別是那些曾經從日本的台灣統治價值體系中獲取過「分嘗利益」機會的人們，不知不覺之間已經變成了「日本秩序與殖民地統治價值體系」的俘虜。尤其在青壯年世代中，在一定範圍內是存在著上述一類心態的。

不瞞各位說，我有一位遠親（現已逝世），也是懷有這樣觀念的代表性人物。他是被徵派到海南島的日本陸軍的一員，開始是由於服從命令，後來是因為惰性，當日本軍的馬前卒，搞些軍政方面的下層工作。日本戰敗後，當然，具有台灣人身分的他，離開了日本軍隊。海南島的中國人指責他「身為中國人一分子的台灣人，還替日本軍隊跑腿……」使他「狼狽」不堪地回到台灣來。他並沒有自覺自己有任何「責任」和罪過，一念怨恨在日本戰敗後海南島期間的遭遇，而參加了「二二八事件」。一度繫獄後被援救出來，此後心情苦悶，至死還夢想著台灣獨立。

當然，他是位親日派，有舊識的日本人到台灣訪問，他殷勤招待，各處陪遊、開宴席，還得罵國民黨幾句。

與我那位遠親同年代的人們，愈是上流階級，愈不會說中國話——北京話，但日語卻很拿手，甚至連母語（屬於中國方言的，一般被稱為台灣話的閩南語及客家話）都說不出口，這是實情。

今天與會的各位中間，一定有不少人曾經訪問過台灣，而遇到過一些日本話流利、懷念著日本人的、50歲以上的台灣人。在這一類型的台灣人的內心「深層」，部分藏有剛才提到過的因素，這一點希望各位能給予關懷及理解。

報告了我遠親兄弟輩的事情，我想順便再提一提我的二哥的想法，給各位做一個參考。

二哥大我十歲，還在世的話，今年應該是63歲。他早年留學東京，因為念的是法科，逃不過「學徒從軍」，幹到「曉部隊」（日本著名船舶工兵隊伍的隊名）——俗稱海賊部隊的軍

戴國煇二哥戴國堯（右）和其同袍，約1944年（林彩美提供）

官。好在日本投降得早，撿回來一條命，是個所謂的波茨坦中尉。終戰後不但不回台灣，連家信都不太肯寫。父親不放心，叫我順道到日本去看看究竟怎樣了。

因為當時我已經申請到美國大學的獎學金，本來是想到美國去留學的。到了東京見到了他，他卻說：「你不要急，先在東京念兩三年書再去美國不晚……」

我回答說：「我討厭日本人，我不願意留在日本。」他吃了一驚，問我理由。

什麼理由！在殖民地台灣遇到過的日本人，形象太壞了嘛！在校園生活中，經常被日本人同學辱罵為「清國奴」；特別難過的是挨那些留級的太保日本學生揍。軍事教官、劍道老師、國語（日語）老師等，動不動就開口罵「清國奴」、「支那人」，這種痛苦的受辱記憶，在離終戰僅十年的1955年，當然還很鮮明且生動地帶著個人的屈辱感、挫折感，存留在我的腦海裡。

聽完了我的牢騷，二哥以平靜的語氣說：

「你的專攻將是社會科學，可是，你卻以個人的體驗而憎恨著日本人，氣度太狹小。我們的確受過日本人的欺凌，我的軍隊生活尤其悲慘，但我們所應憎惡的對象，應該是把日本人驅向作惡的那種帝國主義的體制和機制才對。一般的日本人，雖然層次稍有不同，也同樣是那種體制的犧牲者。站在個人立場恨那些個別的日本人有什麼意思？連這一點感情上的障礙都克服不了，還想留學做社會科學研究幹嘛？……」二哥很嚴肅地訓誡了我一頓。

二哥年齡比邱、王兩位大兩、三歲，我們家是醫生兼地主，也經營碾米廠，在這方面和邱、王兩前輩的出身家庭背景沒有太大差別。可是他對邱、王兩位的論調不滿，常說「這些人太輕浮」，看不起他們。

我想過，為什麼有這樣的差別。大概是幼年期的教育背景的不同所帶來的吧！我們兄弟都受過祖父的嚴格管教，祖父是一位漢學家、民族主義者。在我們兄弟姊妹之間，沒有一個進入日本人小學校當共學生（聽說，我祖父婉拒了日本當局的勸誘）；那些共學生的家庭，多數若非日本當局的買辦、協力者，也是機會主義者。

我的二哥還有如下一段話：「你應該努力去原諒日本與日本人，因為被納進一種體制裡面的個人，只是個可憐蟲。一般說來，個人即使懷有滿腔善意，也做不出什麼。以我來說，我並沒有自願什麼學徒從軍，一切都是強制的，如果拒絕到底，一定要被抓去坐牢，有良知的日本人同學，心情都差不多。我們真正念書的大學生，哪個會真心替日本軍部打仗呢？那只是送死而且毫無意義的，但怕特務及憲兵的鎮壓而沉默『遵命』的呀！」聲調裡還含著怒氣。

不久，五味川純平的《人間的條件》（著名的反戰實錄小說）成了暢銷書，二哥與我都耽讀了。我把書中主角梶的苦惱，和二哥的話揉合在一處，用我自己的方式重新思考過「戰爭、體制與人」的本質性問題。

個人善意的局限性

最近，日本人中間的一些所謂舊台灣關係者，用自費出版等方式，發表了不少「回憶錄」之類的文章，我都盡量收集閱讀。不過，對於日本人的「善意表現」，我實在感慨繫之。

一般說來，在台從事過教育的人士，都是在充滿善意的回憶中，主張自己當年是如何地拚命努力從事教育過。遺憾的是，在我所看過的範圍內，沒有一篇文章是檢討殖民地體制下的教育的正負面意義和局限性的。

1960年代後半以降，台灣的經濟好轉了，台、日之間的來往變得頻繁，一些台灣老人招待昔日的日本人「恩師」，變成了風尚。

日本與台灣，同屬於儒家文化圈，重溫師徒故交、尊師重道雖是好事，也可以說是很平常的事。不過有人把這類的招待與歡迎，自負為美談，不問青紅皂白概括日本在台教育都是好的。甚至有人趁此而證明日本的殖民地教育對台人全是善、是成功的文化傳播，故意造成「美麗的誤解」。這樣的社會現象使我們吃驚。

我著作的讀者裡面，有一位以前的台灣公學校（台灣人子弟的「小學」）教員，對這樣的風氣很憤慨感歎，寫信給我說：「我也收過邀請信，因為覺得心理上還沒有充分的準備，所以這兩三年之間大概不能成行。如果我去了，我要先行向從前那些學生們謝罪，然後向那家以前教過書的學校提供獎學金或者捐贈一些樂器，到時候還請戴教授多多指導。」像這樣具有良心的日本人老教員，才是日本人的光榮。

歷史告訴我們，無論哪一種殖民地體制，不論東洋式或西洋式，都是罪惡彰顯的體制。可是，非常令人遺憾的是，這一份理解，一直到現在還沒有浸透到一般日本人社會中間，對此本人深懷危懼之念。

台灣人和朝鮮人

有時候聽到對本人有好感的一些日本朋友說：「戴先生，你們中國人，特別是台灣來的，都很溫和，也很重禮貌，給人印象很好。可是那些朝鮮人，動不動唱反調，不顧情面。」云云。

一般的台灣人，聽到這樣的話就有點飄飄然了，總要趁著對方的口氣聊表同感，並和那位發牢騷的日本人一起來個「朝鮮人批判」——不過，與其說批判，倒不如說是背後罵人。像這樣的場面，不難遇見。

有關日本人和朝鮮人之間的「相互厭惡」的問題，已經有很多分析和議論，今天不必由我來再提出。今天我要澄清的是，我對殖民體制下的台灣與朝鮮的差異，以及由此類差異所呈現的各種現象的社會科學屬性之未成熟的解釋。

前面我已經說過，殖民地化以前的台灣，早已經有寄生地主制的廣泛存在。因此，日本人地主無法打進台灣的農村部門，更不用說生根了。

那麼，朝鮮的情形如何？有「東洋拓殖株式會社」，日本人地主在相當的範圍內又浸透到朝鮮的農村領域。因此，農村農民階層的兩極分化呈現了，在那分化過程中被擠出來的貧窮者，或被帶往日本，或自動到日本討生活。兩地距離近，也有關係；總之，往日朝鮮人在日本四島的從業範圍廣、人口多，這就是遠因之一。貧民們來到日本後，多數當然只有混進最低的社會階層；民族的偏見以及社會的偏見，更因為來日朝鮮人的職業種族和所得的低賤而不斷地增幅下去。

朝鮮是整個國家被殖民地化，有李王家與兩班（朝鮮人貴族之稱謂）的存在。兩極分化的結果，以朝鮮「共產黨」為首的激進抗日革命運動，頑強地展開了。

當時，台灣也有過「共產黨」，但比較弱小，人數也少。台灣史上不曾存在過獨立的國家體制，貴族只存在於山地少數民族的「酋長」制社會中。原來台灣是中原——中國大陸國家——的國內邊疆殖民地，日帝對台灣的殖民地化，只是把中國邊境上的南海一孤島切斷，納入於日本經濟圈的外緣，這就是全部的史實。在這個過程中，台灣人不能和中國大陸人民共同經驗中國的奔向「近代」的胎動，尤其是重新被編進日本殖民地體制中的，以地主階層為中心的中上流階層為然。

因為是個孤島，抗日運動在台灣沒有庇護地。但台灣海峽的對岸，至少在形式上還存在著「祖國」，對台灣人來說，無論在物質上、精神上，都是在台抗日運動的「庇護地」，有時成為「避風港」。

台灣的農業生產力，以甘蔗與稻米的連作方式而提高。糖業帶來了就業機會，以寄生地主為核心的中產階級的數量相當地大，發揮了維持台灣農村相對性穩定的作用。來日的台灣人，多數為中上層階級出身的留學生、貿易業者。當然，他們所從事的抗日運動，差不多是以溫和的改良主義為主調，台灣人在日本人印象中的形象，自然不至於太惡劣。「有錢的少爺」總是顯得懦弱，甚至讓一般人感覺得有點可愛的吧。人數方面，最多時也不曾超過五萬人。台灣人的勞動者，在日本幾乎看不到，只有二次大戰末期被徵用到軍事產業的少年工和一部分青年工是例外。以上這些因素，才是台灣人與朝鮮人對待日本及日本人的行動方式的本質性差異的由來。庸俗的強調「民族性」之差異來說明日本人對台灣人和朝鮮人的不同形象觀，我認為這是不科學的。因而我當然不能苟同。

不過，我的評價是，住日朝鮮人的「好唱反調」，使戰後日本變得「豐裕」了，尤其在文學的領域上，這種「好唱反調」產生了正面性的「刺激」效果，由而產生不少純文學的佳作。在音樂界、運動界也繼續地發生正面性的「衝擊」，係眾人皆知的實況。

台灣獨立運動的支撐

台灣與朝鮮之間的差異點，還有兩大項。

其一，不曾聽說過朝鮮有「山地少數民族」的存在。日本有愛奴，台灣有以泰雅族為首的少數先住台灣諸民族——一般被稱為高山族或山地同胞的人們。

其二，據說朝鮮半島上，雖有以意識形態為中心的南北對立，卻沒有民族對立。即使有，也不過些許的「地域主義」屬性一類的對立。

可是，訪問過台灣的日本人，有時候會從一些日語流利的台灣人的口中，聽到諸如本省人和外省人的矛盾和對立、「台灣獨立論」、「罵倒國民黨論」、「反對中共論」等論調。

在朝鮮半島，基於意識形態的持續對抗狀態，有廣泛的、民族統一的、悲願的基調性呼籲。幾乎聽不到分離、獨立一類的論調。

在台灣，當然有國民政府主導下的反共、反中共運動的持續；除此，在台灣島「內」之外，還有以台灣人中上層階級的滯外子弟為核心的「台獨」運動。

這些人倡言「台灣民族論」，既反對國民黨政府，也反對中共過海來台。他們主張，台灣民族已經形成，他們已不是中國人，因而沒有和中國大陸統一的理由云云。

他們的台灣民族論相當牽強。台灣島內，的確有外省人與本省人的對立和省籍矛盾的存在。主要的原因是「二二八事件」的「傷痕」還沒有痊癒，國府體制的民主化遲緩。不過，我認為，它的本質是屬於地域主義對立的層次，而並不屬於民族對立層次的問題，兩者之間有其根本性的差別。

本來，被稱為本省人的人們，九成以上是在明清期間，為了開拓新地而由福建、廣東兩省渡過台灣海峽，來到這個國內殖民地台灣的人們的後裔。做為反國府、反中共、反中國的邏輯前提而提出的「台灣民族」，即使環繞著台灣的島內及國際條件已經出現且被容許，為了達成充分的成熟，我認為今後還得經過相當長的一段時間。

想把台灣民族的成立求之於歷史＝過去的「痕跡」，不能不說是件頗難建構道理的事情，若一定要尋求「台灣民族」的歷史根源的話，只好向「台灣少數先住諸民族」去覓。但迄今，高唱台灣獨立建國的台灣民族論者甚少對「台灣少數民族」問題有過深刻的探討及反思。

認為台灣民族論太牽強的另一批體制改良主義者，推行著台灣內部的民主化運動。這就是所謂的「黨外」運動的一部分流向；因為時間有限，無法深入詳論。不過我要指出的一點是：受日本的殖民地化和50年的統治，正是台灣民族論被唱出的遠因之一。我希望日本的各位先生了解這一點，也希望各位多多地考慮，當民族內部的分裂抗爭到了熱血奔騰的時候，因為是「近親」，其相憎加深，一搞不好會促成相互殘殺一類「淒慘」的大悲劇。

山川均的《殖民政策下的台灣》

台灣獨立運動是一部分台灣人的心聲、主張，這一點沒有錯。不過若給予過高的評價，或者日本朋友在感情上把它和自己對台灣的「鄉愁」混在一起，錯認政治生態的流向，我則覺得頗有危險。

在矢內原先生的《日本帝國主義下之台灣》出版前不久，山川均先生也公開了《殖民政策下的台灣》〔《植民政策下的台湾》〕（戰後被收進《山川均全集》第七卷，勁草書房）。前者主要的「資料」提供者，是當時東大在籍者中的台灣人菁英及其周圍的人們；而後者的資料來源，是不同於東大菁英分子的台灣人左翼分子，兩者走著不同的道路。

如上所述，自殖民地時代以來，台灣人的思想活動和政治行動，是具有多面性的。因此，如何掌握台灣的現狀，如何繪出台灣人的一般形象，要完成上述的課題，是需要花上一些精神和相當的努力的。對台灣人以偏概全，不去洞察他們的生活曲折、複雜的心理結構，只顧表示些輕率的「口惠」性「理解」或「善意」，說不定將招來意想不到的「反彈或抗拒」，這一點我藉這個機會必須提醒各位。

日本的回歸亞洲和台灣模型的提示

我原本要向各位報告我對研究的信念與態度，結果把態度的部分說漏了，讓我再補充一下。

自1960年代中期到1970年代中期，大約十年的期間，我在亞洲經濟研究所從事研究工作。那是整個亞洲因越戰和中國文革而發燒著的年代。日本資本主義一方面留意於那些情勢的發展，一方面全面推動著「新南進政策」和它的亞洲回歸相關聯的一系列動作。美國為了防止越南革命的波及，推動以品種改良為中心的「綠色革命」，在馬尼拉設立了IRRI（國際稻米研究所，International Rice Research Institute），拚命想造出高收穫量的優良品種。在這個過程中，受到注意的品種之一，是台灣的「蓬萊米」。

在台灣，輸入替代產業的培育初步地上了軌道，接著因「加工出口區」的設立而鼓勵勞力密集型的輸出加工業，台灣經濟的高度成長，開始受到了世人的注目。

由於這兩者相乘的好形象，方便做為亞洲開發中國家的模範，台灣模型遂廣被宣傳，特別是由日美兩國所提示的台灣模型，很容易把議論帶進對殖民地時期台灣的、沒有立場且具輕浮屬性的評價。

我在亞洲經濟研究所的期間，在身邊經常聽到這樣的議論，漸漸地感覺到一種危機感。

日本企業對亞洲的投資逐漸增加為主調的日本向亞洲之回歸，當然地又將日本與亞洲之間的摩擦、日本人與亞洲人之間的「齟齬」，赤裸裸地呈現出來。

雖然有不少有良知的日本人呼籲大家去理解亞洲人的「心靈」，但好像沒有什麼效果。隨著日本的經濟大國化，人們愈來愈習慣於「矯飾」，愈來愈看不見社會現象和事物的「本質」，不可一世的、驕傲的新生代也逐漸出現了。

不知不覺之間，我變成了日本與亞洲之間的「邊際人」。我的苦惱也愈來愈深。追求如何遏止摩擦和「齟齬」的惡化、如何建構亞洲與日本的芳鄰關係，變成了我寫評論的重要課題。

我發現，妨礙日本人對亞洲認識和國際化的要因之一，是日本沒有機會真正體會到被殖民、被統治的痛苦經驗。日本是唯一沒有體驗過亞洲共有的被殖民化「病理」的幸運國家，這一點當然是可喜的。可是，被統治當然會產生些病理，統治人家也同時地帶來些殖民者又頗難免的另一類的社會病理，本來還是有機會通過這種自己獨有的社會病理去反省，變「禍」為「福」的。戰後的日本人的確有過這種機會。

可是，日本現實中所展現的現象卻是：不但不反省，對自己在台殖民統治的「成果」仍然有讚美兼自我陶醉的一種風尚，甚至歌頌舊日子為好日子的社會氛圍。我深感這一種風尚蔓延下去將危害亞洲的和平，於是，我積極展開了我的言論活動。《與日本人的對話》（社會思想社，1971年）、《日本人與亞洲》（新人物往來社，1973年）、《討論日本之中的亞洲》（平凡社，1973年）、《境界人的獨白》（龍溪書舍，1976年）等，就是我在這一期間的小小業績和紀錄。後來，從這些文章裡面，再選出適切的部分，出了本文庫本《新亞洲的構圖——尋求芳鄰關係的展現》（社會思想社，1977年）。書中，我嘗試從更廣泛的視野，向年輕一代的日本朋友披露了我未成熟的一些觀點，並提出了我由衷的呼籲。

「共犯」結構的自我揭發

在前面所提出的一連串研究及寫作裡面，我所提出的視角有幾個方面，其中最被認為「新奇」的，是對被侵犯方面的一些責任的摘出和指責。

同時我也指出，在侵略與殖民地經營的過程中，被侵犯一方的「共犯結構」，若不經過事後確認與自我揭發，則意圖把它昇華為歷史教訓，並使這個教訓共有化，是非常困難的。

以我戴家為例吧。我們戴家一方面在抗日運動中遭受到血腥的彈壓，在殖民地體制下承受過無限的民族歧視；可是，另一方面，做為被編進殖民地體制下的地主家庭、自願去肩擔殖民地醫學使徒的角色，卻也有機會積蓄一些財產。在後面這一點意義上，我們戴家不但處在「共犯」者的地位，同時也可以說是屬於分嘗殖民地統治利潤「殘渣」的「特權階層」吧。

初期的侵略、統治過程中，「嚮導」都是由我們漢族系台灣人中間的「自家人」來扮演。後來，從「同胞」中間繼續產生了買辦和合作者，為了分一杯「殘渣」而賣力過。

又，殖民地主義與侵略戰爭，不用說它會帶來物質層面的破壞和財富的收奪，更糟的是，它會不分青紅皂白地，把「侵犯者」和「被侵犯者」雙邊的人性破壞殆盡。我將提議，日本的各位先生，若有可能的話，經常和亞洲的民眾一起來反芻並反思這一系列並不甚愉快的史實。把侵略戰爭的悲劇、長崎與廣島的悲劇，進而把殖民地統治的歷史教訓，收進自己的歷史教訓裡面來，加以正確的定位，大家共同來描繪出更光明的遠景。

暫時的結論：展望與盼望

以上，拉拉雜雜地講了許多。在我來說，了解台灣和台灣人全體過去的史實，一如了解我們台灣關係人士們的個人來歷，同樣的重要。同時，我也相信，為了把台灣的過去和未來，連接在中日關係（包括台日關係），連接在日本與亞洲的關係，甚至焊接在亞洲和平、世界和平上面去思考，這份整理及了解的工作非常重要。因此，身為日本人的諸位先進，實在不應該放任這種「失落台灣研究的當今性缺陷」狀態繼續下去。

由在日朝鮮人創辦的《季刊三千里》（原件典藏於中央研究院人文社會科學聯合圖書館）

其次，台灣史不僅是台灣全體住民本身的歷史，同時也是中國史的一部分，在這個意義上，更可以延伸其脈絡至東亞史、世界史來思考今後的課題。台灣史、中國史、東亞史、世界史等各部分之間，共有著有機性關聯自不待言，如果沒有這樣的視野去掌握問題，恐怕不易體會亞洲近現代「時代精神」的來龍去脈，更遑論去理解其真正的內涵及其流向。

根據以上的觀點，我願重新提出下面的幾個課題，和各位先進一同思考，當作我對往後研究工作的新挑戰。

第一，近日來，甚多人士高唱著「世代不渝的中日友好」關係的建構，不過，我們先要把頭腦冷靜一下，不能光喊一些口號。我們要分析解明，日本人是如何通過台灣統治，而在歷史上強化了對中國人的「偏見」。把這段經緯分解清楚後，再把它變成一種歷史教訓，做為建構中日友好關係的一個基礎。

第二，日本在台灣的殖民統治體驗，對其後日本對亞洲關係的形成，究竟扮演了何種角色？又帶來了怎樣的影響？我希望對其思想、政策的擬定和實施，以及統治技術等方面試予考察和整理。我期待透過這種課題的研討及完成，來摸索、甚至創出日本與亞洲之間應有的新的關係模式。

第三，住日外國人中過半數是朝鮮人，做為剖析在日朝鮮人問題的一個新的視角，解決在日朝鮮人問題的一個途徑，我想若能研究好日本對殖民地體制下的台灣和朝鮮，所做的一切行為並加以總結，同時進行一種比較研究是不難找出其因應對策之線索的。通過比較研究和分析，相信能得到更多的史實和觀點。又，比較研究如有成果，當然也有可能對日本近現代史的研究帶來新的刺激。在這一點上，務請各位協助和指教。

做為第一步的嘗試，我受邀和在日朝鮮人教授姜在彥先生，在《三千里》季刊（在日朝鮮人文化界創辦的著名刊物）第41號（1985年2月1日號）上面，已做過一次題為「殖民地下的台灣與朝鮮」的對談，不久就會出刊，務請各位過目並不吝指教。

多煩各位靜聽，謝謝各位！

本文原刊於《社會科學研究》第5卷第2期，名古屋：中京大学社会科学研究所，1985年3月30日，頁1～33。係演講紀錄的補正稿，1985年1月21日

第五章　兩個尺碼與認識主體的確立

——應該加強日本和台灣史的研究

過去三十多年當中，台灣社會發生了史無前例的變遷並面臨了新的挑戰，台灣從未有過如此般的工業化，沒有過像現在台北人口那麼集中繁榮、那麼高的物質享受水準。隨之而來，也發生了許多必須面對的社會問題。台灣社會正面臨著轉型的階段。

未談到台灣之前，先從日本說起。1970年代，日本出現了許多「日本論」、「日本人論」，也就是日本人為自己尋找出路因而為自己下定位的有關討論的書，如雨後春筍般的問市。從日本的歷史來說，「明治維新」以前，日本的老師是中國：「明治維新」以後，是學習西方，最後以「德國模式」力求其近代化。戰後，他們又一轉，變成向美國學習、找模式。主要的內容除了科技以外，一方面是他們的經濟和經營方式，另一方面是美國的法治人權，和各種社會科學教育。

到了1970年代，日本逐漸從吃兩顆原子彈戰敗後的慘境，重新站起來，成為經濟大國。在這個日本社會轉型的過程中，「日本論」和「日本人論」的出現，表示他們發現日本快沒有老師了。以前跟中國學的，似乎都變成了博物館的「老古董」；戰前，學習德國的納粹，其慘無人道帶給人類鉅大的災害，戰後的日本也不能再學習德國；戰後英國自己的「病」相當重，法國的政治小黨太多，分歧對立，也搞不起來，義大利亦積重難返。戰後只有學習美國，但後來發現美國社會也面臨著很大的危機，經濟慢慢衰退，並且也出現了反戰運動、嬉皮運動、黑人運動，還有毒品問題等等，美國也不可學，因而新的老師和模式找不著了。

即將面臨新的挑戰

在這種情況下，日本已無老師可學，所以要確認自己是哪一種社會制度，先要搞清楚自己的歷史和民族性。我們不能只看到哈佛大學傅高義（E. F. Vogel）教授寫的《日本第一》（*Japan As Number One*），以為從那一本小書裡就可以學到賺錢的祕訣，我認為，果真如此，那是太天真，亦是台灣社會的急功近利型病態。我覺得我們應該去認識日本的文化、日本的歷史，和日本的長處。《日本第一》也只是說「日本似第一」，而不是說「日本是第一」。這本書在北美銷路並不好，但日本人自己卻買得最多，高達60萬冊。台灣有翻譯，大陸也有翻譯，好像看了這本書，我們自己也能發財似的，其實沒有那麼簡單。

我想要講的是，日本人之所以有那麼多「日本論」、「日本人論」類的書籍刊行問市，乃是日本發現自己找不到老師，找不到典範，找不到模式，需要自己重新確定自己，要把自己的座標軸和定位搞清楚，所以才有那麼多的書在討論。我不知道台灣的學術界或文化界是否有人指出這一點。

我之所以要提出這一點，是因為台灣也將和日本一樣，在未來的四、五年間，我們必須面對很大的新的挑戰，那個時候，我們也必須要搞清楚自己的歷史，把自己的社會定好位，才能找到自己該走的路，以及生活方式、生活的追尋和取向。

我們在討論問題時，必須先對對象有所界定，把「焦點」弄清楚，才能進行分析。我要討論的對象，是45歲以上、現在成為台灣社會中堅分子的台籍知識分子。以自己為例吧，我生於1931年，也就是「九一八」的那年，從小受日本殖民地教育，初中二年級時台灣光復了，初三開始學ㄅㄆㄇㄈ，建國高中畢業後，念台灣省立農學院（今中興大學），服完預官役後赴日留學至今，我使用日本話生活的期間，比用中國話的期間長得多。我要討論的對象，就是像我這樣跨越日據和光復稍後二個時期的台籍知識分子。

但我不是以「菁英分子」的優越觀點來看問題，我不認為知識分子有什麼特別了不起。我曾經特別指出，「學歷」不等於「學力」。我所稱的知識分子，並不只是依「學歷」而言，而是著重於他的「學力」、言論、行為、見識和對社會的回饋奉獻之程度。

日本尺碼和美國尺碼

像我們這樣受過日本殖民地教育的台籍知識分子，在早年接受教育的過程中，必然會不自覺地接受日本人他們那一套價值體系。即使於日本在台的殖民統治結束之後，還留給了我們一個問題：那就是如何克服那套日本殖民地統治所留下的價值體系，而新創出我們自主的價值體系。這種克服的工作，是一種思想層面的作為，我們要如何朝這個方向努力？其實這個工作的真實內涵既不易懂，又是很費力氣，因為大家生活得還不錯，尤其是目前的台灣，大家吃得好、穿得好，物質主義、現實主義、功利主義彌漫了社會，一般人也就不會被迫花腦筋去反省並檢討這個不易被察覺的課題了。

由於許多台籍知識分子未能充分克服遺留下來的日本殖民地價值體系或價值觀念，而使得我們看問題，免不了常常借用日本的價值體系或價值觀念，而沒有自己的觀點。我們不知不覺地養成了習慣，老是依據日本人的觀點去看問題、去判定事物。這就是我所說的「兩個尺碼」中的日本「尺碼」，它帶給我們種種的陷阱和困難。

光復之後，尤其1949年以後，台灣湧來了大批的大陸籍知識分子。大陸來的知識分子沒有台籍知識分子陷於日本殖民地長期統治的經驗，不但不具有「日本尺碼」，還因受「九一八」以來的長期侵略而具有抗拒日本之一切事物的深層心理。

國府及台灣地區由於長期以來和美國的關係，人們另具有「尺碼」，我暫時叫它作「美國尺碼」。

我曾言，台灣是一個海島，不免有「島氣」；日本是島國，日本人自己也自稱有「島氣」，台灣在日本的殖民統治下，就免不了沾染「島氣」中的「島氣」了。大陸知識分子雖然也有「美國尺碼」，有類似我們台籍知識分子的陷入他人「尺碼」的困擾問題，但在「島氣」這一點上，比我們台籍知識分子可能要好些。不過，許多第二代的大陸知識分子也已經染有「島氣」了。

建立自己的尺碼

我久違了台灣13年後，重新抑或頭一次參觀了幾個大建築物，例如國父紀念館、中正紀念堂、圓山大飯店等等，我發覺幾個問題。

第一，其設計背景的思考方式和美觀意識與日本完全不同。

第二，好大，這一類氣質有一點像美國佬。很可能是受到大陸性「風土」的類似影響。

第三，懷念大陸的補償心理反映在上述建築設計上。

不管如何，這一類「好大」的建築設計構思，在台籍老一代的思考方式裡是找不著的。

日本雖也有大建築物，但內部是「細緻」和「精密」的，大陸籍朋友常常會批評它，說是「小氣」，但從「能量」的消耗方面等來言，卻是另具有節省能源和「紮實」一類的觀點。不過「氣宇壯大」教人嚮往，心裡舒服。

要如何克服這些外來的「尺碼」，尤其是日本殖民地價值體系留下來的「日本尺碼」，這就需要在「對決」中，來形成我們自己自主的價值體系和「尺碼」了。我們台籍知識分子如果不能與日本殖民地價值體制「對決」，就永遠不能形成我們自己的自主價值體系和自己的「尺碼」，而在精神上，永遠陷入日本價值體系中，自囿於「日本尺碼」，成為它的精神層次上之附庸。

日本戰前所借的主要是「德國尺碼」，影響了日本人的社會行為以及侵略行為，終於吃上了兩顆原子彈，戰敗投降。但是，戰後他們就揚棄了「德國尺碼」，日本社會的主流開始反省「德國尺碼」帶給日本的正負後果，批判了「德國尺碼」，而向美國學習。德文在社會上不再吃香了，萬人向英文一面倒。

到了1970年代，「日本論」、「日本人論」出現，他們又要揚棄「美國尺碼」，建立自己的「尺碼」。這個似乎和日本民族性有關，他們總是不惜拋棄過去，而「向前看」。日本人有「忘年會」的風俗，在「忘年會」上，大家一起喝酒，過去的事情眾人一致地努力去清算且企圖忘記讓它流逝，然後向前看，思考並計畫明年也就是未來要怎麼辦。

向前探索自己的路

而我們台灣在兩個「尺碼」的影響下，加上官僚主義的運作，大家生活得是不錯了，但是，許多問題和挑戰也產生了。由「十信」案的發生，我就覺得，這似乎是由「慢性肝炎」轉化成了「急性肝炎」。即使如此，我們台灣社會似乎還沒有反省和批判，更沒有由反省批判而「向前看」，來建立我們自己的「尺碼」，探索我們自己該走的道路，而仍然沉湎在原來的兩個「尺碼」之中，懶得自拔與自我摸索。

台灣社會之所以如此，也許是和中國人的「向後看」有關，總是背負著過去的歷史包袱，想丟也很難丟盡，因而有礙於「向前看」。

我並不是主張要大家忘記過去，若要忘記過去，又何必研究歷史？其實，研究歷史也並不只是為了過去，而是為了當今和未來，找出歷史的教訓和取向。西方的歷史哲學家做如是之主張，中國的歷史哲學家又何嘗不是如此？孔子主張「因、益、損、革」，司馬遷主張「通古今之變」，司馬光主張「資治通鑑」，也有人主張「鑑往知來」；連中國人過年的風俗也是「迎新送舊」、「爆竹一聲除舊歲」。

但是，在近代世界史上走向沒落和落伍之後的中國人，在專制的官僚主義體制下，似乎只能墨守成規，一成不變的抱著「祖宗家法」，而慢慢喪失了對過去批判及對未來展望的能力和精神。「無力感」瀰漫於社會，真叫人痛心。

今天在台灣，我們台籍知識分子固然缺乏對「日本尺碼」的批判精神，大陸籍的知識分子也常常缺乏對「美國尺碼」的批判精神。可是，在轉型期社會的我們卻必須直視現實，勇敢地面對接踵而來的許許多多「挑戰」，我們沒有自主體系的自我「尺碼」，又如何能掌握住自己該走的道路和方向？又如何獲得能力來解決我們自己的這些問題？

不能忘記自己的雙眼

在台灣，借著外來的兩個「尺碼」做為現代化的典範，在其發展過程中，老一輩的世代產生了心態上的分歧，也發生許多不實的「虛胖」現象。社會上的事情，因為我出國30年，不很清楚，以學界的一件小事而論，有些人為了「充門面」，在自己的著作後面列一大堆外文參考書，有些是不相干的，有些根本沒有「參考」到的。如果有學生問他：「老師，您的書裡哪些部分是參考這個書目中的著作的？」恐怕就有許多人答不出來，甚至連那本書都沒有見過。但是，我們如果要建立起自己主體的價值體系和「尺碼」，就必須把這個部分克服或揚棄，然後才可以突破，以更高的層次來討論一些問題。

我們要與外來的這兩個「尺碼」做好「對決」，來建立自己的「尺碼」，這是一種超越和揚棄的過程。在這個認識自己、建立自我的過程中，這兩個「尺碼」也有其作用，所謂「他山之石可以攻錯」，它們也可以做為我們建立自己價值體系「尺碼」的參考。在這個時候，我們確是需要借用日本人的眼睛和美國人的眼睛；只是我們更不能忘記自己的雙眼，必須保持我們自己的眼睛。還有一點也很重要，即我們只用一個眼睛的時候，不容易察看，而要用兩個眼睛，甚至要用更多的眼睛（在腦子裡），在我們做學問的時候，才可以有多元的思考、多元的比較，才可能看得遠，看得廣，看得深。但是，如果只是「虛胖」，以為自己現在的成就已是很了不起，只會說些「曲學阿世」、捧場的話，而不再求長進，那麼我們的自主性也就確立不起來。

大家一起來思考奮鬥

在我逗留美國一年期間（1983年3月～1984年4月），看到許多鄉親在美國奮鬥，他們提出了很多很多對台灣將來的看法。我是不搞政治的，而是站在學問學理的立場，來分析他們為什麼會有那種主張和看法。

我想一提的是，有不少鄉親們喊出「台灣人是最優秀的」「台灣民族優秀論」，這個我就要慎重地考慮一下。我們絕對不要自卑，但也不能「虛胖」——「虛胖」不是真正自主性的確立。「優秀」是什麼意思，希特勒喊日耳曼民族優秀，日本人喊大和民族優秀，結果帶給了德國和日本悲慘的結果，而且為禍人類，害人害己。我們還是要踏實一點。事實上台灣人也沒有什麼了不起，沒有什麼特別太優秀。雖然諾貝爾獎也不是絕對的標準，但我們台籍鄉親至今還沒有人得到過（新竹鄉親，李遠哲教授獲得1986年度化學獎是後話）。海外台籍鄉親們的這種空頭的「虛胖」，會把我們台灣人帶往何處，我是擔憂的。

當年賴和先生的事蹟還停留在大家不敢談的時候，有一位老前輩的詩人文學家，也是林獻堂先生抗日的夥伴葉榮鐘先生，有次在日本請我吃飯時，談到他的老友賴和先生。他說：「以賴和先生的詩才，如果生在唐代的話，他的詩一定可以留在唐詩選中；如果賴和先生在1920、1930年代的大陸，他一定可以和魯迅等著名的文學家齊名。但是，可惜台灣的『池塘』太小了，賴和先生沒有能夠完全燃燒，來發揮他的才華。」

聽了這位前輩的話後，我一直在想，老先生對我講台灣是個「小池塘」，但這個「小池塘」是什麼，是我們物質上的條件呢？還是我們精神境界的條件呢？他的意思，是不是希望台籍知識分子來克服這個「小池塘」的境界呢？我們台籍知識分子始終未能建立起一個思考的真正主體，確立自己的「尺碼」，是否又與未能克服這個「小池塘」的境界有關？我現在把這個問題，提出來請大家一起來思考，為了我們共同的前途而奮鬥。

本文原刊於《聯合月刊》第49期，1985年8月，頁50～52。係於台大校友會館四樓之演講錄音整理，1985年4月2日

第六章　台灣客家的認同問題

一、日帝統治下的台灣客家

（一）引言

去年（1979）夏天，我在《歷史與人物》雜誌（日本中央公論社出版，1979年8月號）上寫了題為「台灣客家與日本」的隨筆〔參見《全集》8〕。該文中，我指出在日本統治台灣期間，不問官民，有許多在台日本人都一直錯誤地把台灣客家人當成廣東族、廣東人，把他們的母語＝客家話當成廣東話。

廣東人不等於客家人

日本著名學者小川琢治在其先驅性的著作《臺灣諸島誌》[1]中，相當詳細地論及了客家之事，他除了將客家系抗日游擊隊看成是頑匪的荒謬外，其餘的記述都具相當高的正確度。

此外，我還談到文科大學（東京大學文學部前身）的外籍教師路德利斯（Ludwig Riess）也早在其著的《台灣島史》[2]第三章

1 神保小虎閱、小川琢治，《臺灣諸島誌》，1896年2月25日發行，東京地學協會藏版。

2 Ludwig Riess著、吉國藤吉譯，《台灣島史》，1898年6月28日發行，富山房。

中，試論了「客家渡台的始末」。

因那篇隨筆是為《歷史與人物》雜誌隨筆欄「史壇漫步」所寫的小文，故無法展開暢論。孰料，那篇文章發表後，打聽資料的要求及企盼與詳論客家的呼聲傳來，承蒙該雜誌（《歷史與地理》）編輯委員會之厚意特此寫下這篇，當作〈台灣客家與日本〉之續篇。

（二）《臺灣諸島誌》的成書

《臺灣諸島誌》的作者小川琢治乃是諾貝爾物理獎日本人得主故湯川秀樹博士的父親，為京都帝大名譽教授理學博士。小川博士曾寫過一部未完成的回憶錄《一個地理學者的生涯》[3]，在回憶錄中，我們可以看到他是這樣敘述《臺灣諸島誌》的撰寫動機的：

小川琢治著《臺灣諸島誌》，1896年

> 隨著台灣因《下關條約》[*3]併入日本版圖，神保先生從協會（東京地學協會）接受編纂（臺灣）島誌的任務，他要我嘗試一下，因爲我

3 小川琢治遺著《一地理学者之生涯》，1941年12月19日發行，發行者小川芳樹。

＊3 即《馬關條約》，日本稱作《下關條約》或《日清講和條約》。

> 對此有興趣，故立即承諾下來。先生以爲只是像將《彼得滿》雜誌（德國著名地理學家Petermann【1822～1878】，於1855年所創辦的地理學雜誌）上登載基如希何夫（Kirchhoff）的小文譯下來稍做些補充那樣簡單就可以應景，我也是茫茫然接受的。但是，因爲早已看過幾種可信度甚爲可疑的類似書籍，在此刺激下，也決定專心致志地來編纂這個無愧於協會將公諸於世的地誌。[4]

可見，明治28年4月17日，《馬關條約》簽訂，台灣「割讓」已成定局，以此為契機，東京地學協會首先要求小川的一位導師神保小虎——理科大學（東大理學部前身）教授，編纂台灣島誌，結果由小川擔任這一編纂的實際工作。

皇室賜金令學會頗有潛力

這裡當然得提及對時勢敏感、並能在短時間內因應的東京地學協會的性格。東京地學協會的前身係於1879年創立，以被派遣占領台灣的近衛師團長北白川宮能久親王為會長，以榎本武揚、花房義質等為幹部，網羅了許多外交官或有駐外經歷的高級軍官，還有對地理研究感興趣的華族（日本之貴族）等，是一個貴族性質的協會。而且，該會由於皇室賜金，東、西兩本願寺法主的捐贈，更由於井上馨（明治時代的政治家，歷任各省大臣，大藏大臣任內對財政、金融方面建樹頗多）的熱心支持，其財政基

4 同上遺著，頁43～44。

礎在同類團體中是罕見的健全和強大。但到1890年，由地理學、地質學的專家，尤其是理科大學和地質調查所的有關人員組織了日本地學會，終於以《地學雜誌》的刊行為發端，學會活動興盛起來，特別是1890年發刊的《地學雜誌》是包括地質學、地理學的劃時代性科學雜誌，一時造成洛陽紙貴，受到社會的極高評價。

財政基礎完善但缺乏專家參與的東京地學協會，當然不會輕視日本地學會的新生氣概，而企圖藉合併之名將其吸收。另一方面，日本地學會要想進一步推進研究必須具有更雄厚的財政上的支持和保障，於是，除一部分反叛性會員外，大部分會員響應了協會方面招募終身免費會員的勸誘而加入協會，完成了合併[5]。

委託神保小虎編纂台灣島誌的當然就是吸收合併日本地學會之後的東京地學協會。令人吃驚的是，隨著《馬關條約》剛決定「割讓」台灣，東京地學協會就能夠想到編纂台灣島誌，並具有將其付諸實現的潛在實力。我們再來看一下小川回憶錄，它敘述了整個如何承諾協會和神保教授的邀請，讓《臺灣諸島誌》及時問世的經過。

順便說明一下，小川在1895年時仍是理科大學三年級學生，他還要抽出精力來完成畢業論文。由於他入學較晚，當時的年齡已有27歲。

5 以上之經緯，主要依據前引遺著，頁31～33。至於受日本學界所推舉之平凡社版《地学辞典》（1970年11月10日初版），不知為何，並沒有整理出這一段的事實經過。

清朝地誌多出於退職官吏

> 開始著手收集資料，探訪的線索漸漸地擴大了。最初在協會文庫中找到的是「支那」海水路誌和洋文雜誌的西洋人旅行紀錄之類，後來逐漸發現漢文的地誌類，得到和田先生的介紹進入德意志東亞協會的文庫，發現了南蠻（日本史的室町晚期——江户時代對葡萄牙人及西班牙人的稱謂）通航時代的西洋文獻。後又知道強斯（Jones）的台灣煤炭調查報告載於培里（1953年7月率領美國東印度艦隊來日叩關）航海記上，到水陸部去打聽，最後進入大學圖書館，逐漸發現了更多的資料。在上野圖書館才發現《台灣府志》，利用時爲確認其是否足以信賴，而去請教已故島田篁村先生。（略）他說，清朝地誌的編纂大都出於退職地方官吏之手，他從書架上拿出清兵入台後赴任的藍鼎元文集給我看，我才第一次知道顧氏《讀史方輿紀要》等的價值，明瞭了那都是研究「支那」地理上無法或缺的好資料。我還去橫濱居留地（斯時，指定洋人集中居住一處）拜訪了協會會員，向墨西哥名譽領事沙爾塔禮借了《愛麗舍路克柳世界誌》的一卷。[6]

從這些回憶中可以知道，小川瀏覽了歐文文獻，在漢籍中亦看了有關台灣的地方誌，甚至看了西洋人的旅行記之類。在小川的回憶錄中，僅舉了一個外國人合作者的名字即沙爾塔禮。而在

6 同上遺著，頁44。

《臺灣諸島誌》之緒言中除了沙氏以外，還舉了利斯的名字，一並表示了謝意[7]。

那麼，小川為編纂研究花了多少時間呢？他寫道：

> 到明治28年7月中旬，根據編纂日程表，我將寫好的原稿一部分請神保先生過目，然後決定在旅行後繼續寫（7月到8月底因畢業論文而出去旅行調查）。9月到11月，經常去上野、大學本部等的圖書館及協會，每夜趕撰原稿，然後經過神保先生的審閱，從12月開始在築地印刷所排版，到2月初校畢，再做由協會出版的台灣地圖地名索引，這一排版非常費事，到2月底才告完成。此時承西尾先生的好意，委託已故畫家小川三知作圖案構思，從而完成了專業畫家製成的別出心裁的裝幀。這即使非最初的創新，也可謂是凝聚此種趣向的最古樸的一個裝幀。[8]

小川將包括裝幀在內的編纂時間經過也詳細記載下來了。

便宜書不一定暢銷

對小川來說，這是他出的第一本書（四月出版，1,000本即刻售盡，又再版500本），而且很暢銷，世評也很高。小川自己對這本著作的愛惜也是非同尋常的。

小川將暢銷的理由說成是「該書定價50錢，做為當時的書價是挺便宜的，所以這是我要求無版稅來換取廉價多售的希望得以

7 前引《臺灣諸島誌・緒言・貳》。

8 前引遺著，頁44～45。

實現的結果」[9]。這自然是謙遜之辭。即使以一般常識來判斷，也沒有因書價便宜而暢銷的理由，趕上時潮或許是暢銷的一個原因，但380頁之鉅本且又相當專門的書得以暢銷，主要原因該係在於沒有同種類的書超過它的水平所致吧。

即以最大限度來判定，小川花費在編纂的時間也只有七個月。儘管如此，其讓此著及時問世的功力仍是值得我們歎為觀止的。福澤諭吉將身穿金釦學生服（帝大學生斯時的制服）的小川招待到交詢社（1880年1月25日，以福澤「交換知識諮詢世務」的提議為宗旨而創立，為日本第一個紳士俱樂部。設立的中心人物是福澤以及慶應義塾大學派的小幡篤次郎、馬場辰豬、矢野龍溪，還有大隈重信、鍋島直大、後藤象次郎也都參加了創社。1980年在銀座的同社大樓舉行過創立百歲紀念慶祝大會）共進晚餐以獎賞其撰書之勞[10]，也是極為自然的。

接著，我們以獲得社會高度評價的《臺灣諸島誌》如何描述客家的內容為素材，做如下的探討。

（三）從小川關於客家的記述談起

探索客家種族來源

小川在該書第八章〈住民〉中，特別列出客家一個項目，做了如下記述：

9 同上，頁45。

10 同上，頁46。

客家：「支那」移民中稱爲客家「HAKKAS」（一作客仔或哈喀）的種族，其容貌風俗乍見與其他「支那」人並無二致，但其他「支那」人將其看成是另一個種族。其種族多居於廣東地方，當地居民將其做爲外來種族而加以排斥，此乃爲客家名稱之起因。[11]

我先得說明，在台灣「割讓」後、日本出版的比較受肯定的文獻中，談及客家的並非以小川的著作為首次。

《馬關條約》締結後不久，7月13日發行，由參謀本部編纂課編纂的《台灣誌》（但封面則標明治28年），是先於小川著作的事例之一。因其涉及客家之部分很短，故將全文採錄於後：

除在記這四種族（第一排灣種族，第二德澎種族，第三阿美耶斯族，第四平埔番）以外，還有稱謂客家（一爲哈喀）的種族。本來客家乍看起來與「支那」人並無異處，但「支那」將其做爲另一種族，即如其名，是從外邊來的客人。然溯其源流，尋其根源，此種族完全是從南廣東遷移而來，至於其何時渡台，則不能詳盡。一說此客家爲元末之人士，從山東地方逐漸移往南「支那」地方。此種人自古代起在「支那」疆内即有許多，即廣東的客家，四川、貴州、雲南的苗子，海南島的李家，福建北部的狗頭番，浙江溫州地方的蜑家等。從「支那」人立場來看，他們實爲一種化外之民。在台灣各地，此種客家

11 前引《臺灣諸島誌》，頁167。

> 人數頗多，與純粹「支那」人經常失和，爭鬥不止。而此種客家種族的居住處，恰在生番地和「支那」人居住地的中間，他們專事農業，「支那」人俗稱其爲內山客人。[12]

以上為全文，由此可窺知當年的日本人編纂者已知有客家人的存在、名稱以及他們在台灣地理上分布的概略。但編纂者沒有將客家人定位於「支那人」範疇之中，這一點是確實的（雖沒有特別定義，但有如下記述：「最近的移住者主要為福建省南部及廣東省汕頭等地人民。其風俗與基本風俗並無大差異，男子蓄辮，女士大抵纏足。」）。這記載似乎僅指閩南系漢人為「支那人」，即從廈門、漳州、泉州等地來的移民。不僅如此，編纂者還評述了這些閩南系漢人，甚至將其稱為「純粹的『支那』人」，這是意味深長的。

客家非漢族？

參謀本部編纂課的有關人員不僅沒有將客家包括在漢族之中加以考慮，而且還有將其分類為非漢族系少數民族的濃厚傾向。這不但將客家與編纂課人稱為「純粹『支那』人」的閩南系漢人區別開來，其敘述的順序也不是排在閩南系移民後面，而是將「生番」一項夾於其中，即將其置於「生番」之後敘述。

但是，應該注意的是，雖然沒有明確指出資料之來源，但其

12 參謀本部編纂課編，《台灣誌》，頁80～81，1895年7月13日發行，八尾書店發行。

將客家從華北南遷而來介紹為「一說此客家為元末之人士，開始從山東地方逐漸向南『支那』地方移動」。將南遷時期定為元末，南遷前的居住地特定為山東，仍是缺乏明確度。做為這一時期的敘述雖然不甚周詳，但也有其有趣之處。

順便說明，最近的中國大陸出版之刊物，是將客家之南遷時期分為西晉末、唐末及北宋末三個時期，把原居住地域看成是廣闊的黃河流域[13]。

想來，參謀本部的編纂者還不知道經廣東省汕頭來的客家也越過「烏水溝」（台灣海峽）的怒濤，抱著開發新天地的目的，不斷地湧向台灣定居開拓。

當然，搞不清楚的不僅僅只是日本參謀本部有關人員。事實上，甚至在辛亥革命之後的中國，也有不少人不將客家視為漢民族[14]。

或許是參謀本部的《台灣誌》中的混亂造成的原因吧，某一位著名日本人士[15]武斷地錯認客家是漢民族和高山族的混血種族，這實在是莫大的混淆不清的瞎猜。「台灣慣習研究會」的機關雜誌《台灣慣習記事》將其做為來信稿處理，並加上「客家究竟是何許人」的標題報導出來，並附上評論。

13 黃火興，《談談客家山歌》，頁2，1979年2月第1版，廣東人民出版社。

14 羅香林著，《客家研究導論》第一章「客家問題的發端」，筆者所參照者為第二次大戰後在東京出版的孔印版本。

15 筆者已忘記其有關書名及著者，容後補正。

土番雜種是客家的謬說

> 書名姑且不說，作者大名也不透露，總之這是由大手筆寫成的記載台灣事情的書，它特披露如下一節：有所謂客家者，或曰其爲土人與番人的雜種……云云。
>
> 這是何等的杜撰、何等的謬誤。吾人絕不否定土人（日帝據台初期，稱呼漢族系住民爲土人）與固有番人的通婚自古以來就在台灣進行，迄今還繼續存在著。然而，謂此種雜種爲客家，豈非咄咄怪事。當然客家中或許有此雜種存在的事實，但以此斷定客家即爲民番雜種的總體，在理論上是絕不容許的。或許會問，客家究竟爲何，自不待言，爲閩族指稱粵族的他稱性人族語耳。[16]

對這評論本身，筆者並無異議，但將客家單說成是「閩族指稱粵族的他稱性人族語耳」，卻並非是真正的答案。而且就客家立場而言，他們把自己也自稱為客家、客家人、客人、客籍人等，這應該如何解釋呢？在台灣的閩族（筆者並不用閩族這種表現，這兒僅作借用，也就是本來的閩南系漢人再擴大一點亦該稱為閩屬，比較適宜）將客家稱作客家，實際上在大陸則不僅是福建人那樣稱呼，其他的人們也都使用客家這一稱呼。因此，投書「客家究竟為何許人」的投書人其按文所附的定義，可說是極為不充分的。

16 《台灣慣習記事》第5卷第6號，頁71，1905年6月13日，有關讀史生之投書。

（四）「慣習（舊風俗習慣）調查」中的粵族和客家

以編纂《清國行政法》及《台灣私法》而著名的「臨時台灣舊慣調查會」[17]（舊稱調查事業計畫的倡議於1899年12月，前期事業在1900年便開始，正式組織成立是1901年度）是官設的；而與該會差不多同時設立、且平行運作以發揮補充作用的「台灣慣習研究會」，則是台灣總督府和法院有關人員籌劃設立的私設同人性研究會。

調查風俗習慣以利統治

該會在1900年10月30日的發起委員會上決定會則，選舉兒玉源太郎總督為會長，後藤新平民政長官為副會長，委員長是石塚英藏總督府參事官，幹事長是鈴木宗言法院院長，幹事為伊能嘉矩（《台灣文化志》的著者）和小林里平（《台灣歲時記》的著者）。

該會的目的是調查台灣的風俗習慣以期有助於行政司法的實務，並收溫故知新之效[18]。其形式為私設的同人性研究會，實際上台灣總督府和法院的有力成員皆為其主要幹部，「臨時台灣舊慣調查會」的委員補助員，囑託（專員）等也成為其會員。據說

---

17 山根幸夫，《論集・近代中国と日本》第三章「臨時台灣舊慣調查会の成果」，1976年2月20日發行，山川出版社。

18 《台灣慣習記事》創刊號（1901年1月30日）所載〈會報〉（頁65～70）及同誌終刊號（1907年8月25日）所載〈本會解散之辭〉（頁1～3）。另可參照井出季和太著《台灣治績志》之第13節「旧慣調查事業」（頁411～417），1937年2月23日，台灣日日新報社發行。

最盛期時，台灣內外（有住在日本國內的委員）成員共超過3,000人，盛況由此可知。該會對會員調查研究的成果所發表有關風俗習慣的學術見解，都有相當積極的討論，不難想像，其結果必然是在實務上對日本的台灣統治有一定的影響。刊載這些成果的《台灣慣習記事》（1901年1月30日為第一號創刊，1907年8月出了第七卷第八號後終刊，該會也在同月解散）在調查紀錄方面，至今仍受到頗高的評價。各種討論立說也都是相當好地反映了當時的狀況。

我們下面的一個課題就是按照時間找出有權威性的《台灣慣習記事》中的有關客家的議論，來證實客家即粵族的議論是如何展開的。

近在咫尺風俗不同

最早的有關記事可以從梅陰子（伊能嘉矩的筆名）的〈台灣島民的原籍地及其特殊風習的發生〉〔〈台湾島民の原籍地及び其の特殊風習の発生〉〕中看到。梅陰子有如下記敘：

> 台灣島民，即入台移植的「支那人」之主要原籍地是在南部「支那」，福建、廣東二省中的一部，《台灣府志》曰：「台陽僻在海外，曠野平原，明末閩人，即視爲甌脱，自鄭氏挈內地數萬人以來，迄今閩之漳、泉，粵之潮、惠，相攜負來，率參錯寄居，故風尚略同內郡。云云」。即福建省（閩）廳管轄九府中的泉州、漳州二府，廣東省（粵）所管轄十府中的潮州、惠州二府之民，有許多移殖台灣。但在「支那」內地，因

其省分迴異，故習慣亦有小異，此種風俗習慣上的大小差異，成爲台灣島民風俗習慣上差異之所在。只要到台灣內部觀察閩粵二屬接壤的街莊，僅隔少許距離，其風俗習慣就有所不同，且可看到其言語不通之實際狀況。因此，要研究台灣島民的風俗習慣，必須先得考察其原籍地特殊風俗習慣。今將上述閩、粵原籍地及其所屬縣名列表舉出如後。

大把金刀劃分閩粵

而此閩粵二屬之民，正向台灣移住拓殖之比例究竟多少，則今日尚難審度，曾在「支那人」的書中有泉四、漳三（以上閩），潮、惠合爲三（以上粵）的記載。雖不甚精確，卻也相去不遠的吧。[19]

省名	府名	所屬縣名
福建	泉州	同安、安溪、惠安、晉江
	漳州	龍溪、漳浦、南靖、長泰、平和、詔安、海澄
廣東	潮州	海陽、豐順、潮陽、揭陽、饒平、惠來、大埔、澄海、普寧
	惠州	歸善、博羅、長寧、永安、海豐、陸豐、龍川、河原、和平

接著，以《台灣府志》[20]的記述為主要依據，將「移殖『支那人』」的中國大陸原籍地特定為華南，福建、廣東二省中的一

19 《台灣慣習記事》第1卷第4號（1901年4月22日）所載有關梅陰子之小文（頁55～56）。

20 並無註解，不知引自何種版本，容後補正。

部分做附表，並明稱了該省的府名及縣名。

應該說，這和參謀本部所刊《台灣志》的曖昧相比較，確實邁進了一大步。但我們不能忽視了「台灣島民，即移殖『支那人』」那種不正確的說法。事實上，和公文書、官廳規則等並無關係地，居住於日本統治下時之台灣的日本人，甚至今天還有相當一部分的日本人，是不把台灣的少數民族列入本島人（現在概稱台灣人或台灣的本省人）範疇的。

這姑且不論，從剛才例舉的梅陰子的一文中，我們可以確認，1901年時期的在台日本人及政府有關人員，是將漢族系台灣人分類為閩粵二屬，並認識到兩屬之間存在著風俗習慣相異、語言不相通的狀況。

（五）從「屬」到「族」的升格過程

當前，閩粵二屬的「屬」是以怎樣的過程轉化為「族」的，尚無法確定。查閱《台灣慣習記事》發現值得注意的是：第四卷第一號（1904年1月23日）卷首上刊載著「台灣民族分布地圖」，在同雜誌的另頁上附有對該圖的說明：

> 載於卷首的台灣民族分布圖，是屬於本島居民最重要的部分：
>
> 1. 閩族即福建地方的移民
>
> 2. 粵族即廣東地方的移民
>
> 之分布地域的概要。

上述說明後，另列有1901年底調查的民族總數的數字[21]。

本島總人口：二百八十四萬二千三百七十八人

漢人族　閩族：二百二十八萬三百四十九人

　　　　粵族：三十八萬八千三百二十五人

蕃族　　熟蕃：三萬四千九百二十五人

　　　　生蕃：九萬五千五百九十七人

其他　　內地人（日本人）：三萬七千五百五十四人

　　　　外國人：五千二百二十八人

　　　　清國人（未放棄清國籍者及對岸新來人）：五千一百三十五人

　　　　其他外國人：七十五人（註：總數不合，但原文如此）

特定被統治者的性格

此處說的明治34年底的調查究竟具體所指的是什麼尚不甚清楚，但值得注意的是，官廳調查的項目中明確開始記載有閩族、粵族一類的分類語詞。

眾所周知，近代以後的殖民地統治總是試圖特定被統治者的性格，進行統計調查；從量上和質上更確切地掌握被統治者，企圖最大限度地獲得殖民地統治的成果。然後，在統計調查的基礎上建立其精緻的殖民制度。

日本的台灣統治也不例外，台灣總督府也為了確立和維持治

21 《台灣慣習記事》第4卷第1號（1904年1月23日）所載，卷首及頁78～79。

安，從 1905年10月1日起進行為期三天全島性規模的「臨時台灣戶口調查」。

我們可以來查看，在該調查之際，日本有關當局立了怎樣一類項目準備來掌握台灣全體住民的企圖：

> 將該調查明舉本調查範圍內住在本島的種族大致分爲三種：內地人、本島人、外國人。（中略）外國人大多數爲清國人，其他少數則係歐美人。
>
> 本島人種族：本島人根據種族分爲蒙古人種和馬來人種。蒙古人種，大概是距今300年前來的移民，根據其原住地，大致分爲閩族即福建地方的住民和粵族即廣東地方的住民。他們都爲漢人。閩族爲最古的移民，其人數甚多，分布亦廣，而粵族的移住年數尚不很久，其數亦少，故一稱之爲客家人或客家族。前者多爲泉漳二州之民，後者多爲惠潮二州之民。其移殖之端則爲明朝末年。[22]

不當用語的明確化

由此記載，我們可以窺知，到了1905年秋天，台灣總督府當局終於正式地將閩族粵族的用語明確化，並加以確定。

此外，我們感到饒有興趣的，他們把粵族與客家人、客家族聯繫起來，或把粵族叫作客家族的原因歸為：一、移居的歲月；二、是少數者。

22 臨時台灣戶口調查部，《明治38年（1905）臨時台灣戶口調查記述報文》第二章「種族」第一節「種類及特性」，頁56，1908年3月30日發行。

不論是當時還是現在，也不僅是日本有關人士，甚至客家系台灣人的一部分也認為，客家之所以被稱為客家的緣由乃是因為同閩南系台灣人相比，客家集團移住台灣較晚。這是錯誤理解形成定論的一個典型例子，令人困惑不已。大概很少人知道，在中國大陸很早的時期（開始時間目前還無法確定）開始，客家做為自稱及他稱的用語就存在著，大家流於形式只注意字面上單純的解釋，至於亂猜字面，方有今日之誤。

剛才所舉的「臨時台灣戶口調查」可以說是人口的靜態調查，台灣總督府更進一步要進行人口的動態調查，在1905年12月公布「戶口規則」（府令93號），1906年1月15日開始實施。根據該規則的登記表上有種族欄，該「樣式記入須知」的第10條規定：「種族欄裡根據父親的種族，應分別記上內地人、本島人（福建人、廣東人、其他漢人、熟蕃人、生蕃人）、『支那』人。但在父親不明的時候則依母親的種族填記。」[23]

追尋至此，形成了下面的疑問：為何至高衙門的台灣總督府要在依據戶口規則設立的戶口調查簿及相關的登記表上，特設種族欄並加上記入的義務呢？我認為，對這個問題求出答案的正面方法，該是尋求下面幾種事項的明確化為關鍵：包括本來清朝的中國之戶籍制度，清朝國內殖民地台灣的特殊地位和該戶籍制度的沿用，以及台灣總督府實施的戶口制度的形成和沿革等。遺憾的是，筆者在本稿沒有來得及做出更周詳之調查研究以饗讀者諸賢。

23 台北州警務部保安課，《台灣戶口事務捷徑》，頁39，1926年7月15日發行。

基於政治考慮不設本籍地欄

總之，我們在這裡必須指出的是：到1933年1月20日公布的「關於本島人戶籍之件」（府令第8號）制定為止，台灣在法律上是沒有戶籍的。

前面提示的戶口規則只是單純的警察規則，基於此所進行的戶口調查的目的主要是為了維持治安。也就是說這是為警察的業務目的而制定的。設限於只為警察業務用的戶口調查簿的時候，其編制是依據現住地主義的。事實上，到1935年府令第32號戶口規則改正為止，戶口調查即使有「本居地」、「寄留地」填寫欄，也沒有「本籍地」的填寫欄。

想來，導入日本國內的戶籍制度在殖民地台灣統治（台灣統治的內實是在藉「割讓」中國之邊疆一部分的名義奪取的，在此基礎上進行了部分統治，因而導入戶籍制度將更為不便）方面或許不合適吧。原本意義上之戶籍法、戶籍制度在殖民地台灣都不曾有過制定。在1930年代以前的階段，台灣的日本化、台灣人特別是漢族系台灣人的「皇民化」政策遭受到台民的抗日游擊、反日文化、社會運動等的強烈性阻礙。因而，有意編製包括其本籍地的身分關係的公證文書即本籍主義的戶口調查簿，只是事倍功半，在某種意義上便可能變成了無用的行政，所以一直被延續到1935年戶口規則改定為止。如此判定可能是比較合理的解釋吧。

如果如上的看法能成立的話，那麼可以認為，在戶口簿上不設本籍地欄而設有種族欄，是基於一種相當巧妙的政治考慮。

非常確切地向我們揭示出種族欄具體用途的是「戶口實查

時視察須知」（1906年1月內訓第一號，同年1月15日起施行）的「五、風俗習慣及其變遷狀態：（a）本島人和內地（日本）風俗的關係以及日本語普及程度；（b）警察方面應注意的風俗習慣；（c）異種族人（內地人、福建人、廣東人）的相互關係」[24]。殖民地統治還經常企圖進行分割統治（divide and rule），如統治當局將閩粵二屬分類為閩族和粵族，將其提升到種族概念，通過從上而下地把有利於分割統治的前提重編強化，進一步提高分割統治的實效。這樣的看法，相信不至於言過於實吧。

一分為二便於統治

以大和民族為中心的統治民族與被統治民族——在台的高山族、平埔族、漢族——抗爭對立的結構和條件從一開始就完整地形成了；再將漢族分割為閩族和粵族，這對於實施分割統治來說是再好也不過了。我認為，後藤新平是完全估計到這一點的——他絕不會錯估這一較有利的「條件」。

（六）客家並不一定僅是粵族

如前所示，台灣總督府的有關人員一直將廣東地方渡海過來的移民稱為粵族，後又稱為廣東族、廣東人。但是，移居台灣的客家並非都是來自於廣東省，還有從福建汀州府來的客家——這

24 同上書，頁50。

一事實是很重要的。此外，從廣東省潮州府來的移台者中，有不說客家語而操潮州語的人士，他們不屬於客家。因此，客家即粵族、廣東族、廣東人的認知法是不充分的。

另外，單純地將福建地方的移台人民看作是閩族，將廣東地方來的移台人民看作是粵族也是錯誤的，容易產生誤解。特別是中國大陸和東南亞的華僑界，在日本占領以前的台灣，將廣東人和客家係有嚴格區分的。倒是清朝的官吏，因不明詳情或以官僚主義作祟懶惰成性，只以曖昧的形式常記載為粵民即客民。

那麼，為何台灣總督府一直稱呼客家即粵族、廣東族、廣東人呢？其理由是可以類推的。

爲什麼老說客家即粵族

第一，在關於台灣住民的調查研究沒有充分進行之前，僅為因應行政的現實狀況急速進展，只好匆忙地決定種族分類的基準，頒布了最早的戶口規則。經過一段時間後，日本當局才重新認識到漢族系移台客家人的原籍地中，還有福建省的興化府、汀州府和廣東省的嘉應府之別。伊能嘉矩[25]更為通俗地公布了這一實況，但伊能似乎也不知道，汀州府永定縣出生者幾乎都是客家。在台灣總督府有關人士中最早特別言及汀州府出生者之實情的，是台灣總督府官房調查課刊行的《台灣在籍漢民族鄉貫別調查》〔《台灣在籍漢民族鄉貫別調查》〕的作者小川尚義。小川尚義1896年7月從文科大學博言學系（現東京大學言語學科）畢

25 吉田東伍編著，《大日本地名辭書・続編》，1910年5月28日3版，富山房發行。所載《台灣〈汎論〉第四・台灣住民総說・漢族》，頁20。

業，同年12月渡台，任總督府學務部編修事務囑託，從事教科書編纂，1899年為國語學校（後日之台北師範學校）教授，1901年為編修官，1909年兼任總督府視（學）官[26]。

小川寫道：「本表（本島人〈台灣在籍漢民族〉鄉貫別人口統計表）福建省欄裡記有汀州府，廣東省欄裡記有潮州府，政治（行政）上的區劃雖然如此，但從語系來看，前者與其說是福建語族，倒不如說是屬於廣東語族；而後者與其說廣東語族，倒不如說是接近福建語族，如此看法才為妥當。」[27]小川也仍不說是客家語族，而依然說是廣東語族。在日帝下的台灣，來自上面的意志、「統制力」給予研究者是多麼錯誤且惡劣的影響，由此可見一斑。

第二，我認為，台灣總督府當局對於客家存在的認識雖然不充分，但一般是知道的。因為他們不可能沒有參考過參謀本部的《台灣志》、小川琢治的《臺灣諸島誌》、利斯的《台灣島史》。但儘管知道，因為客家本來就是本籍或本貫不甚明確的，所以在戶口制度（初期是現住地主義，以後當然可以想像得到，兼有本籍主義形式的戶口調查簿有其完備之需要的產生）確立之際，以沒有「本籍」的客家來掌握當然是不便的。因此，為了推行行政實務必須具有之效率的需要，只能捨去少數不能夠查出「本籍」的客家（比如福建省出身的客家、廣東出身的福佬【即是操閩南語或廈門話的；順便一提，在東南亞潮州人也常被說成

26 大園市藏編，《台灣人物誌》，頁172，1916年5月12日發行。

27 小川尚義，〈漢民族移住之沿革〉，台灣總督府官房調查課《台灣在籍漢民族鄉貫別調查》，頁2，1928年3月20日發行。但此調查係以1926年12月末為基準年月。

是福佬】），這是能夠想像的。

（七）結論：日本人研究客家不值一讀

不管如何，以語言的結合原理在行政上來掌握客家，似乎對日帝在台殖民當局不曾產生其必要。日本當局僅僅是根據行政上的考量將客家當成粵族來處理，由此引起了混亂。戶口規則設種族欄，客家即粵族的說法逐漸固定化，錯誤一直沒有被更正過來。一度定型的制度是不容易被更改的。歐洲系傳教士好不容易為了自己傳教所需而做下之有關客家歷史和生態的調查研究，雖然經由小川琢治和利斯的學術性質的介紹，但很少在行政上被利用。至今仍被高度評價的「台灣舊慣調查會」和「台灣慣習研究會」的調查研究，都被行政上的至上命令和既存的戶口規則的「原則性」桎梏所束縛，從而無法保持學術研究原來應有的立場和做法，因此研究的進行是極不容易的，這都不難想像。有關台灣客家史的日本人研究幾乎沒有值得一看的成果，或許原因出於此，真是令人萬分遺憾。

由於篇幅的關係，無法深入談及利斯的《台灣島史》，只能留待別的機會，特此說明。

後記：此文由〈日本の植民地支配と台湾客家〉（《歷史與地理》294號【1980年2月】，東京：山川出版社出版）翻譯而來。為了保持引用據文之原貌和範圍，只好保持「支那人」之恥辱語彙，特此聲明。

二、猶太裔德國人史學家看客家渡台之原委

大約是1950年代末期，當筆者集中精力、盡量節省日常開支，力謀收集有關台灣史料及資料時，有一個禮拜六的早晨，我發掘了一本《台灣島史》的古書。

根據記憶，它的代價為日幣850圓。薄薄180頁的日文書的標價高達850圓，以當年的物價來說係相當昂貴的（斯時，我所租的四疊半日式房間的月租金只是3,000圓故也）。

價錢雖貴，但其發行年為明治31年，也就是台灣被日本帝國主義殖民化的第三年。而其原著者印明為「文科大學教師，路德利斯博士」也深深吸引著我，教我解開不甚厚的荷包把它買下。

使我更高興的是其目錄之第三章，揭示「客家渡台之原委（1368～1600年）」。本文該係當時我能見到的日文有關客家文獻之第二篇。第一篇是羅香林原著《客家研究導論》之日譯本（譯者有元剛【台灣銀行台北頭取席調查課長】，昭和17年【1942】年1月30日，台北市發行）。

購得《台灣島史》之後的探索及檢討史料的主要步驟可歸於下列三項：1. 調查原著者之身世及著作目錄；2. 找出原著之藏處及如何獲得原文之影印本；3. 做好《台灣島史》之史料批判。

今年（1989年）4月20日，《漢聲》雜誌總編輯吳美雲女士訪日，向我邀寫有關客家之稿件。但是，因我公務和稿債纏身，無法應「景」，退而答應藉翻舊小檔及加些新資料，並翻譯路德利斯之「上揭小文」，藉而塞責。

（一）關於利斯的「客家渡台原委」

根據利斯之年譜，我們可窺知他於1895年受命返回歐洲，並特訪荷蘭調查有關台灣的檔案及史料。詳細日程待查，其返日後，即在「東京德意志自然・民族東亞學會」（Der Deutschen Gesellschaft für Natur und Völkerkunde Ostasiens in Tokyo）做了有關台灣史的兩次演講。第一次為1895年6月26日，第二次為同年9月25日。

〈台灣島史〉（“Geschichte der Insel Formosa”）係由這兩次演講之主旨擴大而成，用德文發表於《東京德意志自然・民族東亞學會雜誌》第6卷第59號（*Mitteilungen der Deutschen Geselschaft für Natur und Völkerkunde Ostasiens,* Bd. 6-Ht. 59, 1897）。

至於「客家渡台原委——台灣做為東亞海寇之避難所（1368～1600年）」係登於原文之415至417頁，標為第三章。

特此翻譯為中文以供讀者諸賢參考。德文對筆者雖是屬於第三外國語，勉強可查辭典逐語翻譯成中文。但因趕稿，這次所採取之方式為「邪道」，以日譯本為藍本而藉原文來「檢驗」的應景作法，在此特別聲明以期讀者見諒。

（二）「客家渡台原委」譯文

明朝天子並不樂意讓世世不得沐浴文明之德澤的不幸的台灣「蠻族」更加窮窘。但是，在中華文化圈裡發生的對於上古習慣之反應，結果也波及自己外部的台灣「蠻族」。與中國屬性的連鎖反應之勝利、關係不淺的南方諸省，對於由北方遷徙而來之商農——所謂的客家種族，引起非常厭惡的感情。因為未曾聞說有如中國那樣重視本籍權的國民，而客家卻對自己種族之出處不明，甚至連自己祖先之埋葬地也不知曉之流浪的客家族，受到常以家族關係之鞏固而自豪的一般中國人之輕侮，也非無緣故。客家族到底不能與南方的擁有本籍權之中國商工們嘗試競爭，因此他們遺棄中國大陸而開始陸續渡台，做為鐵匠、農夫與商工而得營謀其相宜之生活。

第三次移居台灣漸趨成功，至17世紀初為止持續約有二百餘年。移居台灣本島的一時只不過二、三人以至數家族，但因此在中國大陸的客家族之人口數卻顯著地減少。結果全種族的三分之一匯集在台灣。

恰好比這段時期早100年，歐洲史上亦曾有過與此相似的事情發生，所以可借歐洲的事情來明察其演變。在中世紀時代，居住在德意志的猶太種族，因蒙受十字軍之影響，半數以上的人們退隱到波蘭，雖不完整，卻也在該地形成一小市民集團。他們從事工匠、高利貸以及經商，逐漸繁榮昌盛，從而得以在德意志農民之間，勉強保持其本身所帶來的一點文明之餘光。

與此類似，從中國大陸流浪而渡台的客家族，散住在台灣島西部及平原的諸種族之間。到17世紀中葉，荷蘭人與台灣島酋長之交涉由客家族擔任翻譯，他們與中國人毫無差別。對台灣物產與外國交易也盡了大力。

在東洋，歐洲人尚未到達麻六甲海峽之前，是台灣及琉球諸島特別幸福的一個時期。當時，這些島嶼不僅是中國和日本的一大貿易市場，甚至遠為暹羅、印尼、菲律賓諸島及麻六甲的貿易中心。位於中國大陸前面的諸島形成如此隆盛之商業，這在中國及歐洲之紀錄中已有確證。據卡爾彼（Pater Gaubil）神父根據中國方面史料而著成之《琉球諸島備忘錄》（*Mémoire sur Les Iles de Lieou Kieou*），琉球開始與中國進行正常之交通以來，凡200年之後，島民的商業已達到莫大之境界，他們在與其維持商業交易的主要國家交易時，因為顯著的輸出而痛感銅幣缺乏之不便。1454年以來，琉球王想把其首島變成東亞貿易一大中心而竭盡全力。這時，另一方面，葡萄牙人開始出現在麻六甲以東所有的貿易港，以琉球人為貿易航海中最重要之敵手。馬來人在菲律賓以南維持航路，但琉球船卻不管偏離本國之位置而遠航到蘇門答臘東岸。到1540年，著名的冒險家賓頭（Pinto）在麻六甲、暹羅與琉球船相遇實亦不足為奇。琉球本島的勢頭之熾如此，其結果甚至帶來地理上名稱之變化。

名稱雖有不當，但所稱大琉球意味著琉球群島，然而當時的航海者則將其縮小到僅有數哩大小之琉球本島。今日所說之大琉球，其弔詭性的名稱只用於突出在海洋之一小島。

伴隨著琉球本島的商業隆盛，小琉球即台灣島的形勢也隨之一變，曾經不為世人所注目的台灣島西北部現在則正做為貿易航路之要衝。甚為可惜的是，島內政治上的狀態，即乘土著力量被削弱的機會，日本及中國的海寇愈發恣意橫行。特別是位於本島北部的基隆港，成了利於海寇黨徒的避難所。以此地為根據地，他們襲擊滿載貨物而來航的商船，然後再將其搶來的絹絲、磁器、胡椒、香料、檀香等物品，運到大琉球市場或運至利大的日本，恰如純粹商人似地進行貿易。在此等海寇中，最可懼者無疑是日本人，他們遊遍當時的麻六甲海峽，兼做海寇和海外貿易。他們肆意逞惡的地方是遠離本國的邊鄙所在，因此更能使其海盜行為容易犯他。因為如此，中國的航海者以及居住沿海之人民經常無暇安寧，所以中國朝廷向日本政府進行嚴格的談判，已為世人所知之事。然而，日本政府對此則敷衍了事。因此，中國朝廷對此十分憤慨，發令禁止中國人民與日本交往。因此16世紀末葉以後，日本人中注目中國事務者，或者中國人自日本返來者，被逮到均不論是非而處以死刑。

雖然如此，此種苛刻的禁令也已不能完美地施行中國對外國的自閉鎖國，以及不能停止東亞二大國的物產交換的有趣事實。由此，收集兩國所希望之物產而方便轉運到對方的局外市場、也就是中繼市場，極有存在之必要。其結果，東京（北越）、安南、暹羅等成了面向兩國之通商而往來頻繁的大市場。居留在澳門的葡萄牙人亦干預日本、中國二國之通商。就這樣，台灣島變成了二國通商的聯絡場所。日本與中國之航海者實際是以台灣為中心經營隆盛的貿易。然而，住民的蒙昧與屯居基隆的海寇之暴行妨礙了台灣的住民善用立地甚為利便的台灣之絕好機會。島內「蠻民」之不能為者，卻方便了外來之優越者易於成事。因此在16世紀初，此稚嫩之小島引起了從事東亞通商之多國國民注目。台灣開始成為他們的貿易政策或殖民計畫之目標，其實不足為怪。在此之前的1542年到1609年的變遷時期，以台灣史料的角度而言，關於東亞各國的報告之收集查考，至今仍可謂放射不少餘光。

（三）路德利斯（1861～1928）的為人與學問

關於介紹利斯博士的最新世界性文獻，為《猶太百科全書》（*Encyclopaedia Judaica*，耶路撒冷，1971年）第14卷之有關項目，但有關他的日文介紹小文倒是不少。下面，我將綜合一下這些文章，概略地介紹他的身世與學術成就。

利斯，於1861年出生於普魯士國西普魯士州（Deutsch, Krone）——現屬於波蘭的田園小都市。他在柏林大學念歷史與地理時，私淑已退休的德國近代史學鼻祖藍克（Leopold von Ranke, 1795～1886），出入藍克家並擔任抄寫生。

利斯於1884年7月時以「中世紀英國議會選舉權法之變遷研究」獲得柏林大學哲學博士學位（時年僅23歲）。

雖然，他有關英國史的研究普遍地受到高評（包括英國學界），但因其出身猶太裔，在大學裡謀不到職位。1886年在徬徨之中受聘於日本的帝國大學，翌年二月訪日就任於帝國大學文科大學史學科外國人教師之職位。

斯時，京都帝國大學尚未創設，帝國大學只有一校，故並不冠東京之名。帝大由法、文、理、醫、工之五分科大學而成。帝國大學改稱為東京帝國大學係在1897年3月。

利斯到日就任時年僅26。斯年文科大學剛開設不久，只有哲、和文、漢文、博言四學科。同年9月文科大學增設了史學科、英文學科和德文學科三學科。

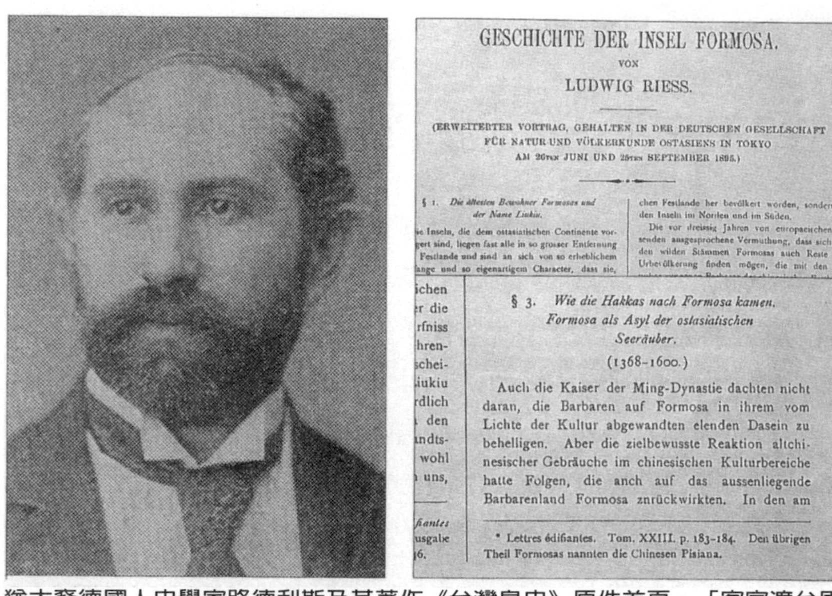

GESCHICHTE DER INSEL FORMOSA.

VON

LUDWIG RIESS.

(ERWEITERTER VORTRAG, GEHALTEN IN DER DEUTSCHEN GESELLSCHAFT FÜR NATUR UND VÖLKERKUNDE OSTASIENS IN TOKYO AM 26TEN JUNI UND 25TEN SEPTEMBER 1895.)

§ 1. *Die ältesten Bewohner Formosas und der Name Liukiu.*

ie Inseln, die dem ostasiatischen Continente vor-
gert sind, liegen fast alle in so grosser Entfernung
Festlande und sind an sich von so erheblichem
ange und so eigenartigem Character, dass sie,

chen Festlande her bevölkert worden, sondern
den Inseln im Norden und im Süden.

Die vor dreissig Jahren von europaeischen
senden ausgesprochene Vermuthung, dass sich
den wilden Stämmen Formosas auch Reste
Urbevölkerung finden mögen, die mit den

§ 3. *Wie die Hakkas nach Formosa kamen. Formosa als Asyl der ostasiatischen Seeräuber.*

(1368–1600.)

Auch die Kaiser der Ming-Dynastie dachten nicht daran, die Barbaren auf Formosa in ihrem vom Lichte der Kultur abgewandten elenden Dasein zu behelligen. Aber die zielbewusste Reaktion altchinesischer Gebräuche im chinesischen Kulturbereiche hatte Folgen, die anch auf das aussenliegende Barbarenland Formosa znrückwirkten. In den am

* Lettres édifiantes. Tom. XXIII. p. 183–184. Den übrigen Theil Formosas nannten die Chinesen Pisiana.

猶太裔德國人史學家路德利斯及其著作《台灣島史》原件首頁、「客家渡台原委」一章

1888年11月30日，利斯向帝大渡邊洪基總長提出「有關歷史教育之意見書」。次年1889年6月，帝大當局徵詢了利斯的意見另外開設了國史學科。利斯乘其勢，遊說了日本有關人士，同年11月創設「史學會」。次月同會之機關雜誌《史學會雜誌》隨而誕生。

《史學會雜誌》出刊第三年度之末期，改稱「史學雜誌」，與其母體「史學會」連綿延續至今。因而，日本史學界通常稱讚利斯為日本近代史學之開山鼻祖。

來日第二年，也就是1889年，與其家僱廚師大塚熊之助之女大塚福結婚。

1902年，日本人的留歐有關學生開始返國，在專業上已可取代外籍教師。為了節省外匯及開支，亦極需以本國人之低薪填補薪給甚高的外國人教師。

據紀錄，利斯之最後任期（1899年8月1日～1902年7月31日，因三年一任，每一更改，條件與內容有異）之月薪日幣462圓50錢，歸國旅費為975圓（1898年6月28日發行之《台灣島史》的定價為2錢，可比較參考）。

突然而來的解聘，教利斯一家人（日妻大塚氏已生有一男四女）陷入窘境。

利斯做了多方考慮後，只帶了1899年出生、不足四歲的兒子應登（O'tto）於1902年8月9日自橫濱出港乘輪返鄉。日本政府酬賜終身年金500圓。

返德後就任柏林大學講師，後升任為副教授。除了職位上不甚得意外，第一次世界大戰德國戰敗，給德國知識界帶來物質上和精神上雙重的困境。利斯生活陷入困難又患上糖尿病，後因散步時受毒蟲咬傷而臥病，遂逝世於1928年12月27日，享年68歲。

返鄉未幾，日俄戰爭開始，利斯在《柏林日報》等新聞媒體寫專欄，介紹日本之現狀及民族性等。

除了雜文外，利斯發表了不少個案研究，並從事於史學研究法之著述。1918年，他全面改訂海德堡大學教授葛爾克・韋伯（Georg Weber, 1808～1888）所編世界史教科書，當做贈送戰敗後德國人之歷史著作。俗稱為「小世界史」的這套教科書，係藉韋伯之框架灌入其師藍克之史觀而成者。

1922年利斯出版《近代歐洲之基礎》（*Basis des modernen*

Europas），在晚年之1926年，他再次付梓了《英國最近近世史》（*Englische Geschichte, hauptsächlich in neuester Zeit*）。

不管如何，利斯博士是勤奮於研究的。他就職於帝國大學之15年間，給日本史學界提供的新刺激、新方法以及各種新制度的倡議，帶給日本開創近代史學的基礎，係不可磨滅的貢獻。不過教有識之士覺得萬分遺憾的卻是，沒有給日本學界介紹過「歷史哲學」的思考與方法。

其實這一類「遺憾」是難於避免的。利斯基本上所蹈襲的是「反」抑或批判黑格爾歷史哲學的藍克之史觀以及方法。

他自負為「終生事業」的《普遍世界史》（*Allgemeine Weltgeschichte*）之修訂16卷大冊的大事業（藉與韋伯共編形式）未克完成，但其第一卷（1919年版）之〈序論〉（"Die Aufgabe der Weltgeschichte"），由他的帝大授業學生坂口昂主譯，而由岩波書店當作「史學叢書第參篇」《世界史之使命》〔《世界史の使命》〕，於1922年5月付梓。這本小冊子，在1920年代之日本，一直被大學生使用為史學研究入門書，增版了幾次（確實數字待查，筆者所藏本則為1924年2月10日，二版發行者）。

（四）結語

由「客家渡台原委」之譯文，我們可窺知，利斯所用資料主要來自於荷蘭殖民當局、教會以及歐洲探險家之紀錄。

對有關客家之言及既不夠詳細，甚至於和一般通說都有稍異，特別把大陸之客家移台人數舉為三分之一之多，當然極為不正確。

但荷蘭殖民統治台灣時期，有關客家人擔任過高山族酋長與荷蘭當局之翻譯通事之指摘，當鮮為人知，值得我人繼續向荷蘭有關台灣舊檔案追尋史實。

日譯本居然能用「客家」當作德文之「Hakkas」來套用，在1898年（日本殖民統治台灣之第三年）之早期亦值得我們留意。

眾人皆知，日本殖民地當局在日據台灣50年間，其主流一直把客家人當作廣東人看待，其謬誤之極，我早有立論指摘。

利斯出身猶太裔，他亦把客家之南遷史事與猶太人之遷移相比討論，讓人深諒其苦楚。

不管此文之內容如何，它做為難能可貴的一種紀錄，將係任何有識之士不至於反對此事，我相信。

本文原刊於《漢聲》第23期，1989年12月，頁112～114

三、出生就必須帶有尊嚴

今天很榮幸應邀前來為各位鄉親父老做此演講。今天的題目是：「客家系台灣人的認同問題」，大家對「客家系台灣人」的說法或許很陌生，但確是應該有此用法。至於「認同」，則是台灣大家常用的語詞，但是台灣學界為「認同」做為學術性的解釋及學術研究的人則不多見。

據我所知，師大心理學教授張春興先生，曾將艾利克生的理論套用在台灣社會之分析及解釋中。今年，我碰到張先生，一起談論到世界上第一個提出「認同」的人，這是一位猶太裔美國人，目前擔任哈佛大學精神分析學名譽教授。當「認同」被提出後（即是1960年代之後），對社會科學研究產生極大的影響，也刺激了方法學及問題意識。可惜的是，台灣並沒有學者對「認同」有關問題做深入研究，因此今天我的演講將解釋兩個關鍵字眼，即「客家系台灣人」與「認同」。

（一）台灣居民遷移有先後

「客家系」在我的概念裡，凡涉及研究台灣史和台灣當前問題時，我們必須了解台灣居民的分類方式，例如以種族或階級的方式來分類。此處暫不使用「階級」的概念。我們在了解台灣居民是怎樣形成的時候，首先我們要曉得山胞是最先到台灣的，而山地同胞又可分為山地山胞和平地山胞兩種，這是在日據時代因行政上的需要而界定的，日本人利用行政區來管理、控制山地同胞。這種方法之雛型，其實早在明朝、清朝就被使用過，主要是在台灣島上掌權的漢族或滿族，以前是鄭（成功）家政權、清朝政府，近年來是國民黨政府，他們一直沿襲下來，並且做下一些調整而採用的統治方式。

其實，我們使用「山胞」這個字眼，並不恰當，像阿美族住在東部平地或雅美族住在海洋島嶼，有很多人都不是住在山地裡。我在日本著述時則採用「先住民」一詞，當然另有一種「原住民」的說法。將來若能拋開一些政治概念，而真正用學術客觀的角度，不管是考古學或人類學的方法，把菲律賓群島、海南島、琉球群島，還有印尼群島連貫起來做好比較研究，也許可以真正了解到現在「山胞」的根源究竟為何。

基本上，我認為使用「先住民」的稱呼比「原住民」要來的好，因為他們除了平埔族外還有九族，究竟哪一族為原住民，到現在為止，學界都沒有定論。

因此，所謂「台灣人」的概念本來該先有「先住民系」台灣人，或使用英文裡頭native Taiwanese的概念才比較合乎邏輯。當然native有土著的意思，所以也包含有原住的意思。在「先住民系」台灣人之後，再來的就是「閩南系」台灣人，他們係來自福建省廈門、漳州、泉州一帶的閩南人，我就稱之為「閩南系」台灣人。然後，繼之而來的就是講客家話的「客家系」台灣人。

在日據時代，日本人稱客家人為廣東人或廣東族，其實這是不對的。我在日本給他們（日本人）解釋，其實客家人不等同於廣東人。以地區而言，客家人從中原移居到廣東省，另外還有部分的客家人移住福建、廣西、四川、江西等地。在廣東客家移民多集中在梅縣、五華、四縣等地區，而內政部長吳伯雄家便是屬於福建省汀州府一帶的客家人。日本人完全搞錯了。像有名的虎標萬金油的胡文虎、胡文豹兄弟家族，便是福建省永定那邊的客家人，他們的客家話與我們這邊的四縣、海陸客家話還有點不太一樣。如此檢討下去，我們客家人對我們自我的認知還需要下更大且細緻的功夫。

（二）出生尊嚴不可拋棄

我們中國人喜歡搞政治又怕政治，對哲學、對原理性的思考，對思想層次的抽象性思考，好像都不太喜歡，往往只以表象來看問題，很情緒的來講解問題。我住在日本31年，始終抱著三個尊嚴為處世哲學：第一個是出生的尊嚴，亦即指沒有任何人能夠事先選擇自己的父母親，任何人皆為父母愛情之結晶，雙親或單親為客家人即生為客家人，亦無法使自己隨心所欲地成為所謂的「外省人」或其他地方人。這種尊重自己是客家人出身的事實是我的出發點，即使父母親是乞丐，我還是客家人。連自己之出生的嚴肅「現實」都不敢面對或不能尊重自己是客家人，從何談其他事情？

第二是民族的尊嚴。民族的問題是具有歷史長久性的，而任何天災人禍都不能在短短幾年之間，把民族問題消除掉。一般來說，大眾傳播媒介所提出的問題與報導多是短暫的事實，它們是歷史的一部分，而不是歷史的全部。我們當前的知識是歷史的累積在「現在」的時空之顯現而已。國家的決策一定涉及到現在與未來，也必須參考一般所說的歷史（當為歷史的過去）。我們要從歷史文脈裡來認知，找出民族的尊嚴。就正如大家也應該努力把「外省人」從政治學的概念糾正回到人類學的概念一樣。今天討論到「客家系台灣人」亦不能單就政治上的概念來討論，也不是企圖和「福佬」系鄉親劃清界線來互相對抗。

（三）自我意識與認同關係密切

下面我將討論有關認同問題。社會科學領域裡的「認同」概念是艾利克生所提起的。「認同」二字有它正負兩面的意義。若當名詞來用則其意義類似於「自我同定」。而艾利克生的identity的內涵是辯證的、是動態的、是歷史連續的、是環境及社會變動所制約的，甚至包括人性心靈從幼年到老年人心靈變動的總合性過程。所以在心理學上而言，可稱之為人的自我同定；在社會學上可稱為人的自我存在證明；在哲學上則可稱為人的主體性。

但由於這個概念所包含的歷史連續性以及人格同定性，它便不止於停留在自我之上，這主要的「自我」會隨著時間及空間逐漸成長、擴大，而個人參與社會組織或社團也會隨著時間和空間逐漸開展。在這種過程當中，「自我」將會慢慢地形成、獲得某種概念與意識，而會跟另外一個社會或世界所逐漸形成的概念與意識相互對比，而為自我找尋出角色定位。「自我」便慢慢會向一個團體的價值認同，逐漸地建立自我的主體。

我們曉得「存在」規制意識，語言是意識的反映。而「客家人」在台灣算是少數，約占全台灣本省籍人口的13％到15％左右。而有一部分人大概也忘記自己是客家人，也不會講客家話，因此便不會想到主張客家人應有的尊嚴和地位，而都使用閩南話去了。例如在宜蘭縣有個叫「雙連坡」的地方有十幾戶客家人居住，但境遇不是很好，不過仍然信奉客家神。就像知名人士邱永漢先生是來自福建的客家人也是個例子。相反地，在美國的猶太人卻成功地保持自我的認同與尊嚴，而猶太人也深深地影響著世界的進步，包括許多著名的科學家、思想家和文學家。我們客家人也不必強調自己如何地優秀，而是要努力地追求優秀的表現，讓別人刮目相看。

（四）客家人要自我突破

「客家人」其實未必一定是優秀的，但是由於客家人生活成長的地區較艱困而比較努力讀書求上進，目前在醫學界、政界及企業界的不少傑出人士，不少是客家同鄉，因此，客家系同鄉應該不必感到自卑。只是許多客家同鄉不敢公開地做出客家屬性的自我主張，這種心理頗待突破。而主張客家人的身分並非是要去跟閩南人吵架爭鬥，這只是求自我主體性之確立，方便更堅強地求自我實現而已，不必逃避自己的出生身分。其實，閩南人有閩南人的尊嚴，山地同胞有山地同胞的尊嚴，客家人也該具有客家人的尊嚴，大家不要逃避任何現實，一定要面對主張出生的尊嚴，然後才能夠普遍地推廣到世界性人權宣言的層次上。尊重所有人種或民族的出生的尊嚴，這樣才能達到真正的自我實現，人人以原本的人性及確立成型的自我個性發揚光大。

在過去這一年裡，台灣社會內部發生很大的變化，蔣經國總統最近也提出「我也算是台灣人」的新認同的說法，至於以後政府將如何誘導這一種新認同的思考框架並落實下去，還未可知。但是在這變動中的局面裡，我們客家同鄉必須要加深對自我的認知，同時要把自己的定位認識清楚，對於自我主張要樹立起信心，要讓外省人、閩南以及山地同胞大家能普遍性地來接受。在此之後，我們要關懷全中國的事情，關注牽涉到亞洲世界和平的問題。在目前這個時刻，最重要的是建立起自我的尊嚴，生活得自在些，建立起健康的認同方向感，要立足台灣，保持客家人的語言和其他優點，再放眼到全中國和全世界，來共謀更富於光明和幸福之明天。謝謝諸位！

本文原刊於《客家風雲》創刊號，台北，1987年10月，頁17～20。原題「出生就要有尊嚴——客家系台灣人的認同問題」

【附錄】
客家文獻目錄（稿）*

◎ 戴國煇編

（一）華文

1.專書

羅香林，《客家研究導論》，廣東：Shi-Shan Library Hsingning，1933
羅香林，台銀調查課譯，《客家族研究導論》，台灣，1942
羅香林，《客家源流考》，香港：香港崇正總會，1950
馬來亞華人醫藥總會，《星馬華人醫藥界通譯錄》，Penang：Khung Wah Printers，1960
葉榮燊，《嘉應故鄉談叢》（第一集），新加坡：各地嘉應會館，1963
葉榮燊，《嘉應故鄉談叢》（第二集），Penang：各地嘉應會館，1965
葉榮燊，《嘉應故鄉談叢》（第三集），Penang：各地嘉應會館，1965
張斯仁，《老琢閒話》，香港：圖鴻印刷公司，1961
霹靂客屬公會開幕紀念特刊編輯委員會，《霹靂客屬公會開幕紀念特刊》，Penang：康華印務公司，1951
泰國威提耶功出版社編輯委員會，《泰國華僑大辭典》，曼谷：威提耶功出版社，1967
郭迪乾、雲昌潮、林謙，《泰國華僑社團史集》，曼谷：中興文化出版社，1960

* 本目錄特別敦請馬來西亞南方學院中文系系主任，客家研究者安煥然教授校訂。

謝雪影，《潮梅現象》，汕頭：汕頭時事通訊社，1935
泰國華僑客屬總會，《泰國華僑客屬總會年刊》，曼谷：香港書報印刷公司，1954
暹羅華僑客屬總會，《暹羅華僑客屬總會二十周年紀念刊》，曼谷：香港書報印刷公司，1947
雪蘭莪惠州會館，《雪蘭莪惠州會館年報（1967～1968）》，K. L.：聯商印務有限公司
羅香林，《崇正總會三十週年紀念特刊》，香港：香港崇正總會，1950
南洋客屬總會編輯委員會，《南洋客屬總會第三十五、三十六週年紀念刊》，新加坡：南洋客屬總會，1967
謝佐之，《馬來亞惠僑總覽》，新加坡：大活出版社，1949
北婆羅洲客屬公會特刊編輯委員會，《北婆羅洲客屬公會新會所開幕紀念特刊》，North Borneo：北婆羅洲客屬公會，1957
泰國華僑客屬總會，《泰國華僑客屬總會年刊》，曼谷：泰國華僑客屬總會，1966
泰國華僑客屬總會，《泰國華僑客屬總會年刊》，曼谷：泰國華僑客屬總會，1968
侯德馨、蕭戟儒他，《泰國華僑客屬總會三十週年紀念特刊》，曼谷：泰國華僑客屬總會，1957
蕭戟儒、張湘泉他，《泰國華僑客屬總會四十週年紀念特刊》，曼谷：泰國華僑客屬總會，1967
何炳棣，《中國會館史論》，台灣：台灣學生書局，1966
檳榔嶼客屬公會，《檳榔嶼客屬公會民藝中樂隊週年紀念遊藝大會特刊》，Penang：檳榔嶼客屬公會，1960
曾德銓、林志皋他，《新加坡應和會館雙龍義山暨產業徵用概況》，新

加坡：新加坡應和會館，1969
編輯委員會，《霹靂大埔同鄉會開幕紀念特刊》，Perak：霹靂大埔同鄉會理事會，1968
編輯委員會，《河婆同鄉會紀念特刊》，Perak：河婆同鄉會，1967
《南洋霹靂嘉應會館明德學校紀略》，Perak，1927
編輯委員會，《泰國豐順會館五十三年會刊》，曼谷：泰國豐順，1965
南洋客屬總會，《客屬年刊銀禧紀念號》，新加坡：南洋客屬總會，1956
泰國華僑客屬總會，《泰國華僑客屬總會年刊—1962年度—》，曼谷：泰國華僑客屬總會，1963
李桂陶、廖毓興他，《沙巴州客屬總會會刊第一期》，Sabah：沙巴州客屬總會，1967
南洋客僑工商業彙編社，《客僑工商業彙編1948年（馬來亞之部）》，新加坡：南洋客僑工商業彙編社，1949
《南洋客屬總會慶祝卅五周年紀念暨第五屆代表大會代表手冊》，1964
鄒魯、張煊合著，《漢族客福史》
黃公度，《客族考源》
羅靄，《客家方言十卷》
崇正總會（十六屆）特刊編輯委員會，《崇正特刊》，香港：香港崇正總會，1958
賴際熙，《崇正同人系譜十五卷》，香港：香港崇正總會，1925
編輯委員何壽康、葉脈、鍾偉光，《香港崇正總會特刊（四十八週年）》，香港：香港崇正總會，1968
崇正總會四十六週年特刊編輯委員會，《崇正總會四十六週年會慶暨第二十一屆理監事就職特刊》，香港：香港崇正總會，1966

檳榔嶼大埔同鄉會三十週年紀念刊編輯委員會，《檳榔嶼大埔同鄉會三十週年紀念刊》，Penang：檳榔嶼大埔同鄉會，1968
羅香林，《西婆羅洲羅芳伯等所建共和國考》，香港：中國學社，1961
羅香林，《客家史料匯篇》，香港：中國學社，1965
羅香林，《流行於贛閩粵及馬來亞之真空教》，香港：中國學社，1962
宋文炳著，小口五郎譯，《支那民族史》，東京：大東出版社，1940

2.單篇論文

黃延凱，〈客族是否為中原遺種又一證據〉
林志皋，〈客家南遷之史蹟〉，《星洲應和會館一百四十一週年紀念特刊》，1965
凌喬文，〈嘉應客族之特性及其他〉，《星洲應和會館一百四十一週年紀念特刊》，1965
林志皋，〈客人習俗談〉，《星洲應和會館一百四十一週年紀念特刊》，1965
楊秋鴻，〈客家婦女生活一般——能耐勞苦的婦女〉，《星洲應和會館一百四十一週年紀念特刊》，1965
凌喬文，〈客家的生活方式〉，同上，1965
巫翠波，〈二嫂——客家婦女生活實況〉，《星洲應和會館一百四十一周年紀念特刊》，1965
江應樑，〈南洋華僑多閩粵人的原因〉，《南洋情報》，第1卷第7期，頁318～321，1933
葉紹純，〈南洋與潮梅人民的關係〉，《南洋情報》，第1卷第7期，頁264～266，1933
張孤星，〈南洋各屬的現勢一瞥〉，《南洋研究》，第5卷第2期，頁

72～77，1935
戈傑，〈華僑在潮汕〉，《中國週刊》，第14、15期合刊號，頁49～52，1939
蕭吉珊，〈海外各屬華僑學校一覽〉，《時事月報》，第10卷第2期，頁41～43，1934
〈1948年度潮汕出國華僑統計〉，《南洋報半月刊》，第20期，頁6，1948
羅香林，〈海外各地客屬僑肥之分佈〉，《崇正總會特刊》，1950
羅香林，〈客屬海外各團體之組織與發展〉，《崇正總會特刊》，1950
萬方，〈海外各地客屬僑肥之分布〉，《崇正總會特刊》，頁1～18，1950
呂士明，〈南洋華僑鄉土特質之研究〉，《華僑問題論文集》，第4卷，頁129～141，1957
黃寄萍，〈南洋各屬應籌設中國館芻議〉，《南洋研究》，第5卷第6期，頁25～26，1935
〈海外華商總會名單〉，《東方雜誌》，第14卷第4期，頁168，1917
〈吉田致函胡文虎要求經濟合作——日人對東南亞華僑之重視〉，《經濟週報》，第6卷第1期，頁13，1952
〈南洋各埠邑人工，商，農，學各界概況〉，《新加坡茶陽會館百年紀念刊》，頁31～37，1958
李志青，〈新加坡華文教育六十年〉，《新加坡應和會館一百四十一週年紀念特刊》，頁6～8，1965
謝品鋒，〈應新學校史略〉，《新加坡應和會館一百四十一週年紀念特刊》，頁15，1965
〈新嘉坡茶陽會館簡史〉，《新加坡茶陽會館百年紀念刊》，頁4，1958

〈新加坡茶陽勵志社史略與現狀〉，《新加坡茶陽會館百年紀念刊》，頁21～22，1958

〈新嘉坡茶陽三機關聯系述要——茶陽會館　啟發學校　回春醫社〉，《新嘉坡茶陽會館百年紀念刊》，頁27～28，1958

黃叔麟，〈同鄉氏族團體的問題〉，《行動周刊》，第16期，頁27，1959

黃富榮、謝呂鋒，〈新加坡應和會館史略〉，《南洋文摘》，第4卷第8期，頁43～45，1963

黃富榮，〈新加坡應和會館史略〉，《星洲應和會館一百四十一週年紀念特刊》，頁10～12，1965

陳延謙，〈新加坡華人銀行發達史〉，《華僑經濟季刊》，第1卷第1期，1941

陳念，〈悼胡文虎先生〉，《星洲週刊》，第179期，頁3，1954

鄭子瑜，〈詩人黃公度羈馬事蹟考〉，《南洋學報》，第10卷第2期，頁42～43，1954

高維廉，〈黃公度先生就任新加坡總領事攷〉，《南洋學報》，第11卷第2期，頁1～16，1955

真理光，〈我所認識的李光耀〉，《南洋文摘》，第1卷第1期，頁25～26，1960

〈李光耀印象記〉，《南洋文摘》，第1卷第1期，頁26～27，1960

陳育崧，〈記林文慶以狗肉起黃遵憲沉疴事〉，《南洋學報》，第17卷第1期，頁29～30，1962

羅香林，〈胡文虎先生傳〉，《東南亞學報》，第1卷第1期，頁43～45，1965

〈獅子城史話〉，《星洲應和會館一百四十一週年紀念特刊》，頁19～

24，1965
劉士木，〈吾與光華四十年〉，《南洋學報》，第8卷第2期，頁14～18，1952
〈檳城華僑社團之新調查〉，《外交公報》，第7卷第4期，頁29～38，1934
〈檳榔嶼的大埔同鄉〉，《旅暹大埔公會成立二週年紀念特刊》，頁15～17，1948
張復靈，〈客人在馬來亞〉，《吡叻客屬公會開幕紀念特刊》，頁111～140，1951
鄺國祥，〈檳榔嶼的海珠嶼大伯公〉，《南洋學報》，第13卷第1期，頁53～58，1957
〈馬六甲茶陽會館史略〉，《新加坡茶陽會館百年紀念刊》，頁1～2，1958
〈雪蘭莪茶陽會館簡史〉，《新加坡茶陽會館百年紀念刊》，頁3～4，1958
〈雪蘭莪回春會館館史〉，《新加坡茶陽會館百年紀念刊》，頁5～7，1958
楊雪華，〈雪蘭莪回春會館的建設與今後任務〉，《新加坡茶陽會館百年紀念刊》，頁8～9，1958
〈吡叻太平茶陽會館史略〉，《新加坡茶陽會館百年紀念刊》，頁10～11，1958
〈吧生大埔同鄉會簡史〉，《新加坡茶陽會館百年紀念刊》，頁13～14，1958
〈森美蘭茶陽會館史略〉，《新加坡茶陽會館百年紀念刊》，頁15，1958

袁舜琴，〈蔴坡茶陽會館概述〉，《新加坡茶陽會館百年紀念刊》，頁16，1958

戴荔岩，〈檳榔嶼大埔同鄉會史略〉，《新加坡茶陽會館百年紀念刊》，頁17～18，1958

〈柔佛居鑾大埔同鄉會史略〉，《新加坡茶陽會館百年紀念刊》，頁19～20，1958

范國平，〈吡叻怡保茶嶺俱樂部簡史〉，《新加坡茶陽會館百年紀念刊》，頁20，1958

文君，〈檳榔嶼的「新客」〉，《南洋文摘》，第4卷第5期，頁43，1963

老生，〈新客今昔觀〉，《南洋文摘》，第4卷第11期，頁30～31，1963

疑雲，〈百餘年前檳榔嶼的華人社會〉，《南洋文摘》，第6卷第8期，頁28～29，1965

劉方君，〈淪落敵手之玻璃市〉，《茶陽邑僑蒙難特輯》，頁1，1947

藍渭橋，〈檳榔嶼淪陷記〉，《茶陽邑僑蒙難特輯》，頁2～3，1947

鄺國祥，〈檳城淪陷雜記〉，《茶陽邑僑蒙難特輯》，頁4～5，1947

范靖江，〈太平淪落期中簡述〉，《茶陽邑僑蒙難特輯》，頁6～7，1947

辛棠，〈治保淪落前後斷記〉，《茶陽邑僑蒙難特輯》，頁8～9，1947

牛馬走，〈淪落後之彭亨〉，《茶陽邑僑蒙難特輯》，頁10～13，1947

張兆禎，〈芙蓉淪陷憶記〉，《茶陽邑僑蒙難特輯》，頁14，1947

竹壬，〈馬口淪陷時期之慘痛〉，《茶陽邑僑蒙難特輯》，頁15，1947

堅兵，〈淪陷後之馬六甲〉，《茶陽邑僑蒙難特輯》，頁17～20，1947

袁舜琴，〈蔴坡淪落記略〉，《茶陽邑僑蒙難特輯》，頁22～24，1947

何傑民，〈峇株巴轄淪落記〉，《茶陽邑僑蒙難特輯》，頁25，1947
林萍，〈昔加末的陷落〉，《茶陽邑僑蒙難特輯》，頁26，1947
吳克盛，〈淪落三年的巴羅〉《茶陽邑僑蒙難特輯》，頁27，1947
賴生科，〈吡叻永定同鄉會故主席曾昭周先生史略〉，《永定月刊》，第9期，頁4，1946
友詳，〈戴欣然與檳城華僑中學〉，《南洋文摘》，第2卷第9期，頁37～38，1961
陳漢光，〈砂勝越古晉大埔同鄉會史略〉，《新加坡茶陽會館百年紀念刊》，頁22～23，1958
郭緯君，〈椰加達茶陽公會暨附設中南學校簡史〉，《新加坡茶陽會館百年紀念刊》，頁25～26，1958
劉乃福，〈印尼東爪哇茶陽公會史略〉，《新加坡茶陽會館百年紀念刊》，頁27～28，1958
灰心，〈南洋遺俠羅芳伯傳〉，《地學雜誌》，第5卷第11期（下），頁3～4，1914
羅香林，〈羅芳伯所建婆羅洲蘭芳大總制攷〉，《廣州學報》，第1卷第1期，頁1～38，1937
羅香琳，〈羅芳伯所建婆羅洲坤甸蘭芳大總制攷〉，《禹貢》，第6卷第8、9合期，頁19～43，1937
凌柳，〈華僑之首羅芳伯〉，《星洲週刊》，第228期，頁6～7，1955
簡齋，〈坤甸王羅芳伯〉，《南洋文摘》，第1卷第9期，頁55～56，1960
〈大唐總長羅芳伯〉，《南洋文摘》，第2卷第11期，頁27，1961
羅香林，〈羅芳伯等創立蘭芳公司及其演進為共和國之史實〉，《東南亞學報》，第1卷第1期，頁5～9，1965

古直，〈述客方言之研究者〉，《中大語歷研週刊》，第8卷第85、86、87期，1929

丁迪豪，〈客家研究〉，《民大中國文學系叢刊》，第1卷第1期，1934

羅香林，〈客家研究後記〉，《清華週刊》，第35卷第1期，1931

朱希祖，〈客家研究導論序〉，《國風半月刊》，第4卷第3期，1934

許道齡，〈客家研究導論提要〉，《禹貢》，1934

黃任潮，〈客族風光〉，《國聞週報》，第12卷第38期，1935

沈寒流，〈客族源流考〉，《逸經》，第21期，頁70～71，1937

李紹雲，〈嶺東地理與客家文化〉，《地理雜誌》，第3卷第5期，1930

朱希祖、曾運乾，〈審查客家方言報告書〉，《中大文學史學研究所月刊》，第1卷第4期，1933

李次民，〈廣西客家之分佈〉，《中大文學史學研究所月刊》，1933

于鶴年，〈關於客家研究導論通訊〉，《中大文學史學研究所月刊》，1935

陳培錄，〈談客家佬〉，《逸經》，第21期，頁72，1937

〈關於猺獞與客族問題之討論〉，《逸經》，第19期，1936

陳隆吉，〈「猺獞即今之客族」說駁議〉，《逸經》，第24期，頁34～35，1937

憾廬，〈客族，猺獞，及閩南民族〉，《逸經》，第25期，頁78～80，1937

梁振東，〈「客學研究導論」讀後〉，《書林》，第1卷第1期，頁27～29，1937

金髮，〈介紹客家及其他〉，武漢《中央日報・副刊》，第143期，1927

詔年，〈客家及其山歌〉，武漢《中央日報・副刊》，第150、151、157期，1927

日本國際評論，張景崧譯，〈廣東客家民族之研究〉，《集美周刊》，第13卷第15、16期，1933

〈關於客族問題之討論〉，《逸經》，第23期，頁34～37，1937

羅爾綱，〈亨丁頓論客家人與太平天國事考釋〉，《天津益世報讀書周刊》，第7期，1935

張騰發，〈客家山歌之社會背景〉，《民俗》，第1卷第1、2期，1936、1937

黃詔年，〈評「客音情歌集」〉，武漢《中央日報・副刊》，第3期，1927

（二）日文

單篇論文

外務省情報部，〈廣東客家民の研究〉，1932

同上，同上，《內外糖業時報》，1932

彭盛木，〈客家人物と現代支那〉，《支那》，1934

西山榮久，〈客家族の由來と其の分佈〉，《支那》，1939

彭阿木，〈客家に就いての研究〉，《支那研究》，1930

持田利貞，〈客家民族の研究〉，《南方》，1942

岡本鬲，〈蘭人が語る客家物語〉，《南洋》，1939

（三）外文

Anonym：*Biblical histories in the Hakka colloquial*. Basel, 1868.

Anonym：*First lessons in reading and writing the Hakka colloquial*. Basel, 1869.

Anonym：*Hak-ka, Syuk, wa Phò Hok*. 2 ed, 1899.

Anonym：*The New Testament in the colloquial of the Hakka dialect*. Basel, 1874.

Ball, J. Dyer：*Easy Sentences in the Hakka dialect*. 3 ed, 1912.

Ball, J. Dyer：*Easy Sentences in the Hakka with a vocabulary*. 2 ed, Hongk, 1896.

Ball, J. Dyer：*Hakka made easy*, 1896.

Broomhall, M. ed.：*"On the Hakka"*, 1907. *The Chinese Empire*. pp.43～45.

Huntington, E.：*"On migrations of Chinese to the south"*. pp.184～204. *The Character of races as influenced by physical enviroment*. N. Y., 1924, pp.149～171.

Iver, D. Mac.：*An English-Chinese dictionary in the vernacular of the Hakka people in the Canton province*. Shangh, 1905.

Iver, D. Mac.：*A Hakka index to the Chinese-English dictionary of S.* Wells Williams, 1904.

Iver, D. Mac.：*A Hakka syllabary*, 1909.

Lechler, R.：*Das Evangelium des Matheus im Volk-Dialekt der Hakka Chineseman*. Berl, 1860.

Maclver, D.：*An English-Chinese dictionary in the vernarcular of the Hakka people*, 1905.

Maadows, T. T.：*The Chinese and their rebellions* pp.36～4, 1856.

Mercer, B.：*Hakka-Chinese lessons. Lond*, 1930.

Rey, C.：*Dictinaire Chinois-Français; dialecte Hacks*. Hangk, 1926.

Richard, L.：*Comprehensive geography of the Chinese Empire and dependencies*. p.199, 204～207, 343～344. Shangh, 1908.

Stauffer, M. T.ed.：*The Christian occupation of China*. pp.351～353, 1922.

Van dé Stadt, P. A.：*Hakka-woordenboek*. Batavia, 1912.

Williams, S. W.：*The Middle Kingdom*. I. p.138, II. 586～591, 1901. I. 138, 486, II. 582, 591, 1883.

Anonym.：*"Hakka; folk-lore"*. *China Review* XII, p.345.

Anonym.：*"Hakka songs"*. *China Review* XI, p.32～, XIII, p.20.

Camplell, G.：*"Origin and Migrations of the Hakkas"*. *The Chinese Recorder* XLIII.

Eitel, E. J.：*"Ethnographical sketches of the Hakka Chinese"*. *China Review* XX, p.4.

Eitel, E. J.：*"The outline history of Hakkas"*. *China Review* II, pp.160～164.

Eitel, E. J.：*"A series of articles on the Hakka Chinese"*. *China Review* II, pp.160～164. VIII, pp.316～321, XX. pp.263～267.

Herrmann, F.：*"Zur Volkskunde der Hakka in Kuangtung"*. *Sinica* XII, 1938.

Hsien, T'ing-yu（謝廷玉）：*"Origin and migrations of the Hakkas"*. *Chinese Social and Political Science Review* XIII, 2.

Jaeger, F.：*Ueber chinesische Miao Tsë-Albums*, 1916～1917. Oslasiat. Zeit. IV, S. 266～283; V. S.81～89.

Lechler, Rev. R.：*"The Hakkas Chinese"*. *Chinese Recorder* IX, pp.352～359, 1878.

Parker, E. H.：*"Syllabary of the Hakka language or dialect"*. *China Review* VIII, pp.205～217.

Piton, Rev. C.：*"The Hia-Kah in the Che-Kiang province and the Hakka in the Cantan province"*, 1870. *Chinese Recorder* II, pp.218～220.

Piton, Rev. C.：*"Hakka language"*. *China Review* VIII. p.316.

Piton, Rev. C.：*"On the origin and history of Hakkas"*, 1873～1874. *China Review* II, p.226.

Piton, Rev. C.：*Une visite an pays des Hakka dans la provence de Canton*, 1892～1893. Bull. Soc. neuchateloise géag VII. pp.31～51.

Schaub, M.：*"Proverbs in daily use among the Hakkas of the Canton prouince"*. *China Review* XXI. XXII, pp.588～591, 670～672, 710～712, 771～774.

Vaillant, Louis：*Contribution à l'étude anthropologique des Chinoise Hakka de la province de Canton*, 1892～1893. Bull. Soc. neuchateloise géag VII. PP.31～51.

Vaillant, Louis：*Contrebution à l'étude anthropologique des Chinoise Hakka de la province de Moncay*, 1920. L'anthropologie XXX, pp.83～109.

Vömel, J. H.：*Der Hakkadialekt*; *Lautlehre, Silbenlehre und Betonungslehre*, 1913. Tóung pao XIV, pp.597～696.

Zaborowski, M.：*Sur cinq Cranes d' Hakkas et les origines chinois*, Bulletin de la Société d' Anthnopologie de Paris, Série 3, 1879. vol. II, pp.557～578.

第七章　殖民地的傷痕

一、日本的殖民地統治與台灣籍民

1969年11月16日至翌年1月上旬，我生平第一次到東南亞旅行。主要目的是為了研究東南亞華僑問題，預先體驗一點「實地感」與「臨場感」。

旅日14年來第一次返回故鄉，參觀了台灣農村、高雄加工區及加工區外日本企業投資的工廠，然後訪問僑務委員會，拜會了有關官員，同時蒐集資料。

離開台灣之後，第二站是香港。經過畏友小島麗逸先生的介紹見到台灣同鄉的前輩吳鴻裕先生，吳先生明白我的旅行目的後，提醒道：「台灣人在這裡的風評不太好，請小心說話。」

第二天，我見到另一位同鄉，對於東南亞華僑史造詣很深的陳荊和博士，確證一下吳先生的「提醒」。陳博士答道：「是呀，尤其是新加坡。」

時間匆忙，要見的人、要逛的舊書店、必須訪問的機關很多，對這個問題不暇深究。

不過對於第二次世界大戰中，一部分淺見的台灣人在中國大陸和東南亞所做的壞事，並非一無所知。

一些被日本當局徵召到蘇拉威西島（Sulawesi，印尼加里曼丹島東南之大島）當農業技術員，到廣東、汕頭、香港等地去擔任通譯，或到菲律賓去充軍的兄長們，戰後復員回家，從他們口中也聽到一些他們的經歷與見聞。對於部分台灣人的不得人緣略有所聞。但我天真的以為，那種不得人緣持續的時間頂多是十五年戰爭（自「九一八」數起，我們抗戰了15年）前前後後的非常時期而已。

但是到了新加坡不久，我才知道「台灣人」（日據時代，在台灣島內，「台灣人」的用語不甚普遍，但在島外卻已經逐漸地被使用，下文為了敘述方便沿用之）之不得人緣，遠在十五年戰

1969年深秋，戴國煇（中）訪東南亞，順道造訪新加坡客屬總會（左圖）與泰國（曼谷）客屬總會（右圖）時留影（林彩美提供）

爭更早以前就種下了惡劣種子。

據聞，從1920年代初期開始，「台灣呆狗」就頗遭人怨了。住在新加坡的一位在野的東南亞研究家陳育崧先生告訴我他親身經歷的情形。

陳氏早先就學於南洋僑領陳嘉庚創立的集美中學，然後畢業於廈門大學（1921年創立）。1970年陳氏訪日參觀大阪國際博覽會，順便訪問敝舍。我們以閩南語交談甚歡。陳氏知道我也是古書收藏家，便邀我一同參觀神保町古書會館舉行的古書展覽會。純屬偶然地發現了當時日本駐廈門領事井上庚二郎所著、記述有關「台灣呆狗」問題的《在廈門的台灣籍民問題》〔參見本書第七章〕一書。內部祕密資料，高級和（日本）紙孔版本，脫稿於大正15年9月，正是陳氏畢業於廈大的1926年。

「台灣呆狗」一詞是繼台灣籍名散文家兼國學家洪炎秋的

留港台籍領袖吳鴻裕先生（前排右）訪日，與竹內好（前排左）同遊熱海時留影，1970年（林彩美提供）

《又來廢話》（台灣：中央書局，1966年9月出版）所謂「台灣呆狗」（閩南人對台灣流氓的稱呼）之後，第二次讀到，甚感驚訝。洪氏說：「台灣呆狗連累了一些住在廈門的善良的台灣人。」

久住廈門鼓浪嶼的老台灣人林木土先生有名有姓的舉出一些台灣人在中日戰爭時日軍占領廈門（1938年5月）後，公然充當日本當局的走狗，販賣鴉片謀不義之利而發了財。

順便一提的是，木土翁出生於舊台北州海山郡（1893年），台灣總督府國語學校畢業，任教於板橋公學校，教師義務服完後，參與新高銀行的創業，1918年赴任該行廈門支店長。爾後退出銀行，在廈門經營豐南信託公司。另外，以其為鼓浪嶼居民，任該地台灣公會的幹部，後任會長[1]。在鼓浪嶼與林語堂、佐藤春夫等文人交遊甚篤[2]。

1971年木土翁來日時對我說：

「台灣呆狗之外，就任日本領事館警察之職，狐假虎威、作惡發財的台灣人也有。不過同為警察，你的同鄉學友范文政、文良博士兄弟的父親范忠常氏卻是好人。他很關照台灣人，至今我們與范家仍有交往，不只在台灣，到美國時我也會順便去拜訪范

1 參見宮川次郎，《廈門》（台北：盛文社印行，1923年10月1日）所收〈廈門官民一覽表〉（1923年6月），台灣新民報社發行《台灣新民報日刊一週年紀念出版・台灣人士鑑》（1934年3月25日版），同《台灣新民報日刊五週年紀念出版・台灣人士鑑》（1937年9月25日版）及興南新聞社（台灣新民報受日本當局之命改組）發行《興南新聞社十週年紀念出版・台灣人士鑑》（1943年3月15日版）。

2 詳參佐藤春夫，《詩文半世紀》（讀売新聞社，1963年8月20日），頁190。文中的高砂銀行即新高銀行，林木士為林木土之誤。

家兄弟。」

木土翁過世數年，但他的話言猶在耳：

「戴先生，有空研究一下台灣呆狗吧！但是，不要忘了提到呆狗之外，還有不少利用廈門、鼓浪嶼的特殊地位（共同租界）參加抗日地下運動，及留學集美中學、廈門大學，參加中國革命的台灣人青少年的壯舉。」

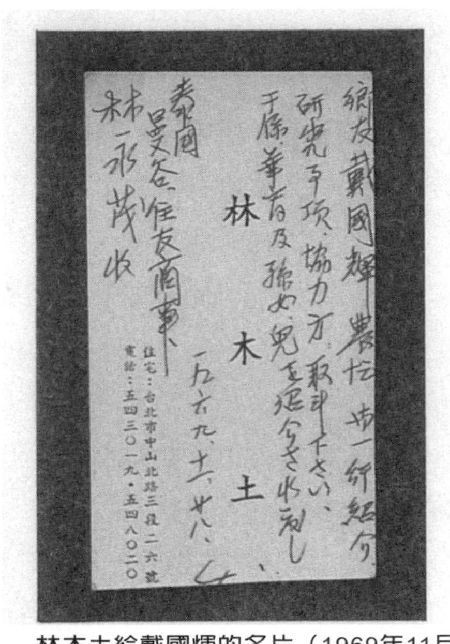
林 木 土
一九六九、十一、廿八、
住宅：台北市中山北路三段二六號
電話：五四三〇一九・五四八〇二〇

林木土給戴國煇的名片（1969年11月28日於台北）

讀了《井上文書》便知台灣籍民之中有一部分自陷為台灣呆狗。中國大陸新刊的單行本《廈門史話》（孔立著，上海，人民出版社，1979年9月初版）如我所料也提到了那些敗類，該書將台灣呆狗稱為「日籍浪人」，加以指責（頁132～138）。僅僅只有143頁的小書中特別騰出一章「日本的侵略據點」來言及台灣呆狗的問題是值得注意的。台灣呆狗在廈門跋扈橫行，諒必受到有識之士的顰蹙，受到民眾的憎惡。

因此本文專門討論台灣呆狗、台灣籍民、日籍浪人的史實及其相互關係。其主要對象時期，姑且限定於1920年代。無論如何，台灣呆狗問題最受注目的該屬於這個時期。現在先由台灣籍民的定義與其由來加以說明。

（一）台灣籍民的定義與由來

依筆者目前所掌握的日本當局的資料，最先替台灣籍民下定義的是《井上文書》。井上庚二郎說：「所謂籍民者，指明治28年領台當時居住台灣，依《馬關條約》之規定，總括的取得帝國國籍者及其子孫，此外有依歸化及編入台籍之手續而成為帝國臣民者。」

本《文書》乃日本官僚內部祕密參考資料，非公開的調查報告。本文雖為貴重的祕密資料，但對台灣籍民一詞所下的定義尚略嫌不夠周密。

為補其缺陷，茲引台灣總督官房調查課編的《台灣與南支（華南）南洋》〔《台灣と南支南洋》〕（遺憾的是該書沒有明記發行年月日，由上下文及統計所涉及者推測，可能在1930年至1931年之間，以下略稱《官房調查課文書》）的解釋云：

> 台灣籍民即明治28年領台當時居住台灣，依《馬關條約》，總括的取得我帝國國籍者，及其子孫領台後渡航支那定居，或完成編入台灣籍手續，歸化取得我帝國之國籍者。

為易於理解，筆者將之整理定義如下：

「台灣籍民者指日本統治下的台灣本島人[3]，居住在日本本土及台灣以外的海島，尤以對岸的廈門為中心的中國各地乃至南

3 參照台北州警務部保安課，《台灣戶口事務捷径》（1926年7月15日發行），頁39所載「樣式記入心得」第十。

洋等地者。」

我所以稱為「日本統治下的台灣島人」，不用說，是因為台灣籍民一詞是日本殖民者統治台灣時代所製造者。限定居住於日本本土及台灣以外的海外的台灣本島人，無非是因為當時從來沒有稱呼居住台灣本島的台灣本島人為台灣籍民。

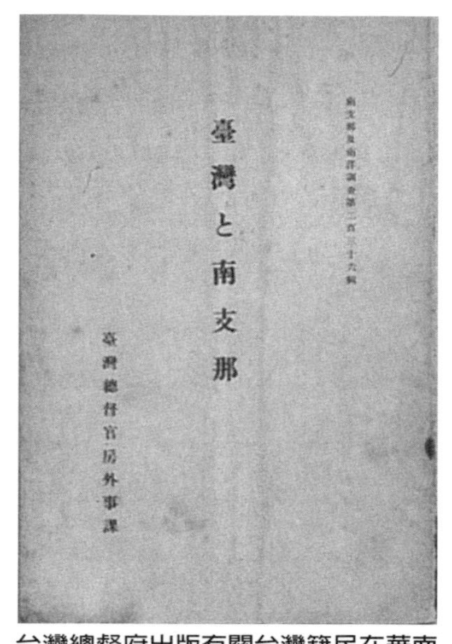

台灣總督府出版有關台灣籍民在華南的活動報告（1937年）

還有一點需要加以說明，並不是所有持有日本國籍由台灣移出者均可歸入台灣籍民的範疇。原本的日本人，無論由日本本土或由其殖民地出港，均別稱為「在留內地人」[4]。

其次，我們來談台灣籍民的由來。由前引井上庚二郎及台灣總督官房調查課為台灣籍民所下的定義可以推知，台灣籍民所根據的第一個理由是台灣被日本殖民地化，及在此情勢下台灣島民（1895年「割讓」時居住於台灣島上的居民）被逼做下的日本國籍之選擇。

不過，如果漢族系台灣島民和對岸的福建省（尤其廈門、泉州、漳州的閩南地方）、廣東省（尤其潮州、汕頭、梅縣的潮汕

4 參照台灣總督官房調查課，《台灣と南支南洋》，頁4～6。

梅一帶的粵東地方）的住民在語言、風俗習慣上沒有共通之處，不用說，就不必特意創造出一個台灣籍民的名稱或範疇來加以區分了。

換言之，可以斷言，日本當局為了統治台灣和為了向華南及南洋推展政策之需要，把占台灣島民絕對多數的漢族系居民，和對岸大陸（尤其是閩南、粵東）的居民分離，加以區別，因而創出了台灣籍民的概念。

隨著台灣的殖民地化，台灣島民的國籍選擇是依據《馬關條約》第五條的協議而發生的：

> 第五條：割讓與日本國地區之居民而欲居住於右割讓地區（指台灣全島及其附屬島嶼，以下略稱台灣）以外者，得自由出售其所有不動產退出，其猶豫期間限由本約批准換文之日（1895年5月8日）起二年，滿期之後仍未離去該地區之居民得依日本國之決定，視爲日本國臣民。（略）[5]

然則，條文的原旨並非賦與台灣島民國籍選擇的自由。只是規定台灣島居民，有放棄或選擇居住台灣的自由而已，但大部分住民的生計皆繫於台灣，自台移居對岸談何容易？如果是自由選擇國籍，那麼即使不在選擇猶豫期間內離開台灣，而欲繼續居留台灣，應該可以有選擇保持清朝國籍的機會才對。

日本帝國蹈襲當時國際關係上強者的一般性邏輯，把猶豫期

5 參照外務省編，《日本外交文書》第28卷第2冊（1953年10月31日），頁364，及中國史學會主編《中日戰爭（七）》（中國近代史資料叢刊），頁496。

限過後仍居留台灣境界內之居民，一律視為選擇願做日本國臣民來處理。至於留下的台灣島民將來的國民身分如何，日本政府並沒有在該條約上加以記載。條文上只說「依日本國之決定視為日本國臣民」，也就是說日本國單方面的保有決定留下的台灣島民的國民身分的權力，實在是很巧妙的設計。也就是說，可以解釋為對於留下的台灣島民，日本可以決定視為日本國民讓人留下，或不視為日本國民而由台灣驅逐出境。掌握了生殺予奪大權的日本政府只是形式上給予台灣島民選擇去就的自由，而在實際上強制給予台民加上某一種限制的「台灣籍」之名的差別性日本國籍。

當時的漢族系台灣島民幾乎都是由對岸大陸移民過來的開拓農民，而在大陸已經失去了生活地盤的一般老百姓為多。而且雖然條文上許可出賣不動產攜款出境，在那時兵荒馬亂之下，即使有不動產，又何處去尋找買主？事實上只有一部分大資產家、由大陸移來的官僚，或主要的生活地盤在對岸、只是到台灣來工作的4,500人移回對岸而已[6]。若謂260萬島民之中，只有4,500人（0.2%弱）離台，頗可證明大多數台灣島民歡迎日本的殖民地統治，則真是淺薄之見，失察真情之言也。

確實，日本後來將留下的台灣島民幾乎全收為日本國民，但這並不意味著這些所謂「新附之民」，和日本本國的帝國臣民（在殖民地一概稱為內地人）能享有同等的權利。事實上，明治憲政被解釋為不適用於日本國的新領土——台灣。這可以說是台

6 台灣總督府警務局編，《台灣總督府警察沿革誌》第二編上卷（1938年3月31日發行），頁666～668。

灣島民生來就不平等的殖民地體制架構下法律上地位的原因。

台灣籍民發生的第二種情形是「完成編入台灣籍手續，取得帝國國籍」（前引《官房調查課文書》對台灣籍的定義），茲說明如下。

眾所周知，並不是所有台灣島居民在台灣「割讓」時，都有機會選擇於猶豫期限的兩年內，居住於台灣諸島的，具體的例子可推知有如下三種情形：

一、選擇期限截止以前離開台灣諸島旅居海外的台灣人。

二、「割讓」初期戰火頻仍（日本占領軍與台灣官民的抗日運動間的種種抗爭與作戰），暫時避難，離去台灣[7]。

三、對於國際公法或國際私法缺乏知識，抑或心存恐慌，訴其感情的短暫性判斷，於猶豫期限內離去台灣的少數資產家。

以上的人們於猶豫期限過後歸台，申請取得日本國籍（嚴格說只是「台灣籍」），台灣當局依日本的決定，個別調查，斟酌情形，認可編入台灣籍日本國民[8]。這些人及其子孫居住於海外時，亦視為台灣籍民。

第三種情形是「歸化取得帝國國籍」。

從台灣「割讓」的1895年，至太平洋戰況正酣的1941年間，從表面看來，日本帝國的國力擴張，海外膨脹，頗有破竹之勢。乘著甲午、日俄兩戰爭勝利的餘威，日本的國威與國際地位，日

7 林獻堂一家即其典型例子。參照葉榮鐘編，〈林獻堂先生年譜〉（收入《林獻堂先生紀念集全三冊》，林獻堂先生紀念集編纂委員會發行，1960年12月印），八丁。

8 具體的例子參見井出季和太，《台灣治績志》（台北：台灣日日新報社，1937年2月23日刊），頁24。

正當中，至少在「滿洲事變」（1931年的「九一八事變」）之前，日本的國際聲望在整個亞洲是相當高的，當然在中國大陸除外。

同時期的中國大陸，辛亥革命、第一次國共合作、北伐成功，光芒萬丈，照耀大地。然而總體看來，籠罩全中國的是戰亂頻仍、政治腐敗、經濟混亂，明哲保身者有之，趁火打劫者亦大有人在。

至於台灣內部，政治經濟上的民族歧視、殖民地統治固有的榨取型態雖然存在，但是殖民地統治的秩序差強人意，殖民地開發方興未艾。雖是殘羹剩菜，漢族系台灣地主資產階級也分沾了一點牙惠。只要不公開積極地參加抗日運動，部分甜頭還是吃得到的。換言之，台灣島民雖則政治、結社、言論等的自由受到限制，民族歧視與迫害亦復不少，但是比起對岸大陸的戰亂頻仍、政治腐敗與經濟混亂來，卻真可謂相對性的太平盛世。

於是一些閩南出身的淺見的地主資產階級，眼見廈門、鼓浪嶼逐漸劃入日本的勢力範圍，認為大陸與台灣的鴻溝加深，正好奇貨可居，可以藉日本的虎威，大撈一筆。於是他們很容易地在台灣尋得故舊、親戚，加上台灣原本是附隨於福建的中國大陸的國內殖民地性格的邊疆地區，許多台灣的殷戶過著「家在彼（對岸）而店在此（台灣）」[9]的兩棲生活。他們的行為模式多半是無根的，是浮萍的、投機的，見風轉舵，見機行事，十分平常。

於是他們向日本提出「歸化」申請。日本當局見其可能利

9 徐宗幹，《斯未信齋文編》（《台灣文獻叢刊》第87種所收載，台灣銀行經濟研究室，1960年10月出版），頁86。按：徐為道光末年之「分巡台灣兵備道」。

用，因之接受其「歸化」，創造出有別於前二種的「台灣籍民」。

關於這一種，井上說：

> 蓋居住於「支那」之外國人有治外法權的恩惠，做爲「支那人」深感外國籍的方便，乃不可否認的事實。廈門人士眼見親戚、鄰人的台灣籍民，只因領台當時居住台灣便在身體財產上受到帝國政府的保護，享受天壤之別的特權，於是詛咒橫徵暴斂的地方政府，企圖取得台灣籍。對於利己主義的「支那人」來說毋寧說是當然的歸趨。尤其一旦踏上台灣的土地，目睹其文明的生活，更強烈企望由其故鄉的悲慘生活中求得解脫。

井上的「台灣天國論」，以其日本外務官僚的立場，以其外來統治民族的眼光，有那一類的看法是可以理解的。

對被統治民族來說，把殖民地下的台灣描寫成天國，當然是不好受的。但是一部分廈門同胞（以資產階級為中心）看台灣親友所過的生活，雖不至於像天國一樣，比較居住地域故鄉的混亂，對於台灣的「安定」，不免心存羨慕。至於井上所謂「利己主義的『支那人』」的那種中國人觀，雖然只是淺薄的民族偏見，但，要修正甲午戰爭以來，一般日本人所認識的「台灣人是物質的人種，他們所崇拜的是黃金、厚禮、華屋、宏園」[10]的台灣人觀（也是中國人觀），實非易事。

---

10 鶴見祐輔，《後藤新平》第2卷（勁草書房，1965年9月10發行），頁45。

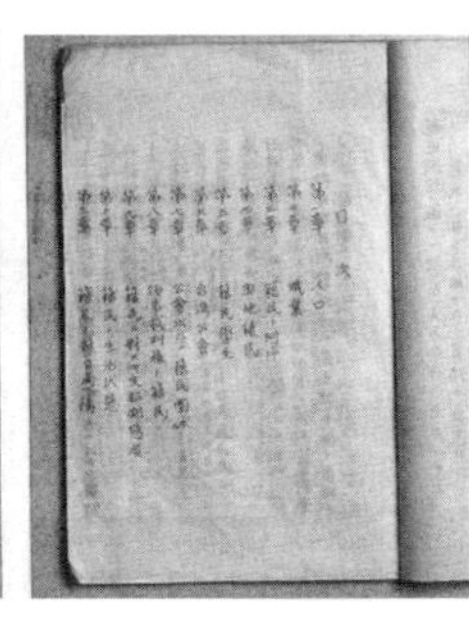
日本駐廈門領事井上庚二郎所作有關廈門台灣籍民問題的祕密報告手蹟（1926年）

也許，在清末國政腐敗、民不聊生的情形下，人民錙銖必爭，是不可避免的事。尤以國民意識未臻成熟，近代的民族主義尚在萌芽階段，國民的、民族的一體感尚未養成，不只是被各個擊破，有些短見人士甚至自願踏入日本帝國主義者所設的陷阱之中。

日本當局設定的陷阱，井上委婉地說是：「領事館基於政策的見地，讓這種『支那人』（即上述第三種投機的中國人）容易地獲得台籍。」又說：「除由於《馬關條約》的締約因而取得國籍者之外，此種人又是另一種可稱為廈門籍民的特殊籍民。」

不用說，此種「歸化」和英國人拉夫卡狄歐・韓（Lafcadio Hearn）歸化日本變成小泉八雲，不可同日而語。

當然，像「廈門籍民」那種特殊的籍民，固不限於廈門，福州等地也有。上述《官方調查課文書》中有云：「此外支那土著民之獲得（日本）國籍者，依其居住地又稱為福州籍民、廈門籍民。」台灣總督府當局明白使用「支那土著民」一語，顯見那些「歸化」者並不一定在台灣住過，或和台灣有過什麼特別深切的關係。

關於許可他們的「歸化」申請，《官房調查課文書》迂迴地說：「彼等之中，或利用金錢權勢，或在台灣購買土地，無所不用其極，領事館基於政策的見地有援助樂觀其成的跡象。」比起

《井上文書》更明確地道出其間的不純邪道之內幕。

（二）台灣籍民的分布與渡航限制

很遺憾，至今筆者還沒有發現有關台灣籍民依年代次序所做的完整統計，因此只好依筆者所掌握的資料所記數字加以編列（其出處參見表1說明）。表中數字是依據領事館登記名單，合計未向領事館報到、但離台出港時將護照寄存基隆警察署，該署移送有關領事館列入名單中者所得。

如《井上文書》所云，除了上述人數之外，尚有1. 祕密渡航者；2. 結婚生子未報戶口者；3. 無護照渡航者，人數甚多，可以推知實際數字應遠超過上表所記。因此，井上領事推測廈門所有旅居的台灣籍民應超過所能掌握的6,832名的二、三成，估計說有8,000至10,000之多（參見《井上文書》）。

在此必須一提的是，台灣總督府對當時台灣人出境，尤其是前往中國大陸所加的嚴格限制。

日本為了台灣的殖民地化，自始便竭力把中國之一部分的台灣和中國大陸切斷關係，關於這一點當另外詳述。而其進行的過程和結果，跟整個國家完全被殖民化的情形迥然不同。

日本把如何將台灣和中國大陸在政治、經濟、社會（包括心理）的關係一刀切離，當作重大課題，加以設計、力行，可以說是理所當然的事。畢竟殖民地統治不是慈善事業，溫情是不必談的。不僅要切斷漢族系台民對大陸的傳統且既有的人際來往，並且盡可能防止由台灣人做主且自發性、新開展的一類來往。

表1　台灣籍民之分布概況

地名／年度	廈門	福州	汕頭	廣東	香港	上海	南洋
1907		340					
1917	2,883						
1918	3,374						
1919	3,516						
1920	3,765						
1921	4,423						
1922	5,226						
1923	5,816						
1924	6,168						
1925	6,539				85		
1926	6,832						
1927					82		
1928		900	340	9			
1929	6,879	1,121	450	37	85		
1930							
1931							
1932							
1933	9,000		436	70	42		1,056
1934					79	616	821
1935	7,356	1,971	496	147			
1936							
1937	10,217	1,777	605		170*		

*包括澳門之3名。

資料來源：由(1)《井上文書》(2)《官房調查課文書》(3)台灣總督官房外事課《臺灣と與南支那》（1937年11月10日）(4)井出季和太著《台灣治績志》，頁24～26等數據合成製表。

其「法律」依據是一套有別於日本本國、台灣特有的「外國旅券（護照）規則」（明治40年10月3日台灣總督府令第86號）。

本來護照是一國為了證明該國出國旅行者的國籍及其為正當國民，請求做客或旅居當地國給予官方的保護和方便而發行的。但當時的中國，在列強的壓迫下，由日本渡航中國是不需要什麼護照的。但上述「外國旅券規則」第四條規定「本島人非持有依此規則發給之旅券者不得渡航外國，但特定場合不在此限」[11]。因此，台民由台灣前往中國大陸是要申請護照的。

日本曾大言台灣是清國「割讓」的新領土，台灣島民是新附之民，法律上是日本國臣民；然其所以斷然採取上述矛盾的措施，是為了要控制、防止上述台民在台灣和大陸間開展人際往來。

也許你會問，是不是只要依「外國旅券規則」的規定辦手續，人人都可以出境？沒那麼容易。井上一語道破云：「由於在台灣發給護照的手續十分嚴密，求以正規方法來辦實非易事。」

下面，我們將整理台灣人所發出的「渡航中國旅券制度廢止論」，可以更清楚地看出事情的本質。

筆者所讀到的廢止論有四篇：

1. 黃呈聰〈希望廢止渡航「支那」旅券制度〉〔〈支那渡航旅券制度の廃止を望む〉〕（《台灣》第3年第9號【台灣雜誌社，1922年12月1日發行】所載，日語論文。）

11 台灣總督府編纂《台灣總督府法規提要・全・第五輯・外事》（台灣日日新報社，1914年6月25日發行），頁24。

2.〈社論：希望撤廢渡航中國旅券制度〉（《台灣民報》第2卷第21號【台灣民報社，1924年10月21日發行】所載，中文社論，署名劍。）

3.〈旅券制度〉（《台灣民報》第173號【台灣民報社，1927年9月11日發行】所載，中文無署名報導。）

4. 王鍾麟〈談撤廢旅券運動〉〔〈旅券撤廃運動に就て〉〕（《台灣民報》第261號【台灣民報社，1929年5月19日發行】所載，日語論文。）

自上述黃呈聰論文可知，台灣島民（當時稱本島人）經由日本國內（當時稱內地）也可能不需申請護照而渡航大陸。但依當時總督府警務局長回答黃氏的話：「居留內地（日本）期間渡航『支那』，可以例外地不受處分，但在台灣就存有渡航『支那』的動機，沒有申請護照前往內地，然後渡航『支那』者應受處分（同論文，頁19～20）。」

上面的回答充滿了矛盾，很明顯的是出於無法控制的苦衷。

無論如何，只要在日本居留一段時間，沒有護照是有可能渡航中國的。到底需要在日本居留多久才行，筆者還沒有進一步做好調查研究。很可能是並沒有明確的標準，所以才有「在台灣就存有渡航『支那』的動機」那種奇怪的回答。

然而，這種例外有時是一個陷阱。由日本無申請護照即前往中國大陸旅行，然後經由廈門、福州等地直接返台，因而受到處分者不乏其例。當然未受處分的也有（黃氏論文，頁20），這就要看總督府當局的政治考量及高興與否了。

台灣人經由日本渡航中國可以比照「內地人」，「例外」地不必持有護照，或許是因為所謂「外國旅券規則」不過是基於台灣總督命令的律令[12]，不適用於日本本國內的緣故。

其次，渡航中國雖可以經由日本不必申請護照的認可，但由於經由日本，不論船費、居留日本的旅費都比直接渡航貴很多，實際上能夠渡航的人數有限，並不很多。

由台灣直接渡航，經由基隆至廈門，1920年代的航程約需一晝夜，即24小時，1928年時的票價，大阪商船公司的鳳山丸（2,341噸）同開城丸（2,020噸）之基隆—廈門間單程票，三等為6圓、二等為12圓、一等則是18圓。同商船公司的溫州丸（1,185噸）往來於基隆—福州間和基隆—廈門間的船票，同等艙位則同價。但同商船公司的神戶—基隆間船票，三等為20圓，乙二等為35圓、二等為45圓、一等則是65圓[13]。

還有上述《台灣民報》社論（1924年10月21日）指責說：到中國去的三等來回票只要8圓，但是申領護照的手續費就要10圓。可見，台灣總督府為了妨害台灣島民渡航對岸，無所不用其極，用心狠毒。

用昂貴的手續費來妨害還是有形易見的，申請護照時那種令

12 律令者，則規定法律事項的台灣總督的命令。其日本本國法的依據是明治29年（1896）法律63號——即台灣需要法律時依總督命令定之。其法源及法律效力可疑，不只在台灣引起六三法廢止運動，即日本國內亦有六三問題的爭論。其後經數次修正，大正10年（1921）依法律3號「有關應於台灣施行之法律」委由台灣總督立法決定，但盡量遵行日本本國法律，只限於決定「依台灣特殊情事需要」的律令。並限定其律令不得違反施行於台灣之法律及敕令。

13 參見高屋義一編，《台灣案內》（台北活版社出版部，1928年8月20日發行），頁339～345。

人厭煩的調查、拖延、挑剔、為難、弄權等，才更是可惡。

黃呈聰舉例說：「在台灣申請旅券必須經由郡市或支廳轉呈州或廳處理，然後下命所轄警察調查申請者的身分、操行、資產等。往往在申請旅券之際，不仰警察鼻息甚難獲准，或者獲准時已過了時效。」（黃氏論文，頁24）

台灣人所提倡的廢止論主要論點有二：

第一，既然台灣人同是日本國民，對台灣人渡航中國施加限制是差別待遇（住在台灣的日本人可以不申請護照即渡航中國）。

第二，台灣總督府歲出總預算中「南『支那』及南洋設施費」項目列有巨額支出（1921年決算額約83萬圓，1922年約85萬圓，1923年約90萬圓）[14]，但台灣與對岸大陸間的經濟關係向無進展，無非是因為重用條件較差的「內地人」（日本人）而輕視語言、風俗習慣與大陸共通、具有活動能力的台灣人，甚而以「旅券規則」妨害台灣人對大陸來往的緣故。因此由台灣總督府向南中國（華南）發展事業的觀點，應准許台灣人無護照渡航中國。

有趣的是，台灣當局對廢止論所提出的維持「旅券規則」頗勉強之理由：

第一，為了保護國民不宜輕言廢止護照。這一點甚為可笑。怎麼語言、風俗習慣和對岸中國人共通、同樣是漢族的台灣人需要保護，而語言不通的日本人反而不需要保護，邏輯矛盾重重。

14 台灣總督官房調查課，《台灣總督府第二十七統計書》（1925年3月31日發行），頁576。

其次，當局又舉，當今已有甚多無賴漢渡航大陸，在對岸給予鄰國不少困擾，若廢止護照規則，將使渡航者無限制地增加，更難於取締。這句話無意間不打自招地透露了一個事實。

（三）台灣籍民與無賴漢

上述《井上文書》第二章「職業」（請查看本章「二、資料：〈在廈門的台灣籍民問題〉」）中提到：

> 目下在留籍民總户數估計約有九百，其半數從事於正當職業，四分之一從事於特殊營業（藝娼妓關係營業或鴉片業），其餘為無業或不定職業，然右表（指前述資料中之第二表）中鴉片業及籍民學生之半數乃基於其具有與吾方（指日本特殊機關）有關係之特殊背景，其將來之動向有待識者之注意；姑留下章記述。

道出了登記籍民之半數依鴉片維生或無正當職業，並暗示無賴漢和替日本特殊機關當跑腿的籍民人士之存在。

井上在大正民主風潮（昭和法西斯狂熱前的短暫性民主風範）下，或許是個人直屬於外務省，和台灣總督府沒有直接關係，純粹出於良心之言，抑或是為外務省所做保密性的調查報告，因而道出某種程度的真心話。

井上接著在第三章〈籍民與鴉片〉中指出：

> 該市（廈門）鴉片業者半數爲籍民，依此維生者數逾二千。居留籍民之四分之一經營鴉片之現狀，實不能不令人驚愕，其原因莫非由於該市之特殊狀態及治外法權。

台灣籍民與閩南系軍閥等封建勢力之利害關係（既勾結又對立）將另文撰論，但一部分台灣籍民誠如井上所述：

> 我台灣籍民（甲）多爲新來者且無資力者，難以打入長年久居的普通商業團體與之競爭，但（乙）因居於享有治外法權，不必服從「支那」的課稅權及裁判權的有利地位，故從事於不正當職業的鴉片買賣，運用固有的武力與治外法權的庇護，巧妙營生，漸次取得相當的財力。

亦即假藉日本「虎威」，做出和正在蓬勃發展的中國民族主義（五四運動，反對出兵山東運動，1920年代的抵制日貨運動，抗日、排日運動）背道而馳的行為。一部分沒有民族意識的台灣籍民不良分子在日本權力的庇蔭下享受生活，而日本權力又利用彼等「武力」對抗排日、抗日運動；其回報不用說正是治外法權的庇護。

當時的廈門「全閩新日報社」主筆宮川次郎（活躍往來台灣與對岸的日本報人）論述當時的狀況說：

> 台灣籍民一方面同爲我同胞（引者按：？），在我勢力圈內，一方面與「支那」人同族之故，於侵入市政及其他「支那」勢

> 力範圍內占有一種特殊的地位。其成功者不乏其人，但雖謂數達五千餘，然居無定所或未向領事館報到之無業遊民、不正當職業者亦復不少，故正確人數難以確認。往年抵制日貨運動勃發之時，籍民團結起來幫助著名領事藤田榮介做了非常徹底的肆應活動，終使（排日貨）運動歸於平靜，應了解其勢力及其發展可能性，以善導之、利用之。[15]

這一番話正代言了日本當局的本意，善導、利用台灣籍民鎮壓排日運動，以得到當局滿意的成果。

前則《全閩新日報》究係何許報紙？井上介紹說：

> 《全閩新日報》乃本埠（指廈門）六個漢文報紙中最古者，創於明治40年，原爲籍民之私人企業，大正7年（1918）爲總督府內部之善鄰協會收買，爾來已化爲純粹的日本方機關報。籍民林景仁爲我名義上的社長，謝龍闊（原註：明治大學畢業）爲主筆，一日發行份數一千餘，除東方通信社所供應的電訊欄之外，其內容頗爲貧乏。（《井上文書》第12章，〈台灣總督府在廈門地方的設施〉）

可見是總督府利用台灣籍民辦的中文御用報紙。

至於林景仁出身於林本源家第二房，維源之孫、爾嘉之長男、蘇門答臘橡膠大王張耀南的女婿。後因通曉中、日、英、法

15 前引宮川次郎，《廈門》，頁160。

諸語，遍遊歐美，任「滿洲國」外交部歐美司長。謝龍闊為一位著名的台灣呆狗[16]，1926年至1928年1月繼宮川之後任該日報主筆[17]。

但《全閩新日報》真正的經營者是善鄰協會，其直接的管理負責人是台灣總督府警務局長。

1926年至1928年任警務局長的本山文平回憶說：

> 善鄰協會表面上是爲與鄰國「支那」結交而成立的協會，實含有將南「支那」（華南）劃入日本勢力範圍的策謀。在警務局長管理的對岸福州，發行報紙、辦小學，在汕頭發行報紙，在廈門、廣東設立醫院，協會均聘任各地領事爲兼任專員。其經費由台灣總督府支出（前述「南『支那』及南洋設施費」預算項目即是），而其輔導及監督由我負責。我就任局長職之後，由於身材矮小，特選體格魁梧之部下十人隨行，巡視南支（華南）各地，與「支那」各地有勢者結交。協會經營之醫院門庭若市，令人驚訝。[18]

16 參照前引《台灣新民報日刊五週年紀念出版・台灣人士鑑》，頁443，及澁沢寿三郎編，《林本源庭園案內附林本源家沿革大要》（1935年10月1日，同編者發行），頁27。

17 關於台灣總督府在對岸經營的報紙，詳參前引台灣總督官房調查課《台灣と南支南洋》，頁48～50，及同官房外事課《臺灣と南支那》（1937年11月10日），頁178～182。

18 本山文平，《夢の九十年》（非賣品，主婦の友出版服務中心製作，1971年7月11日發行），頁90～91。

本山對兩名並稱代表性的台灣呆狗謝龍闊與李呂冀與日軍勾結的內幕，留下貴重的證言：

> 台灣警務局長時代，《福州日報》記者李呂冀曾爲嚮導，李當時改名李子堂，在板垣陸軍少將的提拔下任天津大報《天津庸報》社長。關於李呂冀的壞事，當時的軍部對其幹下之劣跡留有紀錄。李過去是台灣萬華的流氓，被吾友《福州日報》社長鎌田正威君找來爲《福州日報》職員，適接到台灣司令部Y副官祕密命令，爲製造出兵南「支那」（華南）的藉口，要在福州殺死日本人，地位越高越好，軍艦艦長也沒關係。於是李考慮後，殺掉一個年老病弱的日本人小學校長。台灣軍司令部乃據此口實向日本軍中央部申請出兵。但日本軍中央部答覆說出兵只限於北支（華北），南支出兵免議。領事館警察不知究理，大肆搜索犯人，將李逮捕，移送台灣，依殺人罪名交付審判。李力辯是軍部所命，社長鎌田君也向台灣軍司令官眞崎大將提出抗議。主審的二反田裁判官初不信李之答辯，及詢問軍部，知悉事實，乃將李不起訴處分，讓他逃回南支。因此關係，李乃得在板垣少將的幫助下，任《天津庸報》社長。[19]

《井上文書》的祕密資料，雖不如本山文平遺文的露骨，但也承認台灣籍民的流氓組織，所謂的「武力」派乃在領事館的縱容與庇護下滋生事端。他說：

19 同前，頁124～125。

> 此一階級（井上將不務正業者稱爲下層階級，此指下層階級）往往動不動就使用暴力，過去許多不幸事件的發生都是這些人胡搞的（中略）。廈門人越來越畏懼他們，以前籍民中的頭頭爲了對抗「支那」方面的壓力，在領事館的認可下，利用武力者不乏其例，未來，歷史將會循環，這些人的存在並非絕無理由。

與前述宮川一樣，本山亦肯定台灣籍民武力派（即無賴漢）的存在價值，終於說了真心話。

關於這些無賴漢的取締，連執行監督的廈門帝國領事館警察署某署員都這麼說：

> 居留廈門、福州的台灣人，九成以上是無賴漢，好人極少，眾所皆知，他們目中無人地販賣「支那」所嚴禁的鴉片、開賭場、經營所有不正當職業，如要嚴厲取締的話，若不全部遣返台灣，畢竟很難矯正多年來的陋習；但到底本性難改，而這樣做徒然將引起他們的怨恨，我們警察署只好一點一點的取締。
>
> （前述黃呈聰論文，頁22）

這番話充分透露了台灣呆狗的實態，使我們困惑的是，日本警察們居然也有一些慈悲的心。日本俗話說得好：「謊話難於保住」，大概指的就是這個意思了。

由此可以容易了解，台灣呆狗是怎樣的被培育、被利用。筆者在本稿揭示的這些資料，全部採自日本當局的發言、檔案、記述以及高官的回憶錄。

日本當局一方面對於中國官府的抗議置若罔聞，充分利用「外國旅券規則」增加當局所喜歡且能驅使的台灣籍民，一方面對於當局所不喜歡的台灣人（台灣內部的抗日派、反日派，尤其是文化協會關係者及留學生）的渡航中國大陸，設下重重難關以妨礙之。其中經緯，前述一連串的渡航中國旅券廢止論已批露頗詳，茲不再贅述。

（四）結語

台灣人的有識之士對於台灣呆狗和台灣籍民漸成同義語的趨勢，感到痛心。他們的心情表露於旅行記事及從當地寄來的信函。

目前所能見到的，應以林東崗的〈中國旅行所感〉為最。林氏為何許人尚未查出，該文是由福州寄出以日文寫成的投稿。林氏說：

> 既為旅客進入大陸，與主人的中國人握手是應該的，不但於事業上有必要，禮貌上也是理所當然的事。但是有些人往往忘了自己的身分、地位，只圖一時的利益，狐假虎威，自以為高人一等，侮蔑中國人，魚肉中國人，這是過去台灣人在廈門、福州等地所演出的醜態，而今陷於悲慘的命運，毋寧說是罪有應得的事。（中略）廈門、福州等地的台灣人中，十分之九以上

> 惡用了治外法權的保護，無視於對方的國禁，販賣鴉片、嗎啡，開鴉片煙館、開賭場，又時常向中國人施展暴力，眼中幾乎沒有中國人的存在；中國人對台灣人十分厭惡，而且對日本政府當局逐漸猜疑。[20]

文中所謂「而今陷於悲慘的命運」指的是五四運動推行得如火如荼的時候，台灣呆狗變成了排日、反日運動的攻擊對象，受到學生和民眾的攻擊、破壞，甚至如張我軍所寫的演出了慘殺事件（請參考後述）。

為了進一步了解當時的實情，茲引東京商大（現一橋大）畢業、後在銀行界活躍的王金海所寫的〈旅華第一信——福州所見〉[21]一文如下：

> 昨夜大阪商船書記由福州來，談到台灣籍民所有的四家商店被學生團體襲擊一事，始覺抵制日貨運動氣勢洶湧（中略）。但日本人開的商店一家也沒有被襲擊，台灣人所租的住宅、商店則紛紛被催還。福州人只要聽到「台灣人」三字就咬牙切齒。在福州的台灣籍民實在已經走投無路了，幾乎形同休業，虧空累累。

20 林東崗，〈中国旅行の所感〉（刊於《台灣》雜誌第3年第7號，1922年10月6日），頁40～41。

21 王金海，〈旅華第一信——福州所見〉（載於《台灣》第4年第7號，1923年7月10日），頁86～89。

王又接著說：「台灣籍民比內地籍民（日本人）首當其衝，受到襲擊的事，要說是抵制日貨，毋寧說是對台灣籍民的報復。」

這樣的看法雖然稍嫌膚淺，但是王做為一個台灣知識分子，心懷自責內疚之念，對於殖民地統治者刻意製造的「骨肉相殘」、「兄弟鬩牆」一類的悲劇性構圖，不能不有所指摘。

王痛心地說：

> 跟福州人士應該是最容易融洽的台灣籍民反而受到敵視，委實令人慨嘆之至。尋覓其根本原因，可能係過去台灣籍民對於民國的社會或人士，做出了太殘酷的行爲。據聞，現居1,200名籍民當中做壞事的傢伙並不少。依□□（應爲領事）館某氏的話，這種事是必然會發生的，但是不能就此放任不管。知道病因，必須想辦法早日挽救。台灣公會不能再給這些惡徒方便了，應該力圖以公會的自治能力撲滅之。領事館應該嚴加取締，不得縱容，否則台灣對福州、日本對民國的感情只有更加惡化。

半藉著奴隸的語言，鳴其警鐘。

對不良台灣籍民感到痛心的不只是王金海一個人。台灣人第一位醫學博士、後為台灣人在台唯一敕任官、台北帝大教授，受到日本當局的器重，在台灣人上層資產階級中也甚得「人緣」的杜聰明，也是甚感內疚之一位。他以醫生的立場，溫和地留下這樣的話：

> 做爲一個台灣人，見聞這種事不能不深感痛心，當然過去也略有所聞，由台灣來的人之中，尤其是下層籍民在此地（指廈門、鼓浪嶼）無惡不做，被稱爲台灣呆狗。對於這樣的事實，我們豈能無動於衷，我想當局不能不有個對策。

一面吐露自己的心痛，一方面卻向日本當局送秋波，不敢顯示自己的良心。杜說：

> 誠然，近來由台灣渡往彼岸的紳商醫師及許多留學生，在各方面做出努力、貢獻，因而有識之士感情能夠互相溝通，逐漸恢復了台灣人的信用，從東洋的大局看來眞値可喜之事。現居廈門的台灣醫專畢業生約有二十名，對於廈門的衛生保健幾負全責，又如林木土君活躍於各界，深博重望，誠堪欣慰。[22]

然而這位受到杜氏讚賞的林木土翁，生前曾對筆者說：「五四運動以後高昂的反日民族主義，引出日本當局有關對岸政策的調整。台灣總督府在對岸辦學校、建醫院，以接受來院求診的中國籍人士，緩和當地人的反日情緒，力圖安撫，但效果不彰。傷人過重，施點小惠是不能補償的。有些台灣人醫生由於反日而離開台灣，欲施仁術以救濟同胞的中國人之病苦為人生的意義，但是漸漸地對中國的政情失望，對賺錢反而感到興趣，甚至忘了初衷，做出和台灣呆狗一樣的壞事。當時日本人見到博愛

---

22 杜聰明，〈対岸厦門旅行の雑感〉（載於《台灣》第4年第4號，1923年4月10日），頁69。

醫院（《井上文書》謂廈門博愛會所經營，福州也有類似的醫院）除台灣籍民之外，一般中國人也喜歡來接受診療，欣喜雀躍，以為大成功。或許對日本人來言有一點苛酷，但他們的一些見解是膚淺的，一廂情願的。這一點日本企業在進入當今的東南亞時仍舊一樣，因為日本的中國人觀、亞洲觀基本上還沒改正過來。」

記得這番話是1969年深秋，筆者旅日以來第一次返台時，在台北中山北路三段24號的林木土氏宅內聽到的。令我驚奇的是，幾次反芻先生的話，迄今仍然回味無窮。

在對岸大陸引起的排日運動，台灣籍民牽涉在內，其構圖是極其複雜的。利用台灣呆狗為走狗的日本當局在運動進行得如火如荼的時候，亦頗感無奈，而感到手足無措。一部分日本外務省官員及寫「評論」的日本人記者，拚命地將華南尤其福建省的排日、反日運動（包括抵制日貨）的所有責任，歸咎於台灣籍民之惡業劣跡，其實台灣籍民系呆狗的背後老闆，卻是日帝當局。

具體的例子由於篇幅所限不得不割愛，但由前引諸議論可見一斑。

對於這種「責任轉嫁」的言論反擊，最力者為林木土翁的知己、才華出眾的張我軍。他一度將北京的五四運動風潮帶入台灣，高舉台灣白話文運動的大纛。但是「聰明反被聰明誤」，「七七」以後他擔任日本統治下的北京大學教授，甚至當了日本當局主辦的東亞文學者大會的華北代表，雖然係有些勉強，但還是參與了日本帝國主義的大東亞共榮文化政策之局部性演出，留下難於清洗的人生污點。

他激情地呼籲：

我曾親自住過「支那」，痛切地感到有必要把台灣同胞痛苦的立場表明，但一直沒有機會，隱忍至今。本年（1923）排日之際，日本人社會群起攻擊台灣同胞，對台灣同胞的猜忌與日俱增，實令人忍無可忍。（中略）因草此文，深願猜忌台灣同胞、違背新潮流的日本人自我反省。

原本我也是極端反對旅居福州、廈門的部分台灣同胞的行爲的。（中略）現居廈門的台灣同胞數達七千以上，其中除銀行公司職責、學校教員和極少數正當商人之外，均依賭博、鴉片、皮肉生涯（賣春）爲生，甚至組織團體，持手槍、短刀進行搶劫，不久以前擄掠人質，公然做出形同土匪的勾當，被中國人視同毒蛇猛獸，連有正當職業的台灣人也無人願與交往。當然壞人多半於居住台灣的時代就已是壞人了，但助長其罪惡的，所轄領事館、台灣公會，乃至台灣總督府均難辭其咎。這些單位不但不加以取締，反而加以庇護，此輩遂肆無忌憚、變本加厲，於是濫用治外法權，擾亂外國治安，於事實上、道德上絲毫不覺歉疚。據吾耳聞，台灣當局叫他們去，領事加以愛護，其中必有什麼陰謀。一說領事並不深知，專由警察方面斟酌，但非常遺憾一直無法找到確實證據，不敢揣測斷言。但每次此輩加害於同胞，吾人對於警察署的誠意深感懷疑。[23]

23 張我軍，〈南支那に於ける排日政策〉（載於《台灣》第4年第7號，1923年7月10日），頁49～50。

為了避免查禁，迂迴論述，尖銳地指出日本官府本身才是背後真正的「元凶」。

只要有一點知識的人士都知道，日本官府強制台灣人過關渡航對岸攜帶護照，同時，應該也可以限制不良分子出境的。

「外國旅券規則」第八條規定：

> 有左列情形之一者不得發給旅券：
> 一、被認爲渡航外國之目的爲經營不正當行業者。
> 二、被認爲企圖渡航違反旅行地之國法者。
> 三、命令列管者。
> 四、命令禁止居留清國者。[24]

即使在對岸大陸，所轄日本領事館亦可運用其審判權及警察力加以取締的。

依《井上文書》所記，領事館的權力有：1. 發布館令權；2. 禁止居留權；3. 扣留旅券權——要取締的話不乏「法」的依據。而當局卻極少對台灣呆狗行使過。相反地，當局卻運用禁止居留權將日本當局不歡迎的台灣人（反日學生、知識分子、文化協會關係者），毫不客氣的遣返台灣。其中經緯只有張我軍大膽地揭發如下：

> 此輩受到極端放任自由的待遇，早已不知法律、道德、廉恥爲

24 前揭《台灣總督府法規提要・全・第五輯・外事》，頁25。

> 何物。（中略）受到苦痛的中國人逐漸和台灣人結下不共載天之仇，終於在勢力稍稍薄弱的福州爆發了去年的慘殺事件。加之謠傳，故意驅使台灣人敵視中國人的，是日本政府當局的原本政策。有此類傳聞，鑑於吾人對於統治台灣方針及日華親善的前途的期待，不免感到失望。

將日本的陰謀藉「傳聞」之名暴露出來。

張我軍很早便察覺到台灣籍民當時不但被中國方面，甚至被日本方面所猜忌，有朝一日必有被送上犧牲祭壇的危機，他大聲呼籲說：

> 台灣同胞參與排日的事，不只某公司支店長這麼說，一般居留的日本人都這麼說。他們是因爲無法把無知而不知如何行善的台籍同胞推上祭壇，而又偶爾受到排日新聞反間計的影響，猜忌憤怒的結果才有如此般的吹噓宣說。這實在令人感慨萬千，稍明事理或了解新潮流的人對於這些吹噓宣說是不屑一顧的，然而台灣總督府卻聽說煞有介事的派遣特務去偵查。這種無謂的作法還是免了吧。總之台灣人絕不會運用野蠻手段受企圖犧牲台灣同胞的日本人的利用；當然也不會被中國人所利用的，請放心。

我想，上述張我軍的呼籲可能僅是徒然的反應，從他的呼籲之中我們漸漸讀到，委身於中國民族主義大海中的台灣有識之士的活動，已經盛大到引起日本官府的注意了。

然而遺憾的是，他們不過是大海之一粟而已，更多的台灣籍民左右搖擺，正徘徊在吳濁流老先生所描寫的「亞細亞孤兒」的窄「路」上[25]。現在「路」仍然尚未走完，值得我們感歎，但卻是事實。

台灣籍民是不幸的近代中日關係上的歷史性產物；他們一部分被撕得七零八落，變成了台灣呆狗。台灣呆狗更進而變成害群之馬，給台灣人的整個形象塗上了一個「惡」字。

我想，本稿不過是管窺台灣籍民悲劇構圖之一端，深感不足以安慰故林木土翁及所有值得我們敬愛的台籍民族主義者諸先輩的在天之靈。有關台灣籍民的正負面的歷史評價，有待進一步的深究。

本文原刊於《台湾近現代史研究》第3號，東京：龍溪書舍，1981年1月30日，頁105～128。原題「日本の植民地支配と台湾籍民」

二、資料：〈在廈門的台灣籍民問題〉

◎ 井上庚二郎著・戴國煇譯

往南支〈華南〉方面的旅行者及研究者日漸增多，每當他們問起有關籍民的諸問題並乞求印刷物之際，便常痛感有備一包羅萬象的籍民情事研究資料之必要。今偶得閒暇，將本官於在任兩

25 參照吳濁流，《アシアの孤兒》（日文版，新人物往来社，1973年5月25日發行）。

年期間所知諸點加以綜合，寫成此稿。因記述之處有一些涉及政府機密之處，故盼勿以原本向外部發表。我謹以率直之管見，考察了台灣統治的過去和將來，認識到在該方面吸收善良穩健之籍民的要務，特別感覺在南洋各地，有需要為籍民開拓活躍空間的緊要課題。

大正15年9月；

正值東京召開第一屆南洋貿易會議時

在廈門日本帝國領事井上庚二郎

目次

第一章　人口／第二章　職業／第三章　籍民和鴉片／第四章　內陸地籍民／第五章　籍民學生／第六章　台灣公會／第七章　公會以外的籍民團體／第八章　領事裁判權和籍民／第九章　支那〈中國〉對籍民之態度／第十章　籍民的生活狀態／第十一章　籍民的對日感情／第十二章　台灣總督府對廈門地方的設施

第一章　人口

居住廈門之台灣籍民人數，於數年之間急遽增加，至大正15年6月底，在領事館登記及未登記之人數共達6,832人。現將最近十年統計列成下表：

表2 自1917～1926年居住廈門台灣籍民數 （每年六月末現在）

年次	實數	指數（基準年為1917年，100）	年次	實數	指數（基準年為1917年，100）
1917	2,883	100	1922	5,226	184
1918	3,374	119	1923	5,816	205
1919	3,516	124	1924	6,168	218
1920	3,765	133	1925	6,539	238
1921	4,423	156	1926	6,832	242

上表僅是在本領事館登記者及從台來廈時其護照由基隆警察署移送本領事館——即持有護照但尚未來領事館登記者。此外，尚有：1.偷渡者；2.因婚姻出生等尚未申報者；3.無護照渡航者等各類人居住於廈門。因而居住者總計當可達8,000至10,000人。

前述偷渡者，係由於台灣護照發給手續嚴密，以正規途徑來廈不易；或者是乘輪船開航時混亂而登船，抑或搭乘漁船來廈。迄今為止，此類人數已相當可觀。

上述無護照旅行者主要是從台灣先到內地〈指日本，以下同〉，或從長崎、門司〈兩地都是九州的港口都市〉經過上海來廈者。因台灣的護照適用於從台灣島直接來支〈中國〉者，在經由內地的時候，並不需護照。但這種情況的總人數並不比偷渡者多。

接著，有關婚姻及出生者提出申報往往比法定時間要來得慢。本領事館在受理戶籍申報時，附有申報遲延說明書的竟達半數。基於此事實，不難推測未提出申報之籍民人數是相當可觀的。

所謂籍民者，當然是指明治28年占領台灣時住在台灣者，並根據《馬關條約》的規定，全部取得帝國〈日本〉國籍者及其子孫。此外還有：1. 歸化以及2. 根據台籍編入手續成為帝國臣民者。但是，在支那〈中國，以下同〉之外國人所具有的治外法權之恩惠，不能不使支那人痛感外國籍的好處。而他們的親戚、鄰居之台灣籍民，單憑〈日本〉占領台灣時居住在台灣的偶然因素，便得以享受在生命和財產上具有天壤之別之帝國政府的保護。而目睹這一切的廈門人士則飽受誅斂，並詛咒著地方政府的惡政，所以，他們自然想方設法要獲得台籍，以利己主義為始終的支那人當然是趨之若鶩。特別是曾因事而一度踏上台灣之土、目睹文明生活之一端的廈門人，其希冀擺脫鄉里之悲慘生活的要求更為強烈。就領事館來說，出於政策考慮，總是使這些支那人的台籍之獲得極為容易。這樣，除了因《馬關條約》締結而成為籍民之外，還產生了被稱為所謂廈門籍民的特殊籍民。

所謂廈門籍民的大部分仍屬當地政治及經濟的有力者，擁有上萬資產者不在少數。擁有帝國國籍者也不向外發表其獲得台籍的事實，因此，他們一般仍被認為是支那籍，介於支那人之間，因以支那人之臉孔，而從事各種公私之職。其中有人成為支那官吏，此種情形待後再敘。最近，也有因種種機會和理由而編入台灣戶籍者（這些廈門籍民的兄弟因某刑事案件成為被告，其中有曾對總督府提出申請戶籍編入者。因支那方面之要求，由本館向總督府提出緊急照會，決定該人是否有台籍，結果，由總督府決定將其編入台籍）。支那方面往往認為，對於這些入籍者來說，根據民國元年制定之國籍法條文，該當事者因未辦妥支那國籍喪失手續，故對其完全可適用本國〈指中國〉法權。對此，本領事館認為，上述支那國籍法是對個別歸化者而言，對於本件根據《馬關條約》而一起取得國籍者，該規定並不適用。支那政府根據《馬關條約》之簽定，已承認他們喪失了支那國籍，現在侈談喪失手續等等，實在言之無理。自法理來言，這些新編入者與出生申報（再嚴格說，是謂私生子的認可）之性質一樣。即，他們出生之孩子的日本籍沒有任何問題，只須向官府提出申報，便完全具有法律之效力。同樣，這些新編入者仍屬原來就具有台灣籍者，因居住在支那或南洋方面，當台灣舉行戶口調查時不在台灣，因而到編入台籍之前為止，其擁有的台籍之事實未被確認而已；其後經過嚴密之調查，得到確證，該人在日本領有台灣時住在台灣，依此據而被編入戶口。但他們並非新歸化者，因而沒有任何必要依據支那國籍法的指示另辦手續。

第二章　職業

最近，因籍民增加甚激，尚未做好精確的職業分類統計。下表係根據本領事館所收集之營業登記等有關資料而做出的統計，據此不難察知籍民職業之大概的情況，故記載如表3。

目前，居住廈門籍民總戶數估計約為九百，其半數如前表所述從事正業，餘下的四分之一屬於特種營業（藝娼妓及鴉片館方面），再餘下的則為無職或無特定職業者。而前述的鴉片關係以及籍民學生中二人就有一人與這方面有關，基於此特殊情況，將來有需由識者所關懷及注目，故特在下章詳述。

表3　居住廈門台灣籍民職業別戶數（1926年9月現在）

職業	戶數	職業	戶數	職業	戶數
雜貨	168	漁具的銷售	1	轎子的出租	1
茶葉的製造和銷售	17	委託業	1	印刷材料商	1
砂糖	6	職業介紹業	1	生魚商	2
服裝和布匹	19	代辦業	1	金飾工匠	5
香煙的製造和銷售	16	理髮	1	旅館	9
五金	5	鐵匠	1	木匠用具	1
糧食	13	印刷	1	電燈器具	3
鐘錶	2	襪子的製造和銷售	1	煙火的製造和銷售	1
外匯兌換	19	線香的製造和銷售	1	傢俱製造和銷售	1
錢莊	5	豆腐的製造和銷售	1	罐頭業	1
當鋪	2	清涼飲料水的製造和銷售	1	紙類	2
藥材行	26	染料	1	金紙	1
海產	22	肉商	5	炭柴・燃料行	4
木材	8	竹匠	1	小木匠	1
運輸	3	食品行	3	照相館	2
飲料水的供給	1	醬油的製造和銷售	2	肥皀製造	2
樟腦的製造和銷售	2	古物商	3	官吏	2
製鞋及銷售	2	陶磁器	3	教員	8
點心的製造和銷售	7	冰的銷售	2	醫生	12
酒類的製造和銷售	12	水果蔬菜行	7	助產婦和產婆	3
蠟燭的製造和銷售	2	皮革行	4	飯館	90
米粉的製造和銷售	1	牛奶的銷售	3	鴉片(除去名義的借貸者)	195
合計：747戶 【據表的合計實際數字該爲750，此間差3，很可能是漏記項目，特此註明】					

第三章　籍民和鴉片

根據大正15年本館調查，廈門居留籍民中，以鴉片為生活基礎者如下所述：

表4　靠鴉片生活的籍民數

業主別／業種別	自營		貸名義給支那人營業		和支那人共營		合計	
	戶數	家屬男女計	戶數	家屬男女計	戶數	家屬男女計	戶數	家屬男女計
吸煙館	60	292	195	692	73	245	328	1,229
原料輸出入	13	160	38	140	26	180	77	480
鴉片煙膏零售	8	37	42	143	15	42	65	222
合計	81	489	275	975	114	467	470	1,931

此外，還有與後述禁煙查緝處有關者120名。因此，實際上依靠鴉片生活的籍民總數共計有2,051人。分別為：

一、吸食鴉片成習籍民約有900名。

二、現在廈門鴉片吸食館數為383戶。

三、鴉片原料輸出入業者現在數為87戶。

四、鴉片煙膏零售者現在數為83戶。

由上表可以窺知，廈門市鴉片業者約有半數是籍民，台灣籍民依靠鴉片生活者總數已超過2,000。實際上，居住籍民的四分之一靠鴉片來維持生計，為當今的現狀。接到上述報告時，不能不萬般驚訝萬狀。產生這種情況的原因，乃在於廈門市的特殊狀態和治外法權的存在。此外，閩南地方乃支那聞名的鴉片產地，特別是最近處於政情不穩的群雄割據狀態，各軍憲著眼鴉片之有利可圖，乃獎勵農民種植（往往是強制性的），以豐其財源。由此，廈門成了內〈陸〉地鴉片之集散地，這就難免會大大地增加了鴉片交易業者。同時，利用此種形勢，近年統治廈門者，均以鴉片為收入之好財源，設立了一種類似專賣制度的機關，以確保收入為目的。名義上雖以禁煙為理由，實際上卻是以禁止私煙和取得鴉片稅為直接目標，讓民間承包商收稅。政府當局即派監督者及少數兵員，監視禁煙查緝處工作，並督促查緝工作的進行。

而我台灣籍民：1. 多為新來者，且無資力，打進經過長年而確立實力之普通商業團體，與其競爭實感困難；2. 而反面來言，籍民卻享有治外法權，處於不必服從支那稅權、審判權的有利地位，因此從事不能數入所謂正業範圍的鴉片交易，在籍民固有的武力及有利的治外法權庇蔭下，巧妙地經營藉而維持生計，逐漸取得相應的資力。此種籍民實為多矣。如上表所示，他們在親自經營數百家煙館的同時，對想濫用治外法權帶來特惠地位的支那人貸以其籍民的名義，每月收取數十元的名義貸用費，獲取這種不義之錢的籍民亦不鮮見。另一方面，支那官憲方面如果要使支那人承包徵收鴉片稅的話，在對眾多籍民煙館及其他鴉片業者實施取締或徵收稅金時將遇到極顯著的不便和困難，鑑於此，支那官憲便讓籍民承包徵收稅金，成功地排除了前述行使公權力的不便。換而言之，實際上便是由我籍民掌理了禁煙查緝處的業務，從而成了招致前表所羅列之結果的原因。（廈門的鴉片制度已呈上報告。當今每月查緝處所承包之金額為一萬乃至六萬元。）

使籍民與鴉片之關係更趨緊密的乃是，因前述內〈陸〉地各處之罌粟栽培稅由籍民承包而來。各地軍憲讓農民種植罌粟，軍憲自己並不承擔直接徵收，而課稅於種植地面積廣狹別之稅金，軍憲當局運作民間按一定標準去承包徵稅。占據廈門鴉片業重要地位的我籍民亦做為此徵稅之承包者，而進入閩南內〈陸〉地乃自然之勢。春色正濃時，旅遊泉州（尤其是同安附近）或者漳州（尤其是漳浦附近）的遊者，無不為綴滿該地村落的紅白罌粟之美觀而陶醉。該廣大鴉片栽培地的產額年達數千萬元，而其鴉片稅的徵收主要依靠我籍民。他們在承辦或包辦的承包契約下，負責年達數十萬元的徵稅，並將其繳納給地方軍憲。

帝國全權代表在「日內瓦」力陳我在台灣的鴉片專賣制度為模範制度，各國亦予以承認。而現在在與台灣一衣帶水之隔的廈門，有如此之多的台灣籍民直接間接地藉鴉片交易來謀營生計，這實在不能不說是與帝國之陳說相互矛盾。前述統計數字已在社會上廣為流傳，必將成為各國譴責之靶子。類此等事實自然難以瞞人耳目，確信其遲早將引起世界的注意。本館亦力勸大多數籍民斷絕與鴉片有關之關係，在一定時期內力圖謀取正當之職業以代之。但現實距理想尚遠矣。

第四章　內〈陸〉地籍民

現將陳述內〈陸〉地鴉片與籍民之關係。先簡單談一下散在廈門以外未開放地的籍民。

根據《日支通商條約》之規定，帝國臣民無權在未開放地居住營業。只有以一時旅行為目的，方能攜帶護照旅遊（百華里以外之地）。但是，宛如後述，台灣本島人的90％是閩南出身者，該地方均為其原鄉，他們在各地有親戚關係及財產關係。因此，他們與未開放地關係頗為密切，以條約所設想的短期或一時旅遊者的限制甚為不滿，其人數可能不少。離廈門僅一日行程的漳州、泉州自不待言，就是在內〈陸〉地各縣永久居住、從事營業或其他工作者估計有數百人之多。他們平常完全與支那人處於同一地位，服從地方支那官憲的統治，只要不發生任何事情，他們並不標榜自己為籍民，並尋求領事館保護。

內〈陸〉地籍民除個人經營者外，大致可分為三類：1. 與鴉片有關者；2. 經營與支那人合辦之事業；3. 任支那之官吏者。

1. 與鴉片有關者前章已略述，而且，彼等承包徵稅者必然要雇用籍民為部下來得方便。不僅如此，住在廈門之籍民中的無賴漢及無職業者也方便受利用於此種事業。而且，因為稍有刑事犯嫌疑者自然想潛入領事館有關人員不易監督到的內〈陸〉地，所以不難想像，有頗多不良之籍民被吸收到此事業中去。

2. 籍民中受近代教育者比內〈陸〉地支那人為多，科學的知識也比支那人來得豐富。他們利用其企業能力和資本，招募地方紳商的資金，經營尚未被開展的各種事業。因此，儘管沒有條約保障而在內〈陸〉地活動，具有相當大的冒險性，但受到事業之相當有利可圖的刺激，企圖進行此種合辦事業的籍民不斷增加。在這方面的一個方便處是，籍民的姓名完全與支那人同一類，乍見很難判別是否籍民。他們也往往不表明自己是籍民，以與支那人一樣的面貌從事其共同的事業。漳州的農工商信託公司（不動產擔保、資金的出借、貨幣的發行等）、汀漳龍汽車公司（浮宮、石碼、漳州、江東橋、南靖之間的汽車運行）、程漳輕便鐵路公司（漳州、程溪之間的輕便車的運行）等尤是。

3. 不少籍民奉承內〈陸〉地軍憲，做為地方文官就任諮議、顧問及其他官職。前述鴉片稅承包者都被授與此類官名，或被任命為鹽務監察官，有的被採用為軍需局員、電信隊員等。

在上述第2、3項的情況，經常因執行業務的必要上，常伴隨有幾名籍民。

此外，在個人營業中投入相當資金的大體上為果樹園、開墾、植林等一類行業。其他大體上為從事醫生、藥材商、雜貨商等各種事業。

第五章　籍民學生

籍民子弟就讀於中學程度以上學校者，近年來逐漸增加，如下表所述，總數約達二百餘人。

表5　廈門及附近中等以上各學校在學籍民數

集美學校	67	同文書院	15	中華中學校	39
第十三中學校	2	英華書院	26	博愛醫院附設醫學校	7
美華中學	7	鼓浪嶼商業專門學校	13	新華中學	3
禾山商業學校	1	廈門大學	3	泉州培元中學校	4
廈門美術學校	2	漳州崇正學校	7	廈南女學校	1
漳州西河學校	1	育才學社	1	漳州尋源中學校	1
三育中西學校	1	閩南佛學院	13		
合計					214

上表所記籍民學生之一部分為留在當地者的子弟，但大半卻是從台灣來遊學的人。他們因為學業劣等或操行不良無法進入台灣學校，或者入學後因參加同盟罷課而被迫退學，以及此地學校學費低廉為目的來廈門等地求學。可以說，他們許多人是在台灣社會的落伍者，對台灣不抱有好感。加之該地方屬廣東國民黨勢力範圍圈內，與這些抱有不平心情的學生朝夕接觸之教員、朋

友、新聞雜誌等國民黨色彩特別濃厚，因而台灣來的學生們直接間接、有意抑或無意之間便受到孫文主義乃至革命思想的迷惑，愈發具有對台灣政府厭惡之傾向，數年前曾組織閩南台灣學生聯合會，最近又避開本領事館之耳目，而進行聚會。去年5月9日前後，竟煽動冷靜的支那人學生，此外還經常散布反抗我台灣統治的傳單等印刷品。因此，我們驅逐了其首領分子一、二個，其團體行動頓時趨向鈍弱，但尚不足以完全平靜下來。尤其是最近，這些不良分子似乎有轉去上海或廣東遊學的傾向，在該兩地執拗地進行著反我政府宣傳運動。

由前述可窺知，籍民學生分散在各校，因此在監督上頗感困難，而且現在又欠缺適當的輔導人。坦白而言，本領事館也苦於沒有好辦法。雖然對於他們的行動也可以得到密報，並非全然無法取締，但是積極的誘導方法可以說是欠缺的。這一點務請隨時喚起外務省及總督府方面的注意，為了因應將來，有必要樹立起某些對策是一個重要課題。一般認為，台灣文化協會的宣傳及國民黨的感化係最需要當局者注意的方面。

第六章　台灣公會

居住廈門之籍民的中心團體為台灣公會。它與其他港〈口〉的居留民團體或居留民會一樣，是屬於一個地方自治團體，在領事官監督之下，分擔處理籍民有關行政之一部分。其成立可追溯到十幾年前，在大正11年，依據領事館館令被承認為自治體。

公會是由本館管區內經營獨立生計之籍民所組織，其目的為增進會員之相互利益，謀求會員之親睦。會務由被公選的20名議員（領事官可以指名半數議員）議決執行，經領事官認可後，產生了法律的效力。會長歷來為籍民中之有識且有力者，與領事館相協調，求得一般籍民之相互發展。議員之外還有稱為顧問之人士，顧問由曾任過會長及其他歷任過要職者，即公會之元老級人士擔任（目前為四名）。議員會平常每月開一次會，另外每年有一次常例總會。

公會會務計有：1. 教育；2. 衛生；3. 救濟；4. 調停；5. 墓地管理；6. 其他。

1. 公會會務中最為重要的是教育：在其設立之旭瀛書院，教育台、支兩方面的子女。該書院在十餘年前創設。總督府除派遣教員之外，每年約發下一萬日元補助金。目前在廈門市內有三所學校，鼓浪嶼共同租界有一所學校，共有四所（都為普通教育）。學校基地及校舍大部是依靠總督府特別補助金購入的無限期租界地及所有物。現有職員二十餘名，學生約五百。校舍及教材等設備水平已為支那諸學校所不及。學校圖書室、網球場等已廣泛地向一般人開放。公會推選學務委員負責上述事項，全部校務由內地〈日本〉人院長建議施行，同支那方面教育會之聯絡極為圓滿。

2. 衛生：鑑於廈門不清潔，每年發生各種傳染病，公會平時留意會員的衛生，進行種痘、打傳染病預防針、患病者的治療、消毒等各種工作。

3. 救濟：對無錢而患病之籍民、對陷於貧困之籍民、對想返台灣而無船資之籍民，給與臨時救濟金。

4. 調停：籍民之間或者籍民與支那人之間發生民事糾紛時，〈公會〉依照當事人之希望進行仲裁和解之手續，此種調停並不具法律之效果，但按照支那之舊習慣來辦，能取得相當的好成績。本領事館在接受簡單的民事訴訟時，亦會先利用此種調停。本館所涉及的有關法庭之爭訟時，往往是先依賴調停，當調停無效時，才成為正式訴訟。

5. 共同墓地之管理：因居留籍民既有死亡者，當然就有墓地，因此對墓地需要加以管理。

6. 其他：本館布告、照會等事項之傳達通知，與其他社團之交際、代書、證明、保證等。

最近，隨著居留籍民之增加，公會事務亦漸增（會員數現有千名），鑑於內外之地位已有發展，要求設立公會會堂之議喧囂塵上。目前正在台灣及當地募集建築基金，預算約30,000元，迄今為止已募到之總額為13,000元。

在公會元老及有勢力者中，有不少前述之廈門籍民，正如上述，他們做為地方之資產家，有不少人雄居該市經濟界以及政界。然而，他們原來與台灣關係並不深，也不精通台灣及日本之事情，公會議事時，常以廈門語即台灣語進行。遇有領事館員出席之場合，則因有需用日語而須藉翻譯，此外全然不用日語。儘管議場整理議事之進行等已見日趨改善之中，但以一言評之，尚未開脫幼稚之境地。議員中許多人與鴉片有關，前述籍民學生之一部分則罵公會議員為鴉片議員，我認為這並非無的放矢抑或不當之稱呼。

在每年一次議員選舉時，投票數僅為有權者數的10%左右，而且當選議員者中，不學無術者不少。因此，從來都是以公會書記等代筆而投票。本年度將一一改正選舉制，完全廢除代筆，列記印刷候選人名單，讓投票者在投票紙上畫○，用此簡便方法。另外，官選議員數也由前一年的十名（半數）減少至五名，力圖運用自治之方法。

公會的財政狀態並不富裕，主要收入來源為會費、代書費、證明手續費。但這些僅夠經常費用之支出，至於基金、公積金之類則無法籌得。

會員可得到一個長一尺、寬七、八寸的橢圓形木製會員章。許多會員將其掛在門戶或店頭，使人們明瞭其為帝國籍民，以備支那方面不當之對待。故社會上稱為護符。但亦有不少人平時將會員章掛於店內深處，乍見與支那商人沒有任何區別，一遇事變或有事之際，就搬出來讓其發揮護符的功效。過去，會員章極為奏效，現在也給籍民許多方便，這即為前述的出借名義之例子。也因出借名義一類事之存在，故遭到支那官憲的嫉視嫌惡。因而，本領事館現在絕對不容許籍民出借名義事再出現。其方針是，遇到提出營業許可申請者若有此嫌疑，即一律不給與許可。

第七章　公會以外之團體

公會之所以為公共法人，其概況已做陳述，此外要加以敘說的籍民團體為：1. 金融行會；2. 菜館公會。

1. 金融行會是於大正9年由居留籍民之有志者發起，經領事館認可而設立者。其目的是對籍民進行資金的出借或儲蓄金的處理。根據當時的設立宗旨書來看，是為中產階級服務而新設的金融機關，在平時是理所當然，而在排日等緊急事情發生之際，可以藉此促進籍民相互間之經濟救濟。當時行會成員為120名，加入口數（一口為50元）達1,600餘口。後來會員漸增，資金運用日盛，最近貸出雜亂無章，回收不順。因而資金被套牢，實績不彰，行會內部要求改善之聲四起，當前正處於極力整頓之中，倘執行委員及書記得有能人任之，勇敢實行內部整頓，則必將使金融行會再次做為籍民間之金融機關，做出些甚為重要之貢獻。

2. 菜館公會為藝娼妓營業者團體，於大正12年設立，其目的為同業者之間的聯絡感情及相互扶助。在本領事館監督之下，取得相當之好成績，公會員數約為90名，所屬藝娼妓約有220名。籍民藝妓不服從支那方面之警察及課稅權，特別是同支那藝妓不得不付之多額樂戶印花稅相比，籍民之地位頗為有利。最近籍民菜館日趨繁榮，與此相反，支那人菜館日趨衰頹，對支那官憲而言乃為一困難之問題。這些籍民藝娼妓每月給台灣之匯款據傳可達數千元之多。

第八章　領事裁判權與籍民

眾所周知，治外法權乃至領事裁判權給與居留同胞許多方便。自然，我台灣籍民與領事裁判權之關係亦極為密切。前各章隨時舉出治外法權利益之實例，本章再加以概括說明。

領事裁判權給與個別籍民之特惠，主要存在於消極之作用。比如不服從支那方面司法權及警察課稅等行政權力。

1. 支那司法制度之善惡這裡姑且不論。但就廈門之現狀觀之，籍民被置於支那司法權適用範圍之外，對他們來說不可不說是絕大之幸福。現在，廈門為支那海軍占領並施以軍政，因此，各種刑事犯罪均由海軍軍法會議即軍人裁判處審理。其審理極為粗暴，且一審即為終審，不少人由此被處極刑。做為通商口岸之廈門尚且如此，遑論內〈陸〉地，其各軍憲專制則更為甚。約三、四個月之前，一江西人因搶劫過路婦女之頭飾而被處死刑（支那警察廳長親自道出）。只要被認為對海軍政府或地方治安有害，其命運也跟風中之燭一樣了。但是，只要一旦被證明是籍民，則根據條約明文不得不引渡給本領事館。而根據本館調查之結果，往往因證據不充分而不予起訴；即使判決有罪，也將根據法之所定，不必擔心胡亂地被處以極刑。此外，在刑罰之執行時，支那和我方因監獄設備之差異，犯人身心之痛苦程度竟有天壤之別。筆者曾目睹廈門稅關前人群聚集之處，有兩名扒手頭帶三尺見方的木板首枷，被示眾以表懲戒。筆者又瞥見思明監獄約十名女囚在盛夏時，被囚於方丈陋室之中呻吟苦痛不堪之情景，則不能相信此為現世之事。此外，還時聞在民事事件審判之際，如能對審判官提供多額錢財者，便可獲勝訴。根據條約所定之被告主義，籍民因對支那人有債權或行為之要求而向審判廳提起訴訟時，其積極的利益保障雖然並不充分；但是，籍民做為被告的案件時，在本領事館法庭上，只要沒有正當的理由，不可能有對籍民之不利的判決。就此消極意義的角度來說，籍民亦比支那人享有充分的民事上的保護。特別是土地糾紛時，在土地所有權之訟爭頻繁的當地，倘若籍民沒有領事裁判權之恩澤，那迄今為止，他們所受的損害不能不說將是龐大的。

2. 接著來看支那警察權之發動。由於警察之無知（據廈門警察廳長說，約有八成警察不解文字），由不節制、非德義而發生之非法事件並不少。而且，現任廳長為留日出身，察知對外關係之微妙，對籍民措置頗為得體。但下級各官吏違反各種條約之件數仍不勝枚舉。籍民若被置於同支那人同等之地位，其將蒙受之害當亦不少，是不難想像的。

3. 籍民具有的治外法權中最成問題的便是和支那課稅權的論爭。根據條約之正面規定，籍民所應服從的課稅僅是關稅及子口半稅*4而已。但就支那方面來看，他們認為籍民完全處於與支那人一樣的生活狀態之下，在支那統治下居住營業者，若不分擔支那人所擔負的各種地方性課稅，這既是不合理又係不當得利之獲取，在某種意義上，他們這一種主張是有其道理的。遑論孫文主義日漸蔓延，和國民黨黨綱之鼓吹相共鳴的當地人士不斷增加，他們都具有反對籍民之特惠待遇的傾向，對此不該再加以干涉為宜。因而，對籍民的不合理之課稅案件，最近有顯著增加之趨勢，支那方面的態度也變為強硬。本領事館根據輿論趨移和外務省的方針，對籍民個別繳納之稅金不加任何干涉，同時勸說籍民主動繳納與直接生活關係密切的諸種稅金，如地方衛生費、夜警費等。其他如印花稅，也逐漸地默認籍民比支那人低率之繳納方式。前章所述菜館公會關係的印花稅，則以贈與的名義從各人

*4 於咸豐8年（1858）簽定的《中英天津條約》中，規定英國將貨物進口至中國或出口中國貨物時，須繳納「子口稅」，又稱「子口半稅」，即繳納首遇子口（內地關卡）之釐金，其餘免繳，所繳釐金為關稅的一半。

每月中扣出少額錢寄贈給警察廳。除了這些少數稅金和捐款以外，籍民僅交納台灣公會會費（現在一律每月60錢，但有修正之議），其他並無帝國方面的徵稅，說籍民甚為得利並不言過其實。

以上各種利益實際上已使籍民比支那人在生命、身體及財產等的維護處於有利的地位。如前所述，這使本來就看重私利的支那人垂涎三尺。但是，一旦支那現代國民之目標即不平等條約的廢除及收回國權真的實現的話，往年傲慢已極的籍民也將被置於和一般支那人同一類地位，而不能以籍民之名義獲得特殊恩惠的一天也將到來。他們今天在帝國國旗庇護之下，充分享受著文明國家的好處，他們必痛感將回復到30年前的支那人社會的同一地步，從而，籍民應對帝國統治懷有怎樣的感受呵。領事裁判權終止之時，對台灣300萬同胞若能不帶來一大思潮變化，則幸甚。

領事裁判權的另一面便是對籍民的取締問題。本領事館設有附屬警察和支那其他地方沒有任何不同。領事館所在地的鼓浪嶼租界隔海同廈門市街相對。因此，為了方便廈門方面各種事件的處理乃至籍民的保護取締，特別在廈門市內設置警察分署，常駐有分署長及警察官八、九名。關於該分署的設置，支那方面曾以違反條約為由要求本館撤銷。本館則以該分署不過係根據條約之居住權的警察官宿舍而已，做為對支那方面的答覆，然僅撤去分署之招牌而敷衍了事。去年與上海事件相關聯而發生排日運動時，支那方面在外交後援會重新提出本問題，要求我方撤銷分署，本館仍以同樣說法答覆，從而終止一切議論迄今。

持有領事官取締權最為顯著者為：1. 館令發布權；2. 居留

〈僑居〉禁止權；3. 代管護照制度。

1. 關於館令，與其他館無差異。

2. 居留〈僑居〉禁止者數量之多堪稱南支第一。如前所述，由於不良籍民來廈頻繁，從而惹起種種刑事事件。然而，因為支那方面制度不完善，難於舉出犯罪之確實證據，為了促使居住地方治安良好，對這些不良籍民，本制度乃唯一可藉而處置之辦法。關於此件事，支那方面不斷提出問題並有所責難。許多送還者在居留〈僑居〉禁止期間，甚至是在命令處分後僅幾週，又回到廈門，繼續各種作案故也。如支那方面發現這些臭名昭著之歹人，而這些人又是支那人的話，那就會像前所述處以極刑。而在本館，因證據不充分而不予處罰，使其逍遙法外，釀成廈門社會治安變亂的原因，實在是令人難以忍受。因此，認為台灣方面之取締不徹底而深感遺憾。然而，如質詢台灣當局，他們會說，在支那之禁止僅為行政處分，其返回台灣後，因無法律根據也不可能進行關押。在台灣，隔離社會的極刑便是送火燒島。但是，在台灣如無任何凶暴之犯罪行為，則此制度是不能適用的。這是有明文規定的。然而，居留〈僑居〉禁止者在台灣都極為溫馴，毫無非法之行為，因而不能將其流放火燒島，只能監視其動靜而已。他們時而擺脫監視，企圖再次偷渡，這並非總督府怠慢於取締，實在是制度上使其不得已也。有關此問題應該慎重加以考慮為宜。

3. 對於護照，如前簡述，從台灣直接來支籍民均須攜帶護照，並在乘船之際，由警察官收集一起送往領事館，再由領事館予以分類保管，待該人歸台之際，歸還本人。為了頻繁往來者之便，制定了三年有效多次通用護照制度，從而省去了頒發護照有關的繁雜事務。

第九章　支那方面對籍民的態度

支那官憲對我籍民的態度，已在上述各章略有涉及，要而言之，支那方面態度因不同時期的政府之方寸而有不同，這點很難爭論。然概而言之，他們是一步一步吞食籍民之特殊地位，將條約上之不平等地位和待遇局限於最低限度，並希望像支那人一樣對待籍民，這是很清楚的。然而，由於過去的慣例及帝國國威之畏敬，從而採取相應之妥協手段，其例並不少。很好的例子便是前述對關於鴉片的承包或者課稅的特殊辦法。在課稅問題上，收稅人往往對籍民之稅額加以減少，以鼓勵其納稅，此種事例並不少見。今春，值市區改修新道路方案實施之際，支那方面表面上聲明，有關拆遷處理方式對籍民房屋將採用同支那人一般的對待，其實在實施上卻和本館訂立了特殊辦法，使籍民得到遠比支那人有利的補償。

對上述妥協的態度來說，例外的是，也有些官憲完全像對待支那人一樣來對待籍民的情況的產生。比如對賭場開設者和強盜殺人犯的處置。官憲對這些社會治安上「討厭的」人常常煞費苦心。對這些直接或間接之有害者，不讓其假借籍民之緣由，或者封閉賭場，或者將犯人祕密處斬。本領事館自然也提出抗議，並尋求其他可行之措施，但對方也有相應的理論根據，而且，被處刑的犯人又往往是沒在本館登記的無賴漢之類。因而判斷其是否籍民，再阻止處刑已來不及，這種情況頗多。結果，此種抗議亦成為可有可無地馬虎之事。

除了這些之外，一般居住籍民同官憲之關係仍是極為正常的。前已敘述，籍民與支那官吏或支那地方紳商合作經營事業者不少。特別是地方商民，與籍民完全同一個種族，而且往往還存在著親戚關係，全然不知因所具國籍的差別而引起的相互交際上的任何差別。

第十章　籍民的生活狀態

前已敘述，對我籍民來說，廈門乃其故鄉。實際上，在語言、宗教、風俗、習慣、思想諸方面，籍民與廈門人是具有其共通性的。台灣與廈門是僅隔一海的鄰家，宛如廈門市街與鼓浪嶼的租界之關係。福州語、汕頭語和台灣語都不同，唯有廈門語和台灣語是共通、是一樣的，這足以說明廈門、台灣兩地關係之密切。

籍民與支那人一般，多迷信，屬於知識階級之人亦如此。其結婚往往尚保留有買賣婚姻之遺風。多者則數百元、少則數十元的價格，給與新娘的父母以身代金（賣身錢亦即聘金），如此後婚姻方可成立。籍民中吸食鴉片者很多，賄賂之癖亦未除。穿內地衣服〈和服〉或洋裝者甚少，大部分人穿支那服，而起居生活、日常家庭內之行事完全與本地方人一樣。雖說通日語者漸增，但要而言之，日語對他們而言乃為外國語。但不可否認，日常用品中之大部分乃為日本產品。然而，支那服的「口袋」裡插的是鋼筆，使用內地〈日本〉製信紙，穿針織線衣，戴麥蒿帽子。我曾見籍民家使用內地〈日本〉製兒童蚊帳，不禁大吃一驚。

總而言之，籍民的經濟狀態尚未改善。根據台灣公會方面之調查，經濟獨立有牢固之生計者僅占一成或二成，其他則屬於一遇事故或其他原因，便不知其明天如何生活者一類人士。可以預想到，隨著籍民之增加，下層階級也將難免增加；屬於此種階級的人，往往會出現許多暴力分子。過去突發的許多無頭公案，多係這些所謂武力派所惹起者。廈門有陳吳紀三大姓及草仔按派，各劃定其勢力圈，互不侵犯，並努力增進各姓氏內親人之利益，這是為人所知曉的。台灣人武力派實際上也與這三大姓相抗爭，暗地成立了藩籬，此亦為廈門人所畏懼。過去，籍民中之有力者為對抗支那方面的壓迫，在領事館的承認下，利用武力派，這是不乏其例的。將來歷史有可能反覆展現，斯時他們存在之理由並非絕對沒有的。

第十一章　籍民之對日感情

提起帝國臣民——籍民之對日感情，實在是一個不合適的提法或子題。但他們為新附之民，如前所述，同支那人有著相同的思想體系，故而有特別一提之必要。

總而言之，傳統的說法是，籍民的對日感情與朝鮮人相比，剛好形成一種對照。即朝鮮人建立臨時政府，敢於進行反日行動，而籍民則受庇護在帝國國旗之下，謀求私人利益之增進，兩者相距甚遠。今日兩者對比是否仍然如此，對朝鮮人整個近況缺乏充分知識之筆者，不敢貿然有所斷言。但至少如前所述，籍民憑藉著治外法權及領事裁判權的恩澤，充分享受著由此給與的直接間接利益，此乃為無可爭辯之事實。

居住當地的籍民和駐在本地的內地〈日本〉人有著圓滿的關係，他們參加三大節〈所指為斯年的紀元節——神武天皇即位日、明治節——明治天皇的生日、天長節——今上天皇＝大正天皇的生日〉在本館舉行的祝賀典禮，及參加敬賀天長節活動和歡迎帝國軍艦來訪之接待等熱誠，表明著反日感情乃至行動根本沒有其明顯之存在。但是，台灣文化協會之活動隨著籍民有識者之增加而逐漸左右著籍民之思想，這是自不待言的。特別是在國民黨氣氛濃厚的當地，居住籍民在不知不覺之中為革命思想所迷惑，這種憂慮已為慧眼獨具者所注意。前述籍民學生問題之發生亦基於此因，自去年，文化協會企圖將在東京發行之機關報，在廈門當地同時發行可窺知一斑。鑑於此事實，將來籍民對日之感情同朝鮮人相比能否教我方依然安心頗難預料。

總而言之，在過去及現在，他們所以會感謝日本國籍，不外是因為其欠乏知識或者是流於個人＝自私主義。隨著他們當中接受近代教育以及理解時代思潮者之增加，還能貪得堯舜之夢〈太平盛世〉到何時呢？值得我人質疑之（治外法權之廢除與籍民思想之影響已如前述）。

第十二章　台灣總督府對廈門地方之設施

如前所述，鑑於台灣與廈門間的特殊緊密關係，總督府向來在各方面給與廈門各種設施。現在，此設施可以分為如下二種：1. 為屬於總督府事業之一部分而由有關機關直接經營者；2. 由總督府支付補助金者。

總督府直接經營者

1.《全閩新日報》的經營：《全閩新日報》為當埠六個華文報紙中，歷史最悠久者，係明治40年創業。開始為籍民之私人企業，大正8年，由總督府內部機構之善鄰協會將其購下，此後便成為純日本方面機關報。以籍民林景仁為名義上之社長，籍民謝龍闊（明治大學出身）為主筆。一天的發行量為一千餘份，除東方通信社所提供之電報欄外，其內容仍然頗為貧弱。（備參考：其他華文報紙發行量都在一千內外，或僅為數百。）

2.警察官之常駐：因為要收集及提供居留籍民之有關各種情報，總督府派出常駐警部〈警察官階〉一名，該警察官獨立於領事館，負責向總督府報告籍民之動靜及一般政況。

總督府支付補助金者

1. 廈門博愛會：博愛會為大正6年日支兩國人設立之財團法人，以彌補廈門當地衛生設備之不足。以站在日支親善基礎上進行各種慈善博愛事業為宗旨，當今，主要在經營醫院及醫科學校。醫院的總院在鼓浪嶼，分院在廈門，設有內科、外科、皮膚科、眼科、耳鼻咽喉科、婦產科以及牙科。醫院聘僱有各專門醫生以及助手和護士。由於廈門市內衛生狀況極壞，新式醫院，尤其是接納住院病人之設備幾乎全無。該博愛會的有關事業歷年成績斐然，至今就醫病人每月平均超過一萬，受到內外的一致好評。

醫科學校做為醫院之附屬事業，因地方青年之懇求而開始。其規模小，教師亦只由醫生兼任，故而尚未形成充分之培養機關。但已培養出兩屆畢業生共十餘名。現在在校總人數為60。總督府除向本會派遣醫師、藥劑師之外，尚每年平均給與五、六萬日元之補助。更有臨時設施上及其他必要補助金之提供。因而，該會企圖在廈門市內建設大規模之醫院，現正在辦理必要之手續。

另外，總督府對於學校之補助僅止於前年度，現已廢止，因此，該校預定在大正18年（原訂為1929年。但，大正天皇於1916年去世，故並無大正18年之存在）關閉。

2.日本人小學：由〈日本內地人〉居留民會設立。除向該校派遣校長以下之教員三名外，每年約給與1,000日元的補助金。

3.旭瀛書院：如前所述。

4.本願寺教堂：在泉州及漳州，數十年前已有本願寺教堂的創設，在支那人社會進行了廣泛之傳教。總督府改聘教誨師為總督府的囑託〈官職名，等於專員一類〉，給與年額2,000元之津貼（泉州教堂現在空著，關閉中）。該兩處教堂在大正9年由陳烱明認可其傳教權，這在支那其他地方乃無例可援。

本文原刊於《台灣近現代史研究》第3期，東京：龍溪書舍，1981年1月30日，頁129～146。係戴國煇自東京古書展覽會發掘購進的油印「祕」本。爲了研究同仁之方便，在此公開重新鉛印，特此聲明。另（　）內按語爲井上庚二郎原註，但西元年及〈　〉中按語，則由戴國煇附註

戴國煇全集 4

【史學與台灣研究卷四】

著　作　人　戴國煇
策劃／總校　林彩美

編 輯 製 作　財團法人台灣文學發展基金會
10048台北市中山南路11號6樓
02-2343-3142
編 輯 委 員　王曉波　吳文星　張錦郎　張隆志
陳淑美　劉序楓（依姓氏筆畫序）
主　　　編　封德屏
執 行 編 輯　江侑蓮　王為萱
美 術 設 計　不倒翁視覺創意

出　　　版　文訊雜誌社
發　行　人　王榮文
發　行　所　遠流出版事業股份有限公司
10084台北市中正區南昌路二段81號6樓
（02）2392-6899
http：//www.ylib.com

排　　　版　浩瀚電腦排版股份有限公司
印　　　刷　松霖彩色印刷事業有限公司
初　　　版　民國100年（2011）4月
定　　　價　全27冊（不分售）精裝新台幣16,000元整
ISBN　978-986-85850-8-9（全集4：精裝）
978-986-85850-4-1（全套：精裝）

國家圖書館出版品預行編目（CIP）資料

戴國煇全集．1-9，史學與台灣研究卷／戴國煇著．
－－初版．－－台北市：文訊雜誌社出版；遠流
發行，2011.04
冊；　公分
ISBN　978-986-85850-5-8（第1冊：精裝）．－－
ISBN　978-986-85850-6-5（第2冊：精裝）．－－
ISBN　978-986-85850-7-2（第3冊：精裝）．－－
ISBN　978-986-85850-8-9（第4冊：精裝）．－－
ISBN　978-986-85850-9-6（第5冊：精裝）．－－
ISBN　978-986-87023-0-1（第6冊：精裝）．－－
ISBN　978-986-87023-1-8（第7冊：精裝）．－－
ISBN　978-986-87023-2-5（第8冊：精裝）．－－
ISBN　978-986-87023-3-2（第9冊：精裝）

1. 史學　2. 文集

607　　100001708